U0364717

ZHONGGUO

中国
水市场管理学

崔延松　著

黄河水利出版社

SHUISHICHANGGUANLIXUE

图书在版编目(CIP)数据

中国水市场管理学/崔延松著.—郑州:黄河水利出版社,
2003.3
ISBN 7-80621-665-0

Ⅰ.中… Ⅱ.崔… Ⅲ.水资源管理-中国
Ⅳ.TV213.4

中国版本图书馆 CIP 数据核字(2003)第 014171 号

出 版 社:黄河水利出版社
　　　　　地址:河南省郑州市金水路 11 号　　　邮政编码:450003
发行单位:黄河水利出版社
　　　　　发行部电话及传真:0371-6022620
　　　　　E-mail:yrcp@public.zz.ha.cn
承印单位:河南第二新华印刷厂
开本:850 mm×1 168 mm　1/32
印张:13.625
字数:340 千字　　　　　　　　　　印数:1—3 000
版次:2003 年 3 月第 1 版　　　　　印次:2003 年 3 月第 1 次印刷

书号:ISBN 7-80621-665-0/ TV·305　　　定价:35.00 元

中国水市场管理学

前　言

1

　　阿基米德说：给我一个杠杆，我就能撬起整个地球。但他忽略了杠杆的着力点。很多寄望于解决中国水问题的著作，都提出中国水资源实现可持续发展要重构发展模式，但着力点在哪里？该书进行的水市场探索，就是为寻求中国水资源可持续发展的着力点。正如马克思所说："经济运动是更有力得多的最原始的最有决定性的。"该书的分析就是深入到这个"更有力得多的最原始的最有决定性"的经济层面，探求水资源可持续发展框架内解决中国水问题的经济支撑点。

　　中国水利问题和发展的状况，从某种意义上说，决定和代表着中国经济社会整体的进步和发展，中国现代化的真正实现，离不开中国水利的现代化。从这个意义上讲，解决中国水问题的途径与方法研究，绝非我这个基层的研究者所能作为。但作为基层从事水利实务工作的一名普通水利工作者，基层水利工作的实际，使我深深地感受到中国水利基础产业与国民经济其他基础产业的发展差距不断拉大的现实，形成的水资源短缺约束的矛盾，影响着我从事的实际工作，基层水利管理体制、运行机制不断被扭曲的现状，使我有许多耳濡目染的深刻体会。深化水利管理体制改革，不仅是基层水利实现现代化的迫切要求，也是基层水利工作者迫切需要总结探讨的现实课题。利用业余时间从战略上探讨中国水资源管理问题，实现基层水利可持续发展成为我向往已久的目标。但因为学识和视野的限制，加之基层水利工作的繁杂，我始终无法从繁琐的事务性工作中解脱出来，心愿未尽，但我始终没有放弃这一想法。

经过三年多不懈地努力，我在搜集大量有关水利及经济发展资料、并就有关问题进行深入广泛调研的基础上，2000年7月，在河海大学出版社的支持下，与陈杰博士合作出版了《水利经济管理》学术论著，该书融入了我在这期间发表的三十多篇论文的主要观点和对水利经济宏观层面问题的基本分析。该书获1999~2000年度江苏省人民政府颁发的哲学社会科学优秀成果奖后，我个人又被中国水利经济研究会授予"全国水利经济研究学术成就奖"。但求知的路，从来都布满荆棘和艰辛。我为了弥补理论知识的不足，先后参加了各类型高级研修班的学习，先后三次申请硕士学位，二次以同等学历报考博士，均因英语统考不能达线而未能如愿。在困境和迷惘中，我仍没有中断对水利经济及管理问题的研究，相反，更使我有机会将业务的全部精力致力于感兴趣的课题的研究，针对《水利经济管理》只是较多地立足于水利宏观层面的经济管理研究，为了进一步探索资源可持续发展的经济问题，从而转向水资源可持续利用的微观层面的经济管理问题研究。在这期间，我有幸结识了河海大学一批专家学者，他们独到的学术见解、诲人不倦的高尚品质、严谨求实的治学学风，对晚辈学术思想的宽容和接纳，……使我深受感动。他们鼓励我继续从事水利经济微观层面问题的研究，并指导我应重点阅读文献，帮我搜集资料，为我释疑解难。江苏省淮安市水利局为我调整了工作岗位，并推荐我参加部省级课题的研究，让我有机会参加许多调研，从而为我深入探悉、总结中国水资源可持续发展的经济问题、实现自己多年的心愿，提供了难得的机会。

　　2000年10月，汪恕诚部长在中国水利学会2000年年会上作了题为"水权和水市场"的专题讲话，这篇关于"水权和水市场"的经典性经济论述，为我从微观层面上研究中国水资源可持续利用指明了方向。我以此为立论点，首先将研究的着力点放在中国水资源发展的历史研究上，这样做有两方面原因，一是中国的治学格言：治学先治史。只有了解和把握了事物发展变化的历史，才能抽象出一般的规律，才能对症下药提出合理的对策；二是当前中国水利发展的问题，主要是由于历史的延伸，即经济社会的发展对水资源需求质量的提高而形成的，也就是说，探悉中国水利发展的内在机理，利用经济手段解决水资源可持续利用的现实问题，就是对体制转型这一历史选择以及针对水资源管理战略、进程和结果的一种反思、调整和创新。只有这样，才能使水资源可持续利用研究具有历史感、时代感和针对性。事实上，汪恕诚部长在2001年4月关于"水权管理与节水社会"、2001年10月关于"水环境承载能力分析与调控"等经典学术文章（事实上是重要指示，姑且从学术上这样表述），已经将水资源管理研究从历史引向现实、从宏观引向微观的层面上。

正是在上述认识的基础上，我对以往的资料和调研成果进行了系统的梳理与总结，同时，利用一切可以利用的时间补习经济学、管理学等知识的不足。通过学习研究，我发现，中国水利之所以出现影响经济发展全局的问题，不是某个具体政策的过错，更不是某个人的过失，而是历史发展的必然产物，是中国社会主义现代化建设进程中不同历史时期客观存在的产物。正如德国哲学大师黑格尔所说：凡是存在的，都是合理的；不合理的，必将为历史所摈弃。认识到这个层次，我对中国水资源问题有了一个因果的结论，即水资源的无偿占有，是形成现行行政区域利益瓜分，并在现状水资源管理模式下围绕着水资源、水权利和派生利益展开争夺，形成水资源利用上的非帕累托改进，即一个地区的进步是以另一个地区的相对利益损失为代价的，这就是中国水利问题形成的内在根源。同时，我对中国水资源可持续发展前景也形成了一个明确的看法：只要中国在水资源管理上能够形成一种与市场经济相适应的内在机制和运作构架，这种机制使我国区域水资源能够在流域总体框架下形成相互依存、利益一致、协调共进的发展格局，中国的水资源问题必然能够得到根本性解决。

为此，我将着力点转向"水利与市场经济的结合"方面研究，试图寻求阿基米德的支撑点——水市场经济关系的运作机制。第一，我考证了国外水市场发展及其历史进程，用市场机制提高水资源效率，几乎是发达国家解决水资源短缺的共同方法，而发展中国家利用水市场调节也有许多成功的实践。在这方面的研究，我要特别感谢河海大学经济学院徐明教授，是他为我提供了中英文对译资料，使我能够及时了解国外的一些先进管理方法。第二，在中国水市场管理体制研究方面，我系统地学习了钱正英院士关于中国水利历史、现状、展望等方面的著述，这些经典性的实践概括，使我理顺了政府宏观调控水市场的研究主线，少走了许多研究弯路。第三，在中国水市场运行机制的实践和探索方面，我系统地阅读了吴季松博士、姜文来博士、冯尚友教授、魏杰教授、郑垂勇教授、刘昌明院士等的理论与实践著述，他们对市场经济和资源管理的精辟阐述和独到的学术见解，使我茅塞顿开。他们的研究思想为我构建该书的研究框架提供了非常重要的借鉴，加深了我对水市场研究的科学认识。第四，在研究内容的前瞻性方面，我要特别感谢中国水利经济研究会陈美章理事长、江苏省淮安市人民政府陈杰博士、江苏省泰州市水利局董文虎老师、江苏省水利厅王铭老师，是他们为我提供了参加部省级课题的研究机会，使我有机会汲取许许多多专家学者的学术见解，丰富了该书的研究内容，是他们在我进行研究最困难的时候，给予我多方面的支持和鼓励，他们是

中国水市场管理学

5

我学术上永远的老师、工作上永远的领导。同时，在写作过程中，还参考了大量的文献，我尽可能一一注明，但由于文献较多，疏漏之处在此谨向被遗漏的作者表示歉意，并向所有参考文献作者表示衷心的感谢！

最后，我要感谢我的家人。我的妻子刘陆玲是下岗职工，她利用下岗机会为我安排衣、食、住、行。在寒冷的深夜，一杯热茶为我带来幸福的温馨，她为我承担了家庭妇女所能做的一切：教育子女，看望远在乡下的双亲，拿出仅有的积蓄……该书凝聚了我这位贤妻的心血。我的儿子尚在读初中，他也许意识到我已近精力极限，主动要帮我连接关联词语、圈点标点符号。所有这些，都是我享用不尽的、值得回忆的幸福。

亲爱的读者，非常感谢您在百忙中翻阅此书，如果本书对您有所裨益，著者不胜荣幸。由于作者水平有限，错误难免，欢迎批评指正！来信请寄：江苏省淮安市深圳路9号，淮安市供排水管理处，邮政编码：223005，电话：0517-3712347，E-mail：cysdyx@21cn.com。

崔延松

2002年9月于江苏淮安

目录

中
国
水
市
场
管
理
学

2

第五章　水市场价格运行　　　　　　　　　　　(222)

中国水市场管理学

5

第一章 导 论

　　随着社会主义市场经济体制在中国的建立与完善，市场对资源配置起基础性作用，已成为社会经济运行和发展的一般规律。在市场经济条件下，水利作为国民经济的基础产业，其结构、体制和机制都发生了变化。水利如何适应社会主义市场经济的发展，水资源如何作为商品走向市场，建立水市场，发展水市场经济，这是中国新时期水利面临的一个新的理论问题。

　　水利作为国民经济的基础产业，因其具有公益性和弱质性的特点，进入市场难度相对较大，水市场发育速度较缓慢。然而，社会主义市场经济的改革进程，已经并将进一步对水利产生深刻影响。引进市场机制，发展水利事业，坚持政府宏观调控和利用市场调节已成水利发展的必然选择。

第一节　水市场经济

一、市场是商品交换的场所

（一）市场的含义

　　在经济学理论上，市场有狭义和广义之分。狭义市场是指商品交换的场所，即有形市场，商品交易有固定场所。随着商品经济的发展，市场的规模、容量、范围的扩大，一切经济主体都要通过市场交换实现其经济目标。因此，广义市场是指一切交换关系的总和。马克思曾指出："商品是流通领域本身的总表现。"这就是说，市场是商品经济的集中表现，市场属于商品经济范畴，它随着商品经济的发展而发展。商品经济愈发展，市场就愈发达，对生产和消费的作用也就愈大。市场的发展，反过来又促进了商品经济的发展。

在市场发展过程中，市场以其巨大的吸引力，使生产渐向生产交换价值的方向发展，瓦解了自然经济的根基，推动了商品经济发展。市场又以其巨大的渗透力打破了封建割据、地区封锁，推动了交换的发展和普遍化。交换的扩大，在越来越广的范围内把生产者与消费者联系起来，因为交换过程一方面是商品货币形态的变化过程，另一方面是人们相互之间发生联系的经济过程。交换的扩大，使市场突破小集市和局部区域的限制，从而发展成为全国统一市场，进而与世界市场联系并接轨。

（二）市场的要素

市场有三个构成要素：一是市场主体，即市场交易的当事人，主要指生产者、经营者、消费者、政府等；二是市场客体，即市场交换的对象，也就是可供交换的商品和服务，这是市场运行的物质基础；三是市场载体，即市场交易活动赖以进行的一切设施和场所。市场主体和市场客体存在于一定的市场载体之中，三者相互联系、相互制约、缺一不可。

（三）市场的作用

1.市场具有自发调节产销、供求的作用

社会再生产的发展过程中，产销、供求之间经常处于不平衡状态，这就需要有某种力量进行调节，使之相适应并均衡发展。在商品经济条件下，这种调节力量来自于市场上的价值规律。当市场上某种商品需求增加或者供给减少时，会引起价格上涨，价格上涨，抑制需求，刺激生产，使供求趋于平衡；当需求减少或供给增加时，价格又会下降，价格下降，刺激消费，抑制生产，使供求趋于平衡。市场通过商品价格的涨落反映各种商品的生产和需求状况，引导企业生产什么、生产多少、如何生产，使企业乃至整个社会的生产与需求达到发展所要求的平衡。

2.市场具有自发调节经济利益的功能

市场交换关系本质上是人与人之间的经济利益关系。这种经济利益关系表现在商品交换条件和价格变动上，价格提高，对生产者有利——收入增加；价格下降，对消费者有利——支出减少。这种供需之间的经济利益上的矛盾，只有通过市场等价交换、平等竞争的原则，才能得以解决。

3.市场是实现社会再生产的必要条件

社会再生产过程是生产、分配、交换、消费四个环节的统一。在商品经济条件下，社会再生产各个环节的活动都离不开市场，生产部门只有通过市场把商品卖出去，实现生产与再生产的良性循环；消费者也只有通过市场才能实现消费。国民收入分配也要通过市场，把分配的货币转化为相应的生产资料和生活资料，才能最终实现。所以，在商品生产条件下，市场是社会再生产顺利进行的必要条件。

二、市场经济是商品经济的实现形式

（一）市场经济的含义

市场经济是指以市场为基础配置社会经济资源的一种方式，就是通过市场调节社会经济活动、配置社会资源的一种经济组织形式。在这种形式下，生产什么、生产多少、采用什么方式以及如何分配等问题，都要依靠市场供求的力量解决。

市场经济是商品经济的实现形式。商品经济是一种交换经济，是产品作为商品的经济形式。这种经济形式之所以既不同于

中国水市场管理学

3

自然经济又不同于产品经济的一般特点，就在于产品既不是作为直接的使用价值来生产，也不是作为直接的社会产品来生产，而是作为交换价值来生产。这种交换是通过市场来进行的，通过市场上供求双方的买卖活动使产品转化为商品。市场作为各种交换关系的总和，体现了商品经济条件下人们在生产、交换、分配和消费中形成的各种经济关系，而各种经济活动则是通过市场来进行的。这样，商品经济就表现为市场经济。因此，就其哲学意义而言，商品经济和市场经济是内容和形式的关系，商品经济是内容，市场经济是商品经济的自我实现形式。

市场经济是通过市场配置经济资源的一种经济组织形式。经济活动的基础是生产活动，生产活动的条件是生产要素的组合，在宏观上就是资源的配置。在任何社会里，资源的配置和利用问题都是经济运行的基本问题。采取什么样的资源配置方式使有限的资源得到充分利用，实现社会生产与社会需求的平衡，则取决于人类社会一定发展阶段的特定生产条件。在商品经济条件下，基础性的资源配置方式只能是市场配置。市场是商品经济的必然产物，市场上各种要素包括供求、价格、竞争、风险之间的有机联系形成市场机制。市场机制的功能在于一方面促进技术进步、节约社会资源；另一方面通过价格和其他市场要素的变动，引导生产适应社会需求，保持生产与消费的平衡，从而使社会资源得到优化配置，使资源与生产、资源与消费保持良性发展。

（二）市场经济的特性

市场经济是一种以市场为中心的配置资源的方式。市场经济这种资源配置方式，较之传统的计划产品经济体制下运用行政手段配置资源的方式，具有十分明显的优越性。市场经济中的绝大部分生产要素都已商品化，可以在市场上自由流动，实行优化组合。这样，就可以充分发挥社会资源的潜能，使之尽可能转化为现实的社会生产力。也就是说，市场经济这一资源配置方式，有利于提高资源利用率，便于在现有资源条件下，最大限度地提高社会生产力。同时，市场经济主要依靠价值规律的作用来调节经济运行，因而有利于提高经济运行的效率。

社会经济资源是有限的，而社会对经济资源和物品的需求却是无限的，投入到某种需求上资源的增加，必将导致投入其他需求上资源的减少。因此，如何把有限的社会经济资源合理地分配到社会需求的众多领域中去，并且使这种配置最为有效，成为社会经济活动中人们最为关心的问题。任何社会，只有做到人尽其才、物尽其力、地尽其利，才能被认为是做到了资源的合理且有效配置，为了达到这一目的，人们总是要采取必要的资源配置方式，建立起一定的经济体制。市场经济是社会化生产发展的客观要求，它是通过市场机制的作用来配置社会资源的一种经济组织形式。商品经济和市场经济是既有内在联系，又有区别的经济范畴。发达的商品经济就是现代的市场经济，两者有其内在的一致性。商品经济是市场存在和发展的前提和基础。因为，商品货币关系的存在是市场机制发挥作用的基础，历史上任何形式的商品经济都必须通过市场机制的运行来实现，商品经济规律是市场机制的内在根据，商品经济的发展水平，决定市场经济的成熟程度。市场经济是商品经济存在和发展的必然要求，也是商品经济的实现形式。

人们在社会经济活动中进行资源配置，一般有两种方式：一种是计划经济，一种是市场经济。计划经济是按照行政指令计划，以政府为主体进行资源配置。市场经济主要是通过市场机制，在市场中实现资源配置。与这两种方式相对应而建立的两种经济体制，即计划经济体制和市场经济体制。资源配置选择何种方式最有效，不是由人的主观意志决定的，而是由客观经济条件决定的。在商品经济条件下，一般应当采取市场经济体制，或者说资源配置的基础形式实行的是市场经济形式；在产品经济条件下，则只能采取计划经济体制。市场经济、计划经济从社会资源配置方式或经济运行方式角度来理解，它们都是社会化大生产条件下社会经济运行的方式。商品经济发展到一定程度，也就是说，当整个社会的经济资源都成为商品，从而都进入市场，通过市场机制来配置时，这时市场经济与商品经济是重合的，人们的经济关系通过商品交换来实现。不仅如此，商品流通、劳动力流动、资金流动、土地和房屋的租赁及买卖、知识和技术的转让等都通过市场来进行。这时的商品经济就是市场经济。市场经济与社会制度无关，因为市场经济是通过各种市场机制的作用来实现资源配置的，而不是借助社会制度来实现资源配置的。决定于社会生产发展状况的是社会资源的配置方式，而不是社会制度。

市场经济是一种经济形式或体制，而非社会经济制度，它是人类社会发展进入商品经济在经济生活中起主导作用阶段资源配置的一种形式，它可以在不同的社会经济制度下被采用。当市场经济与特定的社会经济制度（生产资料所有制的特定性质）相联系时，它除了具有市场经济的一般属性外，还表现出特殊性，反映着它所依赖的经济基础、运行目的、利益关系和分配关系。也就是说，当市场经济与资本主义经济制度相联系时，就成为资本主义市场经济；当市场经济与社会主义经济制度相联系时，就成为社会主义市场经济。

（三）市场经济的特征

市场经济作为商品经济的实现形式，其基本特征有以下六个。

1.产权的确定性

在市场经济中，生产资料和消费资料及任何资源的所有权不论是公有、私有，还是团体所有，资源的最终所有权和法人财产权的划分都应是确定的、明确的，产权明晰是人们交换行为合法化、秩序化的保证。

2.市场活动的自主性

参与市场经济活动的市场主体的地位是平等的，交易活动是在自愿基础上进行的，交易的条件是交换各方共同议定的。市场参与者（生产者、经营者、购买者）的一切行为，都反映了他们自己的意志、愿望和利益，因而，他们大都独立承担市场风险和责任。

3.市场经济主体的独立性

社会上的生产经营单位——企业，必须是平等的市场经济主体，它们都有自身独立的经济利益，并以获取经济利益最大化作为生产经营的直接目的，具有自主进行商品生产经营所应有的全部权利。如果社会经济领域中的各个企业，都不是或者大部分不是彼此平等的市场经济主体，它们自身就没有独立的经济利益，同时也缺乏作为商品生产经营者应有的责、权、利。缺乏市场经济主体，市场机制既没有载体，也没有作用的对象，就无法起作用，从而市场经济也就不存在。任何社会形态下，企业要成为市场经济主体，就必须是自主经营、自负盈亏、自我发展、自我制约的经济法人，这样才能够自觉地面向市场、自主地开展生产经营活动，才有追求自身最大的经济利益并在竞争中取胜的动力，也才能承受在竞争中可能失败破产而要谋求生存的压力，正是这种竞争和优胜劣汰，使得社会资源得到有效的配置。

4.经济活动的竞争性

在经济活动中，市场主体之间存在自由竞争。竞争中，或生存发展，或破产淘汰。非市场因素的保护落后和抑制竞争被限制在有限的范围（特殊行业和部门）。引导经济资源流向的市场参数，如利率、价格、汇率、工资率、租金、转让费、证券指数等，主要靠市场供求自发调节，通过竞争形成。

5.经济行为的规范性

市场活动中市场主体都要按市场规则行事，否则会受到市场经济法规的制裁。市场经济是排斥超经济强制的，各市场主体不分等级，在竞争中人人平等。不管是百年老企业，还是新创企业，价廉物美的产品才有人问津。货币是天生的平等派，它只承认产品及质量，不管产品所有者背上的社会印记和符号。

6.政府对市场调控的间接性

政府部门不直接干预企业生产经营的微观经济活动，但政府必须对社会经济发展实现宏观的、间接的调控。因单纯的市场调节本身存在天生的缺陷——自发性、滞后性和盲目性。所以,市场经济依靠自身的运转，难以避免周期性的经济波动，难以实现长期经济稳定，难以应付生态环境和社会公益事业的发展要求。这就必须由政府通过财政、税收、价格、金融等经济杠杆以及必要的行政手段、政策，来干预和影响市场的经济运行，以宏观经济调控来解决这些问题。又因为现代市场经济是与社会化大生产相联系的，社会化大生产本身的健康发展，客观要求有一个社会中心对生产进行宏观调节，在社会发展的现阶段，这种宏观经济调节是由政府来执行的。政府通过运用经济、法律、行政等手段对社会经济发展实施宏观的、间接的调控。

三、水市场的建立是经济体制改革的必然

（一）水市场的含义

水市场是市场经济条件下水资源商品交换的场所或水资源商品交换关系的总和。

水市场的交换关系主要表现为水权的转让，即水权交易。水权是有价的，在获得水的使用权以后，可以进行转让，是能进行交易的。比如南水北调，我这个城市购买了水权，占有了一定股权，当自身水用不了而某个城市又需要用水时，为其供应水实际上就是我的水权的转让，这种转让可以有偿进行。再

如，水资源短缺的时候，各类用水需求会发生竞争，也存在水权转让问题。随着城市进程的加快，城市必然要占用农业用水，出现农业用水向城市用水的转移；就农业本身而言，需要增加粮食生产的地方，也必然和当地的用水发生竞争。这些都存在水权的转让和出售问题。水权的转让和出售，使水的利用从低效益的经济领域转向高效益的经济领域，提高了水的利用效益。这对社会的进步显然是有利的。比如说将农业灌溉用水转让到工业上去，可以增加产值，获得更大的经济效益。

水权转让和水权交易，就是我们通常所说的水市场。水市场有两类：

一是非正式的水市场。这类水市场由于是非正式的，由地方自发形成，没有完全的政府干预，最大好处是最穷的农民也能参与市场交易。比如，某一季节或一定时期，一组农民向邻近农民销售一定数量的、自家多余的地下水或地表水；或一组农民向邻近乡镇销售某一部分水量，实现水重新分配，使水向高效益用途转移而不将现有水权持有者置于不利地位。同时，卖水能力会促使节水和更合理地用水。世界上，南亚国家主要实行这类非正式的水市场。墨西哥在引入正式可交易水权制度之前，这类非正式水市场也很普遍。非正式水市场与正式水市场的根本区别在于市场实施完全靠用户自己的信誉或名声，而不用借助法律或行政手段。这类水市场，由于是信用交易，因此只局限于同一地区，交易范围较小。

二是正式水市场。通过法律建立可交易水的财产权，保留和扩大非正式水市场的优点，同时减少因不合法和没有调控产生的负成本。正式水市场能规避与解决水价制定中非统一水价而引发的政治问题。并且，合法的水权交易能够得到很好的监控和实施，也能更有效地服从于法律法规，防止独占权的滥用，确保水的销售对第三方不产生负面影响，并保护环境。与非正式水市场相比较，正式水市场的水权交易范围不受限制，能进行跨地区的水权交易。当前世界上正式建立的可交易水权制度的国家为数很少，只有智利和墨西哥。美国水权交易虽然起步较早，但目前只有西部几个州建立有水权交易制度。澳大利亚、以色列、巴西等国也有一些地区建立水权交易制度，但均未形成全国统一市场。

（二）水市场经济的建立

在计划经济时期，我国的水资源分配主要是依靠行政手段，实行指令性配置。人们传统观念中，水是天上降下来的、河里流的、地下存的，取之不尽，用之不竭。这种观念，导致"市场失灵"，即水价大大低于生产成本，价格不能起到调节供水的杠杆作用，一方面水源紧张，另一方面用水浪费；同时也产生"政府失效"现象，即政府虽然千方百计弥补供水成本，而水价仍低于水资源的社会成本，包括外部成本和机会成本，造成用水效率不高，生活用水、经济用水、生态用水不均衡，尤其是生态用水被忽视，使生态环境恶化，生活质量下降。这种既缺乏效率又不公开的分配方式，在水资源日益稀缺而又建立市场经济的新形势下，不能有效地协调社会的利益矛盾，也不可能保障水资源的可持续利用。

实践是检验真理的惟一标准，实践也是检验水市场能否最终存在和发展的根本标尺。在水利与经济社会发展需要水权理论，而水权理论又需要在实践中完善发展的新形势下，更需要解放思想、转变观念、大胆探索、大胆实践。小平同志说："改革开放胆子要大一些，敢于试验。看准的事，就大胆地试，大胆地闯。""没有一点闯的精神，没有一点'冒'的精神，没有一股子气呀、劲呀，就走不出一条好路，走不出一条新路，就干不出新的事业。""办什么事情都有百分之百的把握，万无一失，谁敢说这样的话？""允许看，但要坚决地试。看对了，搞一两年对了，放开；错了，纠正。""不争论，大胆地试，大胆地闯。"当然，由于创新是一项崭新的工作，改变人们的传统观念需要一定的时间，培育水市场和运用水市场调整水资源需求上的利益关系还需要一个过程，因此，这一工作应是艰巨复杂的。既不能无所作为，也不能急功近利。必须按照小平同志的教导，大胆实践，培育典型；解剖麻雀，总结经验，不断提高。同时，要着手并下大力气进行水权、水市场的制度建设，完善政策法规，尽快地在我国建立起适应社会主义市场经济体制的水权、水市场的理论体系和运行机制。

水市场在国外早有实践，在中国也有了可行性的探索。从国外来看，美国在19世纪就建立了水权制度。最初的水权法为河岸法，规定毗邻水体和水域的土地所有者拥有水权。之后西部干旱地区又采用了优先占用法，规定先占用者拥有优先使用权，可以转让，但是对水的使用不能损害他人利益，不用即作废。澳大利亚、德国、法国等都在其水法或水法规中对水权的转让作出了明确的规定。在中国，东深向香港的供水，实际就是一种水权转让的实践；东阳向义乌的部分水资源转让，更是一种有益的探索。这种示范典型的出现都有力地表明，水权、水市场的存在不仅是必要的，而且是可行的。中国要实施南水北调工程，不管哪条线先通水，都必须用水权的理论来进行水资源配置。当然，由于水权、水市场的培育在我国还处于起始阶段，我国水法律法规还很不健全，因而，发展水权、水市场的法规依据尚不足。但是，任何新生事物、任何改革行为，都是在实践中产生，并由小到大，逐步发展起来的。有了实践，才会有理论，有了理论才能制定出科学政策，新的、合理的东西总是同旧的、不合理的东西相比较而存在、相斗争而发展的，如果一切都合理了，就无需改革发展了。

（三）水市场的特点

水市场虽然也是市场，具有一般市场的共性，但水市场由于水自身存在的特殊性，使其具有不同于一般商品市场的显著特点。

1.水市场是"准市场"

目前，在中国经济转型期，中国的水市场只能是一个"准市场"。所谓"准市场"是指水资源在兼顾防洪、发电、航运、生态等其他方面需要的基础之上，兼顾各地区的基本用水需求，在上下游省份之间、地区间和区域间，通过建立民主协商和利益补偿的机制，来实现水资源的合理配置。在这里，市场只是作为一种机制，体现的是流域、区域和行业间的相互协商和合理的利益补偿和利益实现。

水市场不是一个完全意义上的市场，其原因有四：一是水资源交换受时空等条件的限制；二是多种水功能中只有能发挥经济效益的部分（比如说供水、水电等），才能进入市场；三是资源水价不可能完全由市场竞争来决定；四是水资源的开发利用和经济社会发展紧密相连，不同地区、不同用户之间的差别很大，难于完全进行公平自由竞争。

水资源的分配是一种利益分配，既可以通过市场也可以通过非市场来解决，但单独哪一种方式都不能有效解决，水资源的配置方案不仅仅需要技术上、经济上的可行性，更重要的是要有政治上的可行性。通过对水资源配置的经济机制和利益机制的分析，积极引入既不同于传统"指令配置"也不同于"完全市场"的"准市场"。

"准市场"的实施由民主和利益补偿机制等辅助手段来保障，以协调地方利益分配，达到同时兼顾优化流域水资源配置的效益目标和缩小地区差距、保障农民利益的公平目标。水的统一管理应和"准市场"、"地方政治民主协商"有机结合，通过不断地制度创新和制度变迁，形成比较成熟有效的新的水分配、水管理模式，并逐步以法律法规的形式固定化。

　　由于我国尚处在计划经济向市场经济的转型期，地方政府作为用水户利益的代表和水权的代表者，水市场只是在不同地区和行业部门之间发生水权转让行为的一种辅助手段。表现在不同地区和部门在进行水权转让谈判时引用市场机制的价格手段，而这样的市场只能是由国务院水行政主管部门或其派出机构——各级水行政管理机构来组织。

　　2.政府宏观调控职能突出

　　水市场是一个"准市场"，这一特点就决定了水市场实行政府宏观调控的特殊性。

　　水是自然资源，但水利工程供水使水变成了经济资源，具有了商品性质，但它又不同于一般商品。因为，市场经济不是"自由经济"，而是法制经济，任何实行市场经济体制的国家，政府都要用法律手段管理和调控商品和服务的价格，由此形成市场调节价、政府指导价、政府定价。对于交通运输、邮政、电信、水、电、气等重要公用事业的价格，只能由政府管理，不允许经营者自行定价，以稳定社会经济秩序。供水属于公用事业，不能随行就市定价，只能是政府宏观调控的供水市场。按照短缺经济学的观点，资源短缺应当依靠市场机制来调节，但市场并不是解决经济工作中种种难题的万应灵丹。同样，水市场也不是解决水资源短缺问题惟一的灵丹妙药。

　　从经济特性来看，水利设施提供的服务具有混合经济特征，既有私人物品的属性，又有公共物品的属性，带有公益性和垄断性，政府的宏观调控是必须的。实现有效的宏观调控，克服"政府失灵"的关键是加强管理，即实行流域与区域相结合的水资源统一管理。黄河水量统一调度、黑河分水及向塔里木河下游输水的成功实施，充分说明了调控对市场的重要性。许多城市成立水务局，对一切涉水事务实行统一管理，为政府宏观调控创造了有利条件。因此，实现水资源有效管理的途径，就是政府宏观调

中
国
水
市
场
管
理
学

13

控、民主协商、水市场三者的结合。

从经济运行的角度考虑，水利经济体制改革，当然期望能提高水的市场化程度。随着国民经济市场化程度的提高，水的市场化程度肯定会相应提高。但由于水利仍然要依靠亿万农民兴修、维护和抗洪抢险，所以，水利在市场化经济运行中明显受到国家政策上的约束。水利经济市场化应该是在国家宏观政策指导下的有条件的市场行为。

水市场上，水的使用权的流转，实际上是政府适应市场经济体制的水资源管理的一种经济手段，而不是目的。它的实施应与很多政策相配套。其一是有偿转让应建立在有偿使用的基础上。即水的使用权的取得如果是行政审批取得，则其转让还是应该经过行政许可。但如果国家已建立了水资源有偿使用制度，已行使了使用收益权，某一主体已向国家缴纳了水资源的有偿使用费后才取得了水资源的使用权，则应当允许依法进行有偿转让。其二是水资源使用权的取得应与其事业相适应。国家在许可水资源的使用权时，是依据事业的需要和定额管理，而不是凭空就许可水资源使用权，这样才能避免由此引起的诸如使用权垄断等一系列问题。其三是水的使用权的转让应有利于水资源的节约和保护。可转让的权利应有利于水资源的节约和保护，可转让的权利应限制在因技术和资金的投入及通过节约用水和水资源保护措施而空余下来的水量。

政府宏观调控的关键在于：①对水管单位公益行为实事求是地给予补偿。②出台"水资源费征收使用管理办法"，使国家真正拥有水资源水权，用经济手段调控水市场，实现水资源优化配置。③尽快出台"水利工程供水价格管理办法"以取代目前的《水利工程水费核订、计收和管理办法》，使水利工程供水——商品水成为真正的商品。并定期分流域、区域发布指导水价，防止水垄断。④制定"水利工程用水管理条例，"协调水资源开发商、用水户（人）与水利工程供水之间的物权关系，并和《取水许可制度实施办法》这一直接取用水资源的法规成龙配套，完善水市场的相关法制体系。⑤水务一体化管理，实施政府对水市场（包括对自来水、净水等）所有商品水的监督管理。

（四）水市场的构成要素

水市场作为中国市场经济的一种形式，它是由市场主体、市场客体、市场构成等要素有机结合所形成的完整的统一体。

1.水市场主体

水市场交换活动是由人来进行的，离开了人的具体的生产活动和交换活动，水市场就根本不会存在。人是从事社会经济活动的主体，自然也是水市场经济的主体。所以，水市场主体就是从事市场交换和为了进行交换而进行生产的人和人的群体。在现代社会里，从微观角度看，水市场主体包括居民个人和企业两大类。在现代市场经济中，宏观调控也成为水市场经济的重要内容，政府作为宏观经济的管理者也是水市场主体之一。为了分析方便，我们只把居民个人和企业作为市场主体来考察，而把政府的宏观管理和调控作为市场经济的另一构成要素。

居民个人或企业要成为市场主体，必须具备一定的条件：

第一，居民个人或企业必须具有对交换客体——水的直接占有、使用、支配和处置的权利。这是水市场主体必须具备的最一般的条件。因为水市场上的交换过程实质上是各经济主体之间相互让渡对占有物——水的使用、支配和处置的权利的过程。没有对水的所有权，个人或企业就没有东西可供交换，也就不可能成为市场交换的主体。个人如果没有对自己的劳动力的所有权，他就不能在市场上出卖劳动力；如果个人不占有一定量的财富，如货币，他就不能交换到自己所需要的水来满足自身的需要。对企业来说也是如此，如果企业不能以主体的身份对其所生产的水产品或劳务行使占有或支配的权利，它就不能自主地进行市场交换。所以，经济主体的所有权，无论是终极所有权还是法人所有权，是其从事水市场交换活动的前提，从事水市场交换的双方相互确认对方对交换客体的所有权是进行平等交换的基础。

第二，居民个人或企业必须具有从事经济活动的自主权。水市场主体从事经济活动的主观动机都是出于对自身利益的追求。在市场上，为了达到交换的目的，各市场主体必然要相互寻找交换对象、选择交换地点，并通过一定的形式完成交换。为此，各经济主体必须具有生产经营的自主权。只有这样，经济主体才能根据市场需求的变动和价格信号的引导，不断地调整自己的经济行为，生产者才能不断地向市场提供适销对路的水资源产品，购买者才能根据自己的需要自由地买到自己所需的产品。相反，如果经济主体没有从事经济活动的自主权，不能独立自主地从事生产经营活动，而是在行动上受制于各种外在的因素，就不能成为真正的水市场主体，也不能对水市场上的供求变化和价格变动作出灵活反应。这样，市场调节供求，从而调节资源配置的功能也就不能得到充分发挥。

第三，居民个人或企业必须既有权利又有责任，既要追求利润又要承担风险。水市场主体必须是自主经营、自负盈亏、自我约束、自我发展的经济实体。各个经济实体运用自己所占有的生产要素或水资源产品进入生产过程和交换过程。它有自由支配归自己所有或占有的财产的权利，同时又要为此而承担责任。如果权利大于责任，出现两者的不对称性，则必然造成经济主体行为的扭曲。财产约束乏力，则难以保证市场主体行为的理性化，也就难以形成运作正常的市场。要使经济主体行为正常，除了权利与责任的对称外，还必须使风险与收益对称。一般地说，风险越大，收益也越多；反之，风险越小，收益也越少。两者对称，既有利于鼓励经济主体不断进取，激发其从事生产经营的积极性，使之具有充分的活力；又有利于约束企业的行为，使之不至于不顾后果而去铤而走险，从而有利于保证企业行为的规范化，也有利于体现市场公平、公正。

2.水市场客体

水市场客体，是指用于市场交换的指向物，即用于交换的水资源产品或劳务。

一种水资源产品或劳务要成为市场交换的客体，必须具有以下几点特性：首先，它必须能够满足人的某种需要，即它必须具有使用价值或某种效用，没有使用价值的水资源产品或没有效用的劳务不能用于交换。其次，相互交换的水资源产品或劳务必须具有不同使用价值，能够分别满足交换双方的需要。再次，能够用于交换的必须是稀缺的经济水资源产品，尽管丰富的自由物品具有效用但也不能用于交换。最后，相互交换的水资源产品或劳务不仅要有不同的效用，而且还要有价值量的差别。在交换过程中，通过市场主体之间的竞争和高频次的讨价还价，最终形成一定的交换比例，反映在货币上就是水资源产品或劳务的价格。

市场上用于交换的客体——水商品，是形形色色、多种多样的，我们只能大体上把它们分为两大类：即有形客体和无形客体。有形客体是人们在交换中能够看得见、摸得着的实实在在用来交换的水商品。无形客体就是不以物质形式存在于水市场上的交换对象，如劳务、知识、信息、专利、信誉等。

水市场客体的范围随着交换的发展而不断扩大。在过去，人们只将很少的稀缺水用于交换。如今，在市场经济条件下，尤其是水资源越来越匮乏的条件下，出现了专为交换而进行的水商品生产。水商品生产的发展，又不断推动着水市场客体范围的扩大，越来越多的水商品进入市场用于交换。当水商品生产成为社会生产的基本形式、水市场成为调节水利经济运行的基本手段时，水利经济形式就表现为水市场经济。在水市场经济条件下，几乎所有的经济资源，包括物质资源和人力资源以及直接满足人

17

们生活需要的水消费品和劳务都进入市场，成为水市场客体。

3.水市场构成

水市场经济是交换经济。在今天的社会分工充分发展，交换不再是偶然的而是经常进行的经济形态下，水市场是联结从事不同水商品生产的生产者的纽带。社会分工使水生产者彼此分离，而水市场又把他们联结起来。

这里所说的水市场不是狭义的水市场，而是广义的水市场。它不是指具体的交换地点，而是水商品交换关系的总和。它可以有固定场所，也可以不必有固定场所；可以是可感触的水商品，如灌溉水和饮用水的市场，也可以是水劳务市场，如水闸、水坝或调水的市场，还可以是与涉水相联系的国民经济各类产业的水市场；既有买卖稀有水资源的流域或区域市场，也有提供水环境服务的劳务市场；既有买卖双方当面交易的零售水市场，也有买卖双方互不见面只通过经纪人交易的证券水市场；既有卖方水市场、买方水市场，也有均衡水市场；既有水商品市场，也有水生产要素市场；既有竞争性水市场，也有垄断性水市场。

总之，我们所说作为调节水资源配置的基本手段的水市场，就是广义的水市场，而不是狭义的水市场。

由于水市场客体种类繁多，交换关系极为复杂，交换范围不断扩大，水市场构成也非常复杂。从市场体系来看，有水商品市场、水服务市场、水劳动力市场、水资本市场、水房地产市场等。从市场类型来看，有完全竞争市场、完全垄断市场，垄断竞争市场和寡头垄断市场。从市场结构来看，有流域市场、区域市场、民族市场和国际市场。各类水市场及水市场结构的完善与否，直接关系到水市场体系功能的优劣，影响到水市场经济的发展。

第二节 水市场管理

管理是计划、组织、指挥、协调和控制的社会性行为。水市场管理，是管理者——政府对水市场运行的计划、组织、指挥、协调和控制，既是水市场经济运行市场化的必备条件，同时又是水市场运行秩序化、规范化和高效化的必备条件。

一、水市场管理的概念

水市场管理，是水市场的管理主体运用一定的管理资源和管理手段，促进水市场经济按照一定的目标、秩序，实现高效运行的活动。水市场的管理主体是国家，以及国家委派、集体推选或分工专门从事水利管理工作的部门。管理客体是水这一载体在社会生产和再生产过程中的经济运行。管理方式是民主式，广大劳动者既是生产者又是管理者。管理的目的是以尽量少的劳动消耗取得尽量多的效益，以不断满足社会经济发展对水资源的需要。因此，水市场管理，是水利管理者运用民主的方式影响水市场运作的总过程；是获取更多的物质效益、创造更多的社会经济效益，以满足广大劳动者和社会发展对水资源需求所进行的经济活动。

水市场管理作为一门管理科学，它具有严密的逻辑结构。按项目过程，水市场管理可分为规划设计阶段的产前水市场管理、建设阶段的产中水市场管理、运营阶段的产后水市场管理。按项目内容，水市场管理可分为三个层次：宏观水市场管理、中观水市场管理、微观水市场管理，它们既有区别又有联系，发挥多样的整体功能。

宏观水市场管理，即水利事业宏观水市场管理。水利事业宏观水市场管理是水市场范畴内总的指导原则和总体活动体系，它包括水利事业在国民经济中的地位和作用；与国民经济其他部门、其他经济成分的关系；社会主义市场经济体制下水利产业经济的基本理论和指导思想；水利产业的产权制度和良性运行机制；水利产业的结构和体系；国民经济运作中的水利产业政策和水利产业的发展规划。其中，水利产业政策和水利产业的发展规划，是宏观水市场管理的出发点和归宿。

中观水市场管理，包括水资源市场管理、水利工程市场管理、水力发电市场管理、供水市场管理、水灾害市场管理、水环境市场管理、水土保持市场管理、水利财政政策市场管理、水利移民市场管理、水利经济信息统计和调查研究等内容。

微观水市场管理，是指凡涉及水利具体单位、具体项目和内容并直接在经营管理前沿的经济活动。它包括水利多种经营市场管理、水利涉外市场管理、水利财会市场管理，还包括其他经济成分的微观水市场管理内容。

水市场管理，包括以下几个方面的具体含义。

（一）为民造福

"代表最广大人民群众的根本利益"，为人民造福、对人民负责、为人民服务是水市场经济管理的最高宗旨和目的。衡量管理工作的好坏，就要看人民群众对你的工作"拥护不拥护、答应不答应、赞成不赞成、满意不满意"，因此，对人民负责、为人民服务的原则必须贯穿于管理工作的始终。管理干部不能当官作老爷，必须时时为人民着想，处处为人民谋福利，不能干有损于人民利益的事。管理，就是要面向社会，通过行政手段反映人民群众的意愿和要求，保护人民群众的正当权益，代表人民群众说话办事。让"水利"永远利于人民，造福于人民。

（二）维护法制

管理离不开法制，管理是法制的具体化。今天，市场经济所表现的是法制经济，水市场管理同样也是法制管理。因此，管理就是守法执法、高扬法律的旗帜，必须维护法律尊严，严格守法执法，实现执法到位，保障法律效力。改革开放以来，我国已经颁发了许多水法律和大量的水行政法规、部门规章和地方法规、地方规章，彻底改变了过去无法可依，主要靠人治进行管理的局面。法治是要通过管理来体现的，管理的重要任务就是守法、执法。通过管理，依法规范人们在水市场经济活动中的各种行为，防止和消除各种隐患，保证水市场发展沿着法制的轨道，高质量、高效率地进行和运转。水市场的运行不是孤立的，它离不开社会，社会上存在着形形色色的思想活动和行为，鱼龙混杂，势必影响水市场活动的正常秩序，甚至带来损害和造成不应有的损失。这就需要通过管理，运用法律武器，扬善惩恶，及时制止隐患和不正之风，纠正偏差，查处违法行为，堵塞各种漏洞，拨乱反正，处理好人民内部的各种矛盾。可以说，管理就是对混浊的澄清，对是非的判断，对偏差的纠正，对堵塞的疏解，对疲塌的鞭挞，对违法的惩处。管理出秩序，管理镇邪恶，管理保平安。任何管理上的疏漏和松懈，都可能给健康的水市场活动带来损失和隐患。

（三）规范行为

水市场管理是一种由上而下的行政行为，是贯彻国家、地方政府的意志和方针政策。通过依法行政，根据法定要求，按照规定程序，搞好审批核实，履行法定手续，行使行政权力。通过管理，实现令行禁止，确保政令畅通，落实各项政策。管理是垂直的领导，通过一级抓一级，层层负责，形成宝塔形的管理体系，把行政意志贯彻落实到各个方面，同时把各个方面的落实情况反馈上来，以利于进一步地正确决策和及时纠正。管理的原则是下级服从上级，下级有不同意见时，可以反映和保留，但不能任意篡改和拒不执行。但对于上级违反法律法规和政策所下达的政令则不能执行。通过行政管理，要树立政府在水规划、建设、管理方面的权威性，促使政府水管理行为高效化。

（四）宏观调控

水管理就是要面对涉水行业、部门等方面的需要和利益，统筹兼顾各方面的利益，理顺各种关系，强调个人利益、局部利益和眼前利益服从集体利益、全局利益和长远利益，强调经济效益、社会效益、环境效益的综合效益，对不切合实际的要求进行调整、控制，引导水利行业的各项活动能够在市场经济的条件下有规律、按比例、守秩序地正常进行，从而创造良好的环境氛围，避免盲目、混杂和失控，避免造成不应有的损失和遗憾。由此可见，管理就是对纷乱的梳理、对繁杂的条理、对利益的调控、对秩序的维护。

二、水市场管理的要素

水市场管理，作为一门科学，它也和其他各种管理一样，是由符合水市场运行的各种要素所构成的，由于这些要素的相互作用，才使水市场的管理出效果、出效能、出效益。

水市场管理的基本要素包括体制、机制、措施、规范、监督几个方面。

（一）体制

水市场管理，必须要有实施管理的载体系统，否则，管理就会变成空中楼阁。这就需要建立完善的管理体制，有组织、有机构、有人员，层层有人抓、事事有人管。随着改革开放的深入和市场经济的发展，建立健全适应市场经济条件下的管理体制是十分必要的。多年的实践经验证明，有些地方在水管理方面出现问题，与管理体制不顺、管理机构不到位、职责不清、管理人员素质不高等是有很大关系的。有不少地方，重视管理体制，加强机构建设，职责分明，责权到位，强化管理人员的责任心、事业心，收到了比较好的效果，扭转了管理被动和不力的局面。可见，加强管理体制建设是搞好水市场管理的关键要素。

（二）机制

水市场管理，管理机制应当具有权威性，令行禁止，才能有效。因此，建立管理机制，使管理科学化、规范化，是很重要的。管理机制，包括决策机制、运行机制、激励机制、制约机制和监督机制等，应当完善配套，以保证决策的科学性、公正性；运行的系统性、顺畅性；工作的效率性、积极性；办事的制度性、有效性。从而使管理工作有目标、有规律，实现高效运行。

（三）措施

水市场管理，仅有体制和机制还不能完全奏效，还必须要有管理措施，运用法制、经济、社会、行政、技术以及经验等方式、方法实施综合管理。针对水市场的社会背景和运行中存在的具体问题，采用不同的管理手段或综合措施，是搞好水市场管理的良策和重要举措。如果没有强有力的管理手段和措施，法规政策就会形同虚设，不能完全落实。因此，水市场管理要有严格的制度，要有方法、有手段、有措施。

（四）规范

水市场管理，必须有法律、政策依据，以便依法行政。在人治社会里，长官意志说了算；而在法制社会里，必须一切依法办事。所以，建立健全法律法规体系、规范水市场运行是非常重要的。《中华人民共和国水法》（以下简称《水法》）自颁布以来，有关部门和地方相继公布了相关的部门规章、地方法规和地方规章，以《水法》为中心的水市场建设方面的法规体系基本建立，为依法行政、保障市场建设和管理创造了十分有利的条件。对水市场管理而言，已经有了重要的依据，无法可依的局面已经得到初步改变。

（五）监督

水市场管理，还需要有一套有效的监督检查机制和制度。这些机制和制度，包括外部监督即上级机关对下级机关的监督检查，群众对管理机构及其人员的监督，以及管理机构内部的监督。通过监督检查，促进水市场管理工作实现依法行政、廉洁奉公、高效健康地运行，避免以情代法、以权代法、以言代法、以罚代法和暗箱操作。这是对水市场管理工作本身的监督检查。对于水市场管理而言，还有依法对各项水利建设用地、水利工程和各项涉水交易行为、水价行为的监督检查，通过定期和不定期的监督检查，及时发现和处理问题，严肃查处违法行为。长期以来，我国水利事业存在的一个顽症，就是监督检查缺乏力度。市场经济决不是无序经济，决不是"我行我素"的纯自由经济，水走向市场经济轨道，还必须强化各种水行为、水决策的监督，只有这样，才能保证水市场的健康发展。

三、水市场管理的特点

水市场是水利史上的新事物，其管理运行虽刚刚起步，但已初步显示了以下一些特点。

（一）政策性

水管理必须体现政策性，这是水行政管理的显著特点。政策和策略是搞好水管理的生命线，离开了法律、政策，水管理就失去了灵魂和政治支撑，水管理就会偏离正确的轨道，水管理就会在错综复杂、千头万绪的各种关系中迷失方向。因此，在水市场管理工作中必须充分体现政策性，坚持依法行政，按政策办事。

（二）双重性

水市场管理具有双重性。一方面，是对水资源劳动过程的管理，即合理地组织生产，采用各种措施对自然界的水进行控制、调节、治理疏导、开发和保护，以减轻和免除水旱灾害，并供给人类生产活动和生活必需的水资源和水商品，正确处理人与自然的关系；另一方面，是对创造及实现水商品价值的管理，即运用各种水利管理措施，促进水利经济良性循环，提高社会效益和经济效益，来满足社会、生产、生活和生态环境的用水需要。

水市场管理的双重性质，一方面要求我们学习国外的先进水市场管理经验，使用具有国际性和人类共享性的、先进而科学的水市场管理经验和技术方法；另一方面，我们在学习、借鉴国外水市场管理经验和理论的同时，决不能照抄照搬，而应当根据我国的实际，逐步建立具有中国特色的、反映社会主义生产关系性质的水市场管理理论和方法。

（三）协调性

水市场管理，需要面对社会，处理各种各样的问题，协调各个方面的利益，协调上下左右的关系，通过综合分析、统筹安排，分清轻重缓急，排出先后顺序，使各项工作做到科学合理、井然有序，使各个方面都能比较满意。从这个意义上来讲，管理也是一门领导艺术、协调艺术、工作艺术。用一个形象的比喻，管理工作就好像弹钢琴，管理就是一门弹钢琴的艺术。通过水市场协调职能的发挥，使水利事业的各项工作沿着正常的轨道有条理地、合理地、有序地进行。

（四）公正性

公正，是水市场管理的精髓，失去了公正，水市场管理就会失去社会公众的信任和权威性。因此，水市场管理必须坚持公正性、公益性和公平性的原则。水市场管理就是要为全社会公益事业和绝大多数群众的利益说话、办事，不能成为为少数部门或少数人谋取私利和提供方便的工具。从这个意义上来讲，提高水市场管理工作的透明度是非常必要的。实行公开化的管理，是管理工作进步的重要标志和发展趋势。管理的公正与否，不在于口号和承诺，关键在于管理决策和效果是否体现了公正性。

（五）服务性

水管理就是服务，通过管理为社会提供更优质服务，寓服务于管理之中。管理者如果没有服务的思想和行为，习惯于当官作老爷，不了解广大群众的心愿和需要，不为广大群众发表意见和建议，并建立正常的渠道以及提供方便的条件，管理工作就会闭塞视听和拒广大群众于门外，势必陷入被动。因此，必须把管理工作视为为社会服务、为人民服务的过程。可以说，服务的好与坏，是衡量水市场管理工作好坏的重要特征和度量衡。

（六）高效性

水市场管理是要讲效率的，对于一项决策的贯彻和一件事情的处理，不能唯唯诺诺、左右摇摆；不能朝令夕改、反复无常；不能议而不决、决而无果；耗时间、走过场。管理就是通过实践过程及时发现问题、分析问题，并围绕高质量、高效益、高效率的原则，制定解决问题的方案。效率低下的管理，往往会耽误时机，给社会带来一定的影响和损失。比如对堤防违法建筑的查处，如果不及时、不果断，造成既成事实，然后再来拆除，则会造成不该有的经济损失和社会、环境的负面影响，从而影响水市场运行的质和量。

（七）综合性

水市场管理内容具有综合性，它包括水利领导、水利组织、水利动态、水利法制；包括水资源、人资源、物资源、财资源、信息资源；包括政府行为、计划调控、指挥运筹、监督调控；包括目标管理、预测管理、决策管理、行为管理；包括卫生、教育、文化、心理、法律等等。因此，实施水市场管理，要区分不同情况、不同性质、不同基础条件，提出不同的要求和标准。

综合管理要求把水利工程供水当成商品，制定合理的水价，实行等价交换。管理形式可采取：①高级形式，以商品生产的价值交换为基础，以创造剩余劳动（利润）、扩大再生产为前提，主要建立水利工程供水公司、水电厂、灌溉公司、水源工厂、水面养殖场等企业形式。如丹江口水电厂、引滦济津供水公司等。②中级形式，即过渡企业形式，实行企业化管理。农业供水按成本价格，工业、城市供水按成本加社会平均利润的生产价格，实行独立核算，自负盈亏，以简单再生产为经济目标。③低级形式，即实行事业单位企业管理。以内部经营收益为主，国家补助为辅，以商品水核定水价，辅之以政策调节，以收取基本水费作为经营的主要方式和主要经济来源，不足部分由国家事业费予以补贴，以作为不足部分的补偿。

四、水市场管理的原则

水市场管理的原则是指水市场经济活动中必须遵守的行为准则和规范。这些准则和规范是水市场管理活动规律性的表现，因而也是实现最佳水市场管理效果的保证。正确制定和自觉贯彻水市场管理的基本准则和规范，是实行水市场管理科学性必须解决的问题。水市场管理的基本原则主要有以下几个方面。

（一）责、权、利相统一原则

责、权、利相统一，是指在水市场经济管理活动中，国家、企业和个人都需要承担一定的经济责任，都应该具有与其责任相当的经济权利，并能获得与其水市场经济活动相一致的经济利益。

在水市场经济条件下，水市场管理的责任和权利必须统一。水市场管理的责任来源于劳动的分工和协作。要完成水市场管理责任，经济活动的主体必须拥有从事经济活动的手段，经济权利就是对经济活动的主体所拥有手段的肯定和保护。经济权利是由经济责任所决定并为经济责任服务的，经济责任的完成需要经济权利来保证。经济责任和经济权利的统一是保证经济活动正常进行和取得成效的一个必要条件。所以，水市场管理的责任和效益必须统一。一切经济活动都要以取得好的经济效益为直接目的，经济效益是经济活动的核心问题。经济责任的划分和经济责任完成得好坏都要以经济效益为衡量标准，经济效益必须依靠经济责任的完成来实现。同时，水市场管理活动效益和分配必须统一。在社会主义初级阶段，物质利益仍然是推动经济发展的内在动力。正确贯彻物质利益原则，是调动人们工作积极性、提高水市场管理活动效益的重要保证。利益和责任之间的内在联系，使得人们愿意承担经济责任，从而去获得一定的经济利益。经济利益的获得也必须以经济责任的完成为条件。

水市场管理引进利益机制。一般的市场经济运作，是一种利益驱动。用一句话来表述为：人们对切身利益的关心，变为对市场价格等经济信息的积极响应，以推动供求竞争，带动生产要素的合理流动，从而达到市场引导企业的生产和经营，实现资源的有效配置。社会主义市场经济也离不开利益机制的作用，通过约束机制和激励机制，让一部分人通过诚实的劳动先富起来，同时要让先富起来的引导大家共同致富。引进利益机制首先是完善性，其次是稳定性。完善性就是要求利益政策和制度要先进合理，通俗地讲，就是"跳一跳摘果子"。如果制度不够先进，不用跳就摘上果子，可能引起国有资产流失、国有资源破坏；如果跳了还摘不上果子，人们就不跳了，也不能激励先进。同时，利益政策和制度要有一定的稳定性，不能朝令夕改，否则会极大地影响政策的实施。

我国水市场管理的事实证明，责、权、利相统一是实现有效管理的基本原则。责是基础，权是保证，利是动力，在处理三者的关系时，应该坚持从效益出发来划分责任和确定利益的分配，要根据完成责任的需要来划分职权范围。

（二）重视经济效益的原则

讲求经济效益，既是水市场管理的直接目的，又是水市场管理的基本原则。这一原则要求水市场管理活动符合合理性、有效性和社会公益性的要求。

合理性要求，就是在水利经济活动成果相同的条件下，消耗的资源最少，花费最小；在资源消耗相同的情况下，效益最大。合理性的实质是节约水资源，提高水资源在经济活动中的效益，从而节约水商品生产的成本。

有效性要求，就是指生产的产品有使用价值，提供的劳务有效用，进行的水市场管理活动有正效益。水市场管理活动的有效性，是同水市场管理工作的有效性紧密相连的。提高水市场管理工作的有效性，就是要讲求管理效能和效率。管理者的管理效能和效率越高，经济活动的有效性也就越大。因此，水市场管理工作不仅要讲求经济活动的有效性，而且要讲求水市场管理工作自身的有效性。

社会公益性要求，就是水市场管理活动的成果能满足社会的公共需要，即具有社会效益。社会公益性是社会主义经济活动的准绳，也是水市场管理活动的准绳。只有努力控制或减少由于个别的经济活动失误给社会带来的危害，才能使水市场经济朝着有益于社会的方向去健康发展。

要实现效益原则，就必须通过管理，以最少的物化劳动和活劳动消耗，取得最大的社会经济效果；对水市场管理活动中的一切因素、条件、内部相互之间的关系，进行全面、系统的分析优化；在此基础上确定多种方案，予以比较、论证，从而选择最优的实施方案。水市场管理的结果，使水利经济系统内的要素资源结合得最好、利用得最充分，这样，其效益也就最好。

（三）民主协商与集中管理相结合的原则

民主化管理是现代管理的标志。实行民主管理与集中统一管理相结合，是指在水市场管理活动中，广大劳动群众应该享有当家做主的权利，企业应享有经营管理的自主权，水行政主管部门应确保水资源的充分合理利用和国有资产的保值增值；同时，国家和水利企业的领导部门对所辖范围内的水市场活动必须统一管理。

生产资料社会主义公有制，决定劳动群众不仅是水市场经济活动的参加者，而且是水市场经济活动的主人。作为主人，他们应该直接讨论和决定水市场经济活动中的各种重要事宜，处理水市场经济活动中的各种重大问题，以及监督各级领导干部的工作。作为主人，他们的积极性、主动性、创造性发挥得如何，将直接决定水利经济工作的成败。社会主义生产资料公有制的特点，决定了在实行民主管理的同时还必须实行集中统一的管理。社会主义生产资料公有制，要求一切经济活动都必须符合全体劳动群众的共同利益，水市场管理活动不允许以个人利益损害集体利益，以局部利益损害整体利益。因此，实行集中统一的水市场管理也是社会主义生产关系的要求。

水市场是一个结构和关系十分复杂而严密的经济系统，这个系统的正常工作要求各种经济活动之间、各生产环节之间在时间、空间上密切配合和衔接。这个系统的稳定和发展，要求一切水利活动必须围绕一个总的目标，遵循民主管理和集中统一的原则。

五、水市场管理的任务

水市场管理的目的是实行水市场经济运行的秩序化、科学化和现代化。水市场管理的目的决定水市场管理的任务，管理任务是管理目的的具体化。

中国社会主义初级阶段的主要矛盾，是人民日益增长的物质文化需要同落后的社会生产之间的矛盾，解决这一矛盾的惟一办法是发展社会生产力。要发展生产力，就必须加强管理。因此，水市场管理的根本任务是发展水利生产力、优化配置水资源、提升水利产业生产水平，使水利产业与整个国民经济的发展保持一致。

在社会主义市场经济条件下，发展水利生产力的任务，具体表现在两个方面：一方面是增加水利生产力的总量，另一方面是提高水利生产力的质量。增加水利生产力的总量是指增加水资源商品使用价值总量，一般可用社会总产值、国民生产总值等表示，也可以用人均占用的使用价值量，如人均占有量、人均国民收入等来表示。因此，可以从绝对量和相对量两方面进行考察。提高水利生产力的质量是指水利生产力的水平要提高，水利生产力的结构要合理，水利生产力的布局要科学，运用现代科学技术的生产能力要不断增强等。生产力的质量越高，越有利于增加它的总量。水市场管理的任务，就在于增加其生产力的总量，提高其生产力的质量，只有生产力的总量和质量的统一，才是水市场管理的真正任务。

现代管理学理论认为，生产的诸要素不会自动地转化为现实的生产力，要转化成现实的生产力，需要进行大量复杂的管理工作，需要按照水利生产力系统的特点和水利生产自身的发展规律，使生产要素的结合最优化，从而促进水利生产力得到较快地发展。要发展水利生产力，就必须科学合理地组织水利生产力。

根据马克思主义原理，生产力决定生产关系，生产关系对生产力起反作用。生产关系适应生产力的要求，就会推动生产力的发展，生产关系不适应生产力的要求就会阻碍生产力的发展。那么，怎样才能调整不适应生产力发展的生产关系呢？在社会主义制度下，靠改革、靠管理、靠自我完善和自我发展。因此，水市场管理的任务，就在于及时发现水利生产关系不适应水利生产力发展的方面，通过改革，使生产关系保持适应生产力要求的最优状态，使水利生产力总量得到增长、水利生产力的质量得到提高。要发展水利生产力，就要调整和完善生产关系。

通过实施科学管理，增加水利生产力总量的方法和途径，最

中国水市场管理学

31

重要的是提高劳动生产率。劳动生产率高就意味着以尽量少的活劳动消耗取得了尽量多的劳动成果，劳动成果多，可使生产力的总量加大。因此，要增加生产力的总量就要不断提高劳动生产率。由此可见，水市场管理承担着最大限度地提高水利劳动生产率的任务。要发展水利生产力，就要不断提高劳动生产率和提高水利行业的国民经济贡献率。只有提高国民经济贡献率，才能实现生产力总量的增长。

在水市场管理活动中，由于不同的管理层次有不同的特点，各层次管理的任务也存在着一定的差别。水市场宏观管理的主要任务是：根据水资源规律的要求，搞好宏观水资源规划，制定水资源发展的战略方针和政策，确立不同时期的水市场发展目标，制定和实施水市场经济和社会发展规划，改革和完善水市场管理体制，协调国民经济活动并使其按比例发展，创造条件提高社会经济效益，监督和控制水市场经济管理活动并使其正常进行，保证在水利生产力不断增长的条件下，使有限的水资源得到更充分合理利用，以实现经济社会与水资源的可持续供给协调发展。微观水市场管理的主要任务是：生产和提供尽量多的符合社会需要的水资源产品和劳务，创造尽量多的经济效益和社会效益，满足各个行业和部门的消费需要，在增加水利生产力总量的同时，实现区域水资源供需平衡。水市场管理存在分阶段、分层次的管理任务。增加水利生产力总量是一个总任务。总任务分解为各阶段、各层次的任务，从而使总任务落到实处，形成以水资源管理为核心的水市场管理体系。

第三节 国外水市场概览

国外水市场的发展和我国相比，具有起步早、发展较成熟的特点。本节从共性上作一些概述。

一、取用水实行市场收费

在不同国家，通过收取水费筹集的资金，其使用途径因水费性质、来源以及水市场发展不同而不同。如水资源费为水资源工程设施建设提供建设基金；水资源供水收入为供水系统提供成本补偿金等。在德国，水费甚至被用于补偿农户由于减少化肥使用及使用价格较贵、但更符合环保要求的杀虫剂所带来的损失及影响。德国的水管理由各州负责，因此，不同的州收取水费的方法差别很大，其水费目标包括成本回收、筹集资金以及激励节水和水资源保护等。在地面水与地下水的协调供给上，对取用地下水征收较高的水费，特别是对非饮用水的供应更是如此。

在荷兰，由于有足够的地表水可供利用，所以仅对取用地下水收取水费。一般征收两种费用：一种是为了资助地下水开发和水资源规划的研究，征收相对较低的水资源费。另一种是作为一般税种的组成，由中央收税，构成荷兰税系总体改革中的组成部分，目的是使税赋由收入税向包括自然资源消费在内的消费税转变。因此，荷兰水费办法不是以回收成本为目的，而是侧重于筹集资金，进行税种调整及刺激用水。

在法国，取用水收费办法中，水费建立的基础是水资源的短缺以及有多少水可以回归到环境中去，取用水收费主要是为了筹集资金，而不是以成本回收为基础。通常对从上游河段取水征收较高的水费，以保护河流少受污染。此外，地下水的水费一般高于地表水，以体现"优水优价"的原则。

在英格兰和威尔士，水费办法是为了补偿管理者（环境署）的费用，即为水资源发挥其功能所带来的支出。收费类别一般包括两种费用：一是使用许可证时需支付的一种使用费，另一种是年费用。该年费用与以下几方面因素有关：①已获许可的水量，并考虑水的来源。②季节变化，当夏季水资源需求最大时征收较高水费。③损失系数，即取用水量有多少可返回，并考虑水资源的缺乏程度，在不同的地区采取不同的水价。英格兰和威尔士的水务管理正考虑引入一种激励型水费办法。由于目前尚有92%的用户无计量设备，减小用水量并不给他们带来直接经济效益，所以水费改革对其影响不大。不过，当水费较高时，将刺激水务公司减少渗漏和促进节水。水费筹集的收入还可以用于收购没有使用的取水许可证，通过这一措施，强化对用水的管理。

在以上这些国家中，与饮用水的价格相比，目前取用水的水费相对较低，因此，促进节约用水的作用较小。不过，与取用地表水相比，取用地下水特别是对取用地下非饮用水的水费，一般较高，这就起到了鼓励使用地表水来替代地下水的作用。

二、排污实行市场收费

法国和荷兰两国排污办法的制定是以回收成本以及筹集税收为基础的。所不同的是，法国排污费收取办法，注重受水体的脆弱性和排污的影响；而荷兰排污费收取办法，采用与受水体能力相分离的单位排污费，由国家征收。荷兰排污费标准比法国高，因此，在改善环境方面的作用也较大。

英格兰和威尔士，排污费的收取办法如同收取用水费一样，只是为了补偿有关控制污染的管理部门（如环境署）的支出。年排污费包括许可证管理费和一致性抽样分析的监测费。监测费与排放污水的内容和受水体的类型有关，如果排放污水中含有较难分析的、有危害的化合物，则会导致较高的费用。同样地，对污水排向易受危害的受水体时，监测费也较高。与其他国家的排污费标准相比，英国的比较低。

德国的排污费收取办法很有特色，它是用刺激性办法来征收排污费的。当达到了联邦规定中某工业部门标准之下限值时，其排污费削减75%，如果违反了许可条件，就不再削减排污费。德国官方认为，比起管理途径来，排污费对减少点源污染刺激较大。

在这些国家，征收的排污费一般都用于提供防治污染的研究与设施费用。一是为主要的地区、社区改善污水处理提供补助金；二是成为国家财政征收普通税收的一部分；三是用于测量难以鉴别的水环境并加以改善，如废弃矿井排水和分散污染源的控制；四是用于为生产企业开发更清洁的生产流程提供条件。

三、用市场机制提高水效

世界银行的新水资源管理政策，旨在强化市场机制建设，提高用水户自律意识，扩大用水户参与管理权限。如斯里兰卡、菲律宾和印度尼西亚等国家都就提高和扩大用水户协会在水资源管理中的权限而进行改革。在阿根廷，一些小的用水户协会合并成大的用水户协会，使其发挥经济规模和专业管理的优势，并使供水系统的输水效率得到显著提高，同时，管理费用显著下降。在美国西部，由于干旱和城市化的迅速发展，供水矛盾日益突出。西部各州正努力消除水转让方面的法律和制度的障碍，积极采取了一系列立法活动。目前，这方面的研究在科罗拉多河流域最为活跃。一些地方还开始了水权的转让实践，水权转让是从农业用户转向城市用户。一些发展中国家，如智利、墨西哥、巴基斯坦、印度等国也在进行着水权转让活动。尤其是智利和墨西哥，在水权转让方面的实践较为成功，有效地利用了有限的水资源。目前用水非常紧张的约旦国，也正吸取世界各地水权转让的成功经验，制定了该国水权转让制度。

美国在加利福尼亚建立了一个比较集中的水储备和转让系

统。这个"水银行"创立于1991年。利用加州广布的运河系统和具有广大储存空间即含水层的优势，通过水市场，使水的使用从低价值转向高价值。尽管这种水权交易的范围是十分有限的，但却在极其干旱时节，保证了水资源的充足供给。

智利是在水资源管理中鼓励利用水市场实现水资源经济调节的几个发展中国家之一。智利在1981年颁发的新水法中规定，水是公共使用的国家资源，但根据法律可向个人授予永久和可转让的水使用权。智利成立了水总董事会，负责水市场的运行，在各个地区成立用水户协会负责新水法的实施。由于水供给的安全性，使得智利农民对灌溉农作物的积极性很高，特别是对水果作物的种植，使得他们在国际市场上获得了高额利润。此外，尽管水的价值在不断提高，但农民对节水灌溉技术的投资仍在增加，以便提高他们今后农业生产的后劲。

墨西哥一直设法改善水资源管理。在近20年的实践过程中，逐步形成并完成了1992年颁布新水法的构想。新水法使得水权交易合法化。墨西哥建立了以容量为依据的、与土地分离的水使用权。成立了国家水委员会机构，负责实施新水法。墨西哥新水法提供了与智利不同的另一种可供选择的水市场机制。该国水市场基本上允许在灌溉行政区内或用水户协会管辖区内自由运作，利用水市场来改善水的使用效率。

四、建立健全水交易市场

许多国家，都非常重视利用水市场进行交易的收益调整，而且，不少国家也从水市场交易中得到相当丰厚的交易利益。以智利水市场为例，智利利马里流域的平均市场交易收益为 ＄2.47/（立方米·年），在扣除交易成本＄0.07/（立方米·年）后，平均净交易收益为＄2.4/（立方米·年）。1995年，埃尔奎流域的水权交易中，买卖双方分别接受一个经济租，即每份水为＄ 3047和＄1156，一份水相当于每年供水约15800立方米。实际上，近几年通过水市场卖出的大部分水量没有被卖主使用，而是被其他业主使用，净交易收益为＄658和＄1139，略等于购买每份水的价格，形成水市场交易双向获利。在利马里流域，由于有三座相连的大型水库，水资源供给相对充裕，该流域每份水的水权交易收益是该国境内科哥提水库水交易价格每份水＄3000的3.4倍。即使在扣除了水权转让成本之后，利用水市场形成的交易收益差也十分可观。没有水市场，很难发生这样的转让，并且又避免了用水重大冲突的发生。

　　目前，国外水市场大多分为地表水市场和地下水市场。地表水市场以美国得克萨斯州里约格兰德流域水市场为例，该水市场的交易价格近年来一直维持在较高水平，通常水权交易价格为＄(350~470) /1000立方米，大部分水权转让是从农业转向城市。1992年，从农业用途转向城市用途的交易水量占交易量的94%，而交易水量的99%是从农业用水转向非农业用水。1990年，45%的城市水权是在前20年间通过转让原始水权获得的。这说明了水市场在干旱半干旱地区满足人口和经济增长对水的需求方面，已经发挥了非常重要的作用。关于地下水市场，以美国得克萨斯州爱德华含水层的地下水市场为例，1996年对该含水层的水市场作了静态和动态分析，静态分析涉及不同水供需条件下，农业、城市和工业需求的经济模型；动态分析是在多年模型的基础上，每年的用水量影响下一年可得到的地下水储量的动态变化。静态分析结果，水市场每年能增加地方净收益（盈余）＄3000000。动态分析结果，水市场的净收益增加到＄7400000，水的年租金为＄93/1000立方米。从静态、动态的分析结果看，水交易的收益都是可观的。

　　可见，国外水市场发育较早，有的国家也比较成熟。水市场也给这些国家带来不薄的财政交易收益。因此，这些国家大都十分重视建立健全水交易市场。

第四节 国内水市场发展

一、中国水市场的诞生

长期以来，在传统的计划经济框架下，水利一直是以服务农业为主体。国民经济是以计划网的层层控制实现运行，水利从规划建设到管理运行都是以财政供给为投入形式，产出以农业服务和社会公益性为实现形式，水利供水仅仅是以规费形式补偿部分成本，水利市场根本无从谈起。随着社会主义市场经济体制的建立和经济市场化程度的提高，水利作为国民经济的基础产业，内涵和外延得到迅速发展，水利从单纯的工程建设，即工程水利，逐步发展形成以水资源的合理开发利用和全面保护为主体的资源水利，在市场机制的作用下，其结构、体制和机制都发生了变化。水利现代化，包括水利运行形式的现代化，逐步为社会所公认。作为水利的市场属性，水市场的发展及其运行形式成为国民经济宏观市场的重要组成部分，成为水利改革的重要内容和发展方向。水资源作为自然资源和经济资源、作为自然环境的控制要素，被提到战略高度，成为经济社会可持续发展的共享资源和战略资源。实现水资源可持续发展，不仅是人类的生存和发展之源，而且是维护生态环境之源，它关系到人类的生活水平和生活质量，关系到国民经济各个部门和行业的发展水平。水走向市场，用行之有效的市场机制，激活水资源资产的生机和活力，不仅关系到水利行业的发展，而且关系到整个国民经济的有序运行和人类自身的可持续发展。

水利具有除害与兴利的双重作用的特点，水资源具有区域特点，水利工程兼有公益或部分公益性的特点，这些特点互相影响，构筑了一种十分复杂的水市场环境。从宏观角度来看，现有水资源利用的结构和环境发生了本质变化。鉴于工业化与城市化、城乡水利一体化的发展特点，城市水资源的短缺成为未来发展的焦点。虽然水资源短缺，但由于水具有公益性特点，水又不可能完全靠市场调节来配置，所以，水市场的建立和发展更受到诸多方面因素的制约，成为一种特殊的商品，它区别于一般商品在市场上的利益竞争。因此，水市场就不具有其他商品市场的共性和特点。中国水市场就是在这样的时代背景下开始发育、成长的。虽然它的变化也始于改革开放，但其诞生的起点大大晚于改革开放，而且还晚于国家市场经济制度的建立。如果把全国第一笔水权交易——浙江义乌与东阳水权交易，作为真正意义上的水市场起点的话，那就更晚了。所以说，中国的水市场还处于刚刚起步阶段。

二、中国水市场的发展

（一）水市场发展的基本历程

水利作为国民经济的基础设施和基础产业，为适应市场经济新体制的要求，原有的水利管理体制必然要改革，建立新的、符合国情的水利管理体制——水市场经济体制。

新中国成立以来，水利建设在防洪、灌溉、供水、发电、水土保持、水资源保护等方面发挥了巨大效益，为促进经济和社会的可持续发展奠定了基础。但是，在传统的高度集中的计划经济体制下，实行的是国家投资、农民投劳、社会无偿享用的管理办法，水利重社会效益、轻经济效益，重建设、轻管理，缺乏一种良性运行机制。改革开放前的1978年，全国水利行业的综合经营收益仅有3亿元，水利行业主要是以行政事业型管理模式运行。随着我国社会主义市场经济体制的建立，水利行业的体制问题愈来愈突出，深层次矛盾愈来愈尖锐，水利发展已

中国水市场管理学

39

严重滞后于国民经济和社会发展的需要，形成约束国民经济发展的"瓶颈"，这种状况不仅影响到水利自身的发展，也直接制约着国民经济的发展。改革水利行业不合理的管理体制和运行机制，优化配置水资源，成为水利改革和发展的必然选择。

实行改革开放后，水市场经济体制改革在艰难开拓中发展，在理论和实践上，进行了不断的探索。20世纪80年代初，提出"加强经营管理，讲究经济效益"，实现了传统水利工作着重点的转移，管理作为创造经济效益的基本手段，较早地被引入水利工作；1984年，提出水利要"全面服务，转轨变型"，即水利要从以为农业服务为主转到为社会经济全面服务、以提高经济效益为中心的轨道上来，并提出水利经营要依靠市场，建立水费、综合经营两根支柱，推行经济责任制；1985年，国务院颁发了《水利工程水费核订、计收和管理办法》，实行供水收费，这表明水利工程开始从无偿供水转向有偿供水；1987年，提出要多层次、多渠道筹集水利资金，全社会办水利的观点；1988年，《中华人民共和国水法》颁布，确立了水行政主管部门的地位，表明我国水利事业开始进入依法治水的阶段，这为中国水市场发育、成长创造了保障条件。

20世纪90年代以来，特别是1991、1994、1995、1996、1998、1999年的连续洪涝灾害，明显地暴露了水利发展与国民经济不相适应的矛盾，使全社会的水患意识大大增强，水利的重要地位和重要作用日益被全社会所共认。1990年，在"八五"计划中把水利列入国民经济基础产业；1991年，中共十三届八中全会指出："水利是农业的命脉，是国民经济的基础产业，兴修水利是治国安邦的大事"；1991年，国务院决定大规模治理淮河和太湖；1992年，全国人大批准三峡工程上马；1994年，国务院召开全国水利工作会议，决定90年代要办成几件大事；同年长江三峡、黄河小浪底工程开工；1995年，中共十四届五中全会关于"九五"计划和2010年规划的建议中，把水利列为国民经济基础设施的首位。党中央、国务院的高度重视，为水市场经济体制改革的进一步深化创造了条件。

中共"十四大"确立了社会主义市场经济体制的目标模式，进一步指明了水市场经济体制改革的方向。1993年是"水利改革发展年"，水利部党组制定了《90年代水利改革与发展纲要》，明确提出了以五大体系建设为重点的水利改革思路，即：多元化、多层次、多渠道的水利投资体系；以效益为中心的水利资产经营管理体系；科学合理的水利价格收费体系；完善的水利法制体系；优质高效的水利服务体系。1994年是"水利经营管理年"，水利部召开了第一次全国水利经济工作会议，进一步提出了发展水利经济、促进水利产业化、市场化的战略构想。1995年是"水利政策法制年"，水利部着手研究制定"水利产业政策"，研究水利企业的现代企业制度试点和水利事业单位的改革。1996年是"水利科技教育年"，按照党中央实施"科教兴国"和可持续发展两大战略，实现经济体制和经济增长方式的两个根本性转变。水利行业在不断深化以水利五大体系建设为重点的水利改革中，又相继制定了《水利产业政策》及其实施细则、《水利建设资金管理办法》等政策法规，特别是新《水法》于2002年10月1日的施行，将从根本上改变水利的产业地位，对依靠市场实现水资源的可持续发展，发挥了重要的政策引导和基本调控作用；更进一步规范了水市场经济体制改革的思路和具体步骤。

（二）水市场发展的基本评价

1.水市场硬件"先天基础"良好

新中国成立50多年来，建设了大量的各类水利工程，其数量和规模之大、速度之快、效益之高、经验之丰富、科技之先进，在世界上是位于前列的。如我国灌溉面积由新中国成立前低标准的2亿亩发展到目前的8亿亩，使占全国总耕地40%的灌溉面积所生产的粮食，占到全国粮食总产量的75%以上，从而使我国以占世界10%的耕地，解决了占世界23%人口的吃饭问题。我国现有的水利工程，已能解决常遇性的水旱灾害。历史上三年两决口的黄河，经过50多年的整治，取得了连续多年大汛安澜的伟大成就。新中国成立后，连续战胜了长江1954、1998、1999年三次特大洪水，并战胜了嫩江、松花江的非常遇洪水。通过科学规划、优化设计，水利工程的减灾总效益在1∶7左右。因此，50多年的水利建设成就，为水市场的发展奠定了良好的基础。

2.水市场软件"后天发育"不足

治水是被周恩来总理称之为"比上天还难"的与大自然的艰苦斗争。50多年的水利建设过程，有高潮、有低潮，有成功、有挫折，也有失误。总结经验教训，关键是找出挫折和失误的原因，作为前车之鉴、后事之师。人类对经济和科技发展以及对大自然的客观规律，都有个认识发展的过程。治水经验，也靠逐步积累而趋于成熟。如1958年"大跃进"，就是从大办水利开始的，这期间修建了大量的水利工程，其中出现了不少废品，也造成了大量浪费。在水利大跃进后发生的"四重四轻"，即重建设轻管理，重主体轻配套，重工程轻实效，重大型轻小型，以及近年来对水资源的掠夺使用形成的"水多、水少、水脏、水环境恶化"等问题，都发展成为制约水利工程良性运行的桎梏。

3.水市场构建政策力量到位

在我国通过市场发展水利，起始于20世纪80年代初，当时，水利部连续3年在北京举办了全国水利综合经营产品展销会，这说明了水利产业也开始关注市场了，也在通过市场不断地提高产品的科技含量和竞争能力。此后，党中央、国务院还制定了"加强经营管理，讲究经济效益"的水利方针。1996年6月，江泽民总书记在河南考察时明确指示："水利不单纯是工程建设，也要搞经营管理，要进入市场，搞社会主义市场经济，建立机制，良性循环。"1997年10月，国务院又颁布了《水利产业政策》，水利作为基础产业，讲究集约经营，提高经济效益，实现两个根本性转变，已成为构建中国水市场的政策主流。

水利从作为"农业的命脉"、"国民经济的命脉"发展到20世纪90年代以来水利作为国民经济的基础产业，放在与能源、交通、通信等基础产业同等重要的位置，表明水利市场经济体制改革已进入议事日程，构建水市场政策力量逐步形成。

4.水市场发展"区位差距"较大

由于我国幅员辽阔，经济文化发展不平衡，水市场的发育、发展也与各地区之间社会经济和文化发展水平一样，存在着较大的"区位差距"。具体表现在以下几个方面：

（1）处在水资源需求零增长、水资源使用相对高效区的大多数省、市，社会经济发展水平较高，经济结构改革较深入，实行需水管理也较早。如北京、天津、山西、辽宁、山东、上海、浙江、江苏等省、市的水资源法规、政策、体制建设和水费等方面改革都走在全国的前列。因此，在政府宏观调控与市场机制结合下，这类地区的水市场发育较好，水资源供需相对稳定。

（2）处在水资源需求高增长、水资源使用相对低效区的省（区），多数为少数民族地区，社会经济发展滞后，经济结构改革较晚，水资源管理相对粗放。因此，这类地区的水市场发育也较差。其中黑龙江省因20世纪90年代大力发展水稻种植，1999年全省用水量达303.5亿立方米，与1993年182亿立方米相比，6年内猛增122亿立方米，占同期全国用水量增长值392亿立方米的30%，年增长率高达11.2%，为全国之最，成为全国用水大省之一。虽然为全国粮食生产做出重大贡献，但同时也反映了水资源消耗太大，用水效率低，过度开垦湿地已构成对生态系统的威胁。

（3）西部地区的12个省区，除四川、陕西外，均属水资源使用相对低效区。如新疆、宁夏、西藏等三个自治区，用水效率处在全国后三位，反映了这些地区在社会经济发展、经济结构改善以及水资源管理水平方面存在较大的差距，依靠水市场的调节，实施用水管理的水平处于全国后列。

（4）在用水结构方面，城市生活与工业用水在用水量中的比重超过或相当于全国平均水平30%的有15个省（市、区），其中北京、上海、天津市超过50%，贵州、四川、广东、江苏、浙江、山西、辽宁等省都高于全国的平均值，而新疆、西藏、宁夏等三个自治区的比重均在10%左右，这在一定程度上反映了该区域经济发展、城市化与产业结构的低迷状况，给活化水市场调节增加了一定的难度。

三、中国水市场发展机遇与挑战

（一）中国水市场迎来的发展机遇

2001年12月11日，我国正式加入世界贸易组织，这将使中国水市场迎来极好的发展机遇。"十五"期间，国家不断加大对水利基础设施的投入，南水北调工程开工建设，一系列大型水利工程已经或即将启动，这必将进一步拉动水利市场对技术、设备、资金、人才等方面的广泛需求，为新世纪水利事业的发展、水市场的繁荣和水利企业的壮大提供千载难逢的良好契机。而在乌拉圭回合服务贸易的谈判中，我国政府贸易谈判代表团根据中国建筑业的实际情况，没有向其他成员方承诺开放我国建筑市场。这意味着在目前我国水利水电建设项目中，除利用外资的项目需要向国际承包商开放以外，由我国政府和私人筹资发展的项目仍可以不向国外承包商开放。这为我国水利水电建设领域赢得了更多的磨合时间，对广大水电施工企业来说是利好消息。除此之外，我们还将享受到加入WTO给我们带来的各种便利：水利市场投资环境将进一步改善，将吸引到更多的外资，引进更多的先进管理模式，国内建筑市场将进一步规范，水利企业可以更便捷地走出国门、参与国际市场交换与分工。

其实，中国水市场运作早就迈出了与世界接轨的步伐。1984年，云南鲁布革水电站率先敞开了封闭的窗口，大胆引进世界银行贷款，对引水系统工程实行国际招标及合同管理，通过投标竞争引进国外承包商。1992年，黄河小浪底水利枢纽主体工程，进行全面国际招标，50多个国家及地区的外商涌入小浪底。小浪底工程的建设，为探索有中国特色的国际工程管理模式开创了范例，它不仅创造了工程技术上的一个个世界之最，也在与国际接轨的管理方面作出了许多有益探索。接轨唤起了竞争意识，树立了创新意识。在接轨的撞击中，孕育了中国水市场的国际规则。实践证明，三峡工程的国际合作、鲁布革的尝试、小浪底的接轨，都奏响了中国水市场改革的前奏曲。

在世界贸易组织营销体系下运作水市场，更有利于为各类水利企业经营提供平等竞争机会，创造稳定的、可预见的水市场环境，更好地吸引外资；更有利于中国水市场与国际市场接轨，实施"走出去"战略；更有利于打破水行业垄断和地方保护，构造统一、公开、公平、公正的水市场体系，规范水市场经济秩序。国际国内的经济发展和协调共融的市场体系为水市场的发展提供了难得的机遇。

（二）中国水市场面临的严峻挑战

中国水市场面临的挑战，实质就是来自"入世"的挑战。经过几代人的努力，终于叩开了WTO的大门，但同时也向世界敞开了市场的大门。与世界接轨，发展水市场尚显不太成熟的思维方式、管理模式必将受到一定的冲击。市场的全面接轨，将长期地影响我国的水市场建设。其挑战主要来自以下几个方面：

在水市场的水资源管理方面，中国的水资源市场体系极不健全，完全依靠行政区域、行政手段切块供给；反映水资源市场关系的初始水权配置缺乏有效的分配手段；水资源政策法规也往往存在政出多门的现象；分散治水格局与水资源自然属性要求的集中统一管理不相适应。水资源开发、利用、保护的属性标准与水资源管理较为先进的国家还存在较大差距。

在水市场管理环境方面，中国的市场经济体制尚处于不断完善阶段，市场经济的国情特点尚在随着经济过程的深化中而逐步被认识、被完善。反映在水市场建设方面，形成的中国水市场只能是"准市场"，在政府较高的参与水平下，才能实现高效运行。政府与市场适度结合的经济环境和发展环境，决定着水市场环境，直接影响管理水平的提高和管理成效的实现。

在水市场运作的具体形态方面，公平、公正、竞争、高效是市场运作的核心内容，公平、公正是前提，竞争是手段，高效是目的。市场就是这样一部运行精巧的机器，有效地配置着社会资源的流向。水市场运作，当然应遵循市场运行的一般规律，但这一规律的作用环境是中国国情下的水利实践。中国水市场既区别于市场经济成熟国家的水市场，也区别于中国市场经济条件下的其他要素市场。建立水市场的目的、方向、原则及其依靠水市场运作的具体内容，既有来自一般市场规则的挑战，还有自身发展规律的挑战。水市场运作形态既要适应WTO经济环境的需要，又要与中国水利市场经济的实践相适应。

（三）中国水市场发展的关键在于应对挑战

总的来看，加入WTO，对我国水利标准化工作，既有机遇又有挑战；既有利于推动水利技术标准国际化、进一步提高水利标准化管理水平，又急需在技术法规、标准和合格评定程序方面，改变与WTO要求不相适应的状况。水利行业应在执行我国对WTO作出的各项承诺、遵守WTO/BTB协议各项规定的同时，充分利用"入世"的有利时机，利用WTO规定的原则，采取各种积极有效的措施，尽快构建适应社会主义市场经济的水利标准化管理新体制，完善水利合格评定程序和水利标准化管理新体制，完善水利合格评定程序和水利市场准入制度，构筑技术性贸易壁垒，保护并发展我国水利建设市场和水利产品市场，扩大我国水利对外服务贸易和水利产品出口贸易，并提高我国水利标准化水平，进而与国际接轨。

机遇是潜在的，挑战是现实存在的。"机遇来自对挑战的应对"，我们要抓住扑面而来的机遇，关键在于积极应对挑战。

1.摆正心态

"入世"首先是观念上的"入世"，"入世"以后，市场变了，竞争对手变了，政策也变了，企业所习惯的"等、靠、要"观念也必须要变，不能身子进了WTO的门，脑袋还留在门外。观念上不"入世"，其他一切都是奢谈。我们要摆正心态，主动调整自己，主动适应市场新变化，跟上市场的节奏。只有这样，才能提高自己的竞争实力，以应对WTO带来的挑战，在市场中立足。

2.居安思危

中国"入世"首席谈判代表龙永图提醒我们，"入世最大的风险是对游戏规则的无知"。面对WTO，最可怕的就是不作准备，最紧迫的便是加深对市场经济体制的理解和再学习，尽快加深对国际规则的了解，根据自身的特点转变观念，而不应拘泥于具体条目的纠缠。吸收并了解了国际间大公司的贸易规则，中国企业才能避免自己犯规而触犯他人的利益，也才能有效地保护自己，防止他人触犯自己的利益。

3.主动竞争

只有主动参与到竞争中，我们才能找到自己的不足；只有参与到竞争中，我们才能得到宝贵的经验；只有参与到竞争中，我们才能在竞争中成长。综观国内企业，哪些企业较早地参与市场竞争，哪些企业就会表现出较强的竞争力；哪些企业受到较强的保护，相应的企业竞争力就较弱。竞争会使一些企业被淘汰，但是，真正的强者只能在竞争中产生并壮大。实践证明，我们的水利水电企业有能力竞争，我们也需要通过竞争发展自己，提高竞争力。

4.发展自己

归根结底，竞争最终要凭实力说话，只有不断提高自身的综合素质和市场竞争能力，才能在残酷的市场竞争中获胜。要发展自己，就要改革，加快建立现代企业制度建设步伐，切实转换企业经营机制，要将自己塑造成市场竞争主体；要发展自己，就要创新，积极依靠技术进步，努力提高生产效率。在竞争日益激烈的国际市场中，"发展才是硬道理"，不发展是没道理，没有条件要创造条件去发展，才是真道理。

第二章 水市场管理体制

在高度集中的计划经济体制下，水利事业实行的是"国家投资、农民投劳、社会无偿享用"的办法。重建设、轻管理，行业贫困，队伍不稳，工程老化失修，社会、经济效益衰减，形成"建一处工程，背一个包袱"的非良性循环状态。随着我国社会主义市场经济体制的建立和结构的不断完善，水利行业存在的体制问题日益突出，深层次矛盾日益尖锐，水资源短缺、水环境恶化，已经成为制约国民经济和社会发展的"瓶颈"，影响到国民经济的可持续发展。造成这种状况的重要原因，就是水利管理体制不顺、机制不活。解决这些问题的关键是理顺管理体制，建立水市场机制，利用市场关系，调整水资源配置，强化水环境保护，实现水资源可持续发展。

第一节 水市场体系

在市场经济条件下，水企业、水消费者、水管理者等进入水市场，成为水市场主体，水市场就是这些主体活动的舞台。同时，水市场是政府对涉水经济活动进行宏观调控的中介，是水企业之间、企业和消费者之间、水资源管理者之间相互联系的纽带。而且，各种市场必须形成为一个有机整体，才能发挥更大的作用。所以，水市场体系是水市场经济的运行载体。没有水市场，不形成水市场体系，水市场经济就是无源之水、无本之木。在我国，由于历史和现实的种种原因，使得培育和完善水市场体系，对于发展社会主义水市场具有特别重要和紧迫的意义。

一、水市场体系的形成

所谓"体系"，就是指若干事物相互联系、相互制约而构成的整体。水市场体系就是由各种不同的涉水专业性市场相互联系、相互制约、相互影响而构成的一个庞大的有机系统。由于构成水市场体系的单位是一个个水市场，因此，它至少涵盖了两方面的内容：其一，市场体系的完备性，是指市场体系中的市场不是单方面的，而是庞大的有机系统，残缺不全的市场构成不了市场体系；其二，市场的联系性，即各类市场是相互联系、相互依存的整体。联系性是充分的，没有联系性，即使再完备也不过是量的简单加总，同样形成不了市场体系。

建立和培育社会主义水市场体系，是建立有效的水市场运行机制的重要组成部分。水市场体系在水市场经济的发展和运行中处于重要的枢纽地位。水市场体系是各种水商品经济关系的具体体现和综合反映，是各种市场在相互关联、相互制约的共生关系中生成的动态有机整体，即各种水市场的有机统一体。

（一）水市场体系形成的客观性

1.建立社会主义水市场体系是社会化大生产发展的客观要求

社会化大生产是规模大、范围广、节奏快、效益高的现代化生产方式。社会化大生产的重要特征之一，是分工专业化的趋向日益增强。而分工的专业化，一方面带来产品单一化的趋向，另一方面又带来了需求多样化的趋向，这就构成了社会化大生产的内在矛盾。这种内在矛盾必然使各个企业之间、部门之间互相联系、互相依赖，而联系和依赖的中介就是市场——商品交换的场所。随着联系和依赖的深化及复杂化，必然要求建立完整的水市场体系，以避免联系和依赖的脱节，造成整个经济的混乱状态。社会主义社会化大生产条件下的水市场，也必然要求建立与之相适应的社会主义水市场体系。

2.建立社会主义水市场体系是充分发展水市场经济的现实选择

社会主义水市场的发展是中国经济体制改革总目标中的一个重要组成部分，而发展水市场经济的前提条件就是要有完备的水市场体系。一方面，社会主义市场经济的日益成熟，国家改革开放总体战略的实施，水市场经济起到了积极的推动作用，亦为中国水市场体系的发展奠定了坚实的基础。同时，也说明了建立水市场体系不仅是必要的，而且是可能的。另一方面，中国水市场发育亦并非一帆风顺，特别是水利行业由长期过于集中化、实物化、封闭化的状态转变到灵活应用市场机制上来，还存在许多困难，不可避免地在水市场体系发育过程中暴露一些问题，突出地表现在：①水市场主体身份不明，自我约束能力、竞争能力弱，已成为水市场深层构造的最大难点。②各种水市场发展极不平衡，尤其是要素市场发育迟缓，相互关系不紧密，尚难形成水市场体系的整体功能。③地方经济严重阻碍了统一水市场的形成。同时，国内水市场与国际水市场接轨存在着不少地方性制约因素。④水市场价格机制虽开始发挥调节作用，但由于供求关系的紊乱，致使水市场价格总水平调整难以到位。⑤水市场导向失真，水市场配置水资源失当，水市场秩序混乱，使水市场机制调节功能受到制约。因而，培育和完善社会主义水市场体系是摆在我们面前的紧迫任务。水市场经济是一种以水市场机制为基础并主导市场配置水资源的经济运行形态，即水市场通过市场机制来有效地配置水资源，并以经济形态合理运作涉水资产。因此，水市场涵盖水市场经济，以体系形式反映水利生产力要求。

3.建立社会主义水市场体系是使水企业真正成为自主经营、自负盈亏的商品生产者和经营者不可缺少的外部条件

近年来，让水企业真正发展成为自主的水商品生产者和经营者，一直是我国水利经济体制改革的中心环节。而要搞活水企业，不仅要使水企业拥有独立的产权，而且还需要一个良好的流通条件和竞争性的水市场环境，即一个相对完备的水市场体系。只有这样，水企业才有可能从行政附属物转变为水市场的主体，才不是根据行政要求而是根据水市场要求来组织生产；只有这样，水企业才能平等竞争、自负盈亏；也只有这样，水企业的水商品供需、资金融通、劳动力进出才能顺利进行。

4.建立社会主义水市场体系也是实现政府宏观调控间接化的必然要求

在传统的计划经济体制下，政府对经济的调控主要借助于行政手段，而随着政府职能的转变，则主要借助于经济手段，实现间接调控。间接调控不仅要借助于一般商品市场，而且必须借助于资金、劳动力等各种市场。因此，如果没有完备的市场体系，间接宏观调控就难以实现。

目前，在国家改革开放新体制的推动下，从引入市场体制开始，并结合在计划、价格、物资、商业、劳动工资等方面的改革，促进了水市场体系的初步发育，主要表现在：①水市场主体结构已开始由单一国有经济向多种经济成分并存的转变，水市场主体的独立性逐步增强。②水消费品市场已开始出现，浙江省义乌市与东阳市的水权交易已经证明，水消费者的市场选择具有多样化、自由化的特点；属于深层次的水资源要素市场获得了一定程度的发展。③竞争性、开放性的水市场格局已开始出现。国家、地方等多层次的水市场结构正在出现；国内水市场也开始准备和国际水市场接轨。④水市场价格体系在水经济生活中的地位日益提高，水价格调放结合，已部分地具备了竞争性和灵活性。

这一切都为水市场体系的形成提供了客观依据。

（二）水市场体系的功能

1.水市场体系，是转变水企业经营机制的必要条件

水市场具有激励作用，它激励着市场主体的主动性、积极性和创造性的充分发挥。市场的竞争原则和逐利原则是市场主体的主动性、积极性和创造性的两大激发器。在竞争的压力和追逐利润的动力下，一切有利的而又可以利用的因素都可以调动起来，从而也推动水利经济的繁荣和发展，推动水企业转变经营机制，实现生产经营目标。因此，健全的水市场体系是水企业走向市场的良好外部环境。

2.完善的水市场体系，是搞活水企业的最重要的外部环境

在市场经济条件下，企业是相对独立的商品生产者和经营者，它的一切经济活动无一不依赖于市场：各项决策所需要的信息来自于市场；各种生产要素取之于市场；一切产品实现于市场；企业的经济效益只有通过市场才能得到确认。离开了市场，企业就失去内在的动力和外在竞争的压力。同时，市场也会造成信息失灵、流通不畅，使企业面临困境。水市场体系，是建立社会主义水市场经济体制的重要环节。水市场经济体制是通过水市场机制配置水资源的经济运行形态。水市场体系是水市场机制运作的载体，离开市场，水市场机制就无法发挥作用。完善的水市场体系是发挥水市场机制，实现水市场功能的前提条件，水市场机制在其运行中，具有实现功能、信息功能、导向功能、核算功能和组织功能等。这些功能要实现，就要有健全的水商品市场、水利资金市场、水利技术市场以及劳动力市场等，这些市场的存在以合理的价格、利率、工资、汇率、水资源地租等要素的存在为前提条件，而这些条件的存在都是建立在完善的水市场体系基础之上的，如果没有完善的水市场体系，水市场机制的各种功能作用就得不到很好的发挥。因此，要建立水市场机制，就必须培

育和完善水市场体系。

3.水市场体系，是调节社会再生产比例，保持水利经济稳定、协调发展的重要条件

水资源的供给和需求总是处在不断适应和不适应的矛盾运动之中，水市场体系就是使这种动态达到均衡。当供给大于需求时，水资源价格下降，此时就会增加需求，减少供给，由此带动水资源与涉水资产在生产力引导下的合理配置，使供给与需求在新的结合点上平衡；反之亦然。这个运动过程调节着社会劳动的分配。水利劳动的分配，使水生产和水需求保持应有的比例，协调而持续地发展。

4.水市场体系，是水企业决策和国家宏观决策的重要依据，是实现宏观调控的必要纽带

水市场活动为买者和卖者提供经济信息，无论是生产经营者，还是消费者都要通过了解市场行情，才能作出自己的决策进而参与市场活动。市场信息作为经济活动的一种反馈，可以把市场供求关系的变化、价格的涨落、市场竞争的消长等传导给企业和国家，从而使企业和国家作出正确的决策。国家的宏观调控主要通过市场及其活动进行间接引导，使企业的活动大致符合宏观经济运行的目标。因此，水市场体系处于国家对微观经济进行宏观调控、间接管理的枢纽地位。

完善的水市场体系是建立新的宏观水管理制度的基础。市场既是企业的生存环境，又是国家宏观控制的基础和直接对象，它一方面把大量纷繁复杂的微观经济活动信息通过价格等参数传递给国家宏观控制部门，另一方面又把国家的宏观控制意图通过价格、利率、资源政策等参数传递给数以万计的企业，使宏观和微观在市场机制的运行过程中得到有机的整合，保证企业得到合理的利益，促进国民经济良性发展。由此可见，离开了完善的水市场体系，水利宏观管理体制就无法建立，宏观控制更是无从实

现。

二、水市场体系的特征

水市场体系既有"准市场"特性所体现的个别特征，还有与市场经济共有的一般特征。

（一）开放性

水市场体系和其他市场体系一样，必须是开放的。水市场体系具有广泛的开放性，不仅国内各地区之间开放，各城市之间、城乡之间都相互开放，而且，在许可的情况下，特别是在保证国家主权和国家经济安全的前提下，还可向国外开放，向所有商品生产者、经营者和消费者开放。水市场体系的开放越强，市场就越活跃、越繁荣，就越能更好地发挥市场机制的作用，更好地调节市场供求，满足社会各方面的需要。水市场体系的开放性，同市场的孤立和封闭是相对立的，它要求打破地域之间、部门之间由于自然的、经济的、人文的因素所形成的一切障碍和壁垒，形成一个全方位开放、四通八达、畅通无阻、相互联系、相互依存的大系统，从而使全国市场、地方市场、流域市场、区域市场、跨流域和跨区域市场以及一定的国际市场，真正形成"体系"，形成良性循环、科学运作的大格局。

（二）统一性

水市场体系功能的正常发挥和实现，依赖于完整统一的市场体系，即不仅要有消费品市场和生产资料市场，而且要有为水商品生产和水商品经营提供必要条件的、完善的生产要素市场。各类水市场按照一定的结构，有序地联结在一起，形成互相依存的网络体系。只有建立完整统一的市场体系，并且在有竞争机制的条件下，水市场才能准确灵敏地发出信号，正确地反映供求关系，调节水商品生产者和经营者的生产经营活动，促进生产力的发展。统一的市场体系，是水市场体系建设的第一个基本要求。

因为各种水商品和生产要素要按照水商品经济的内在联系、遵循价值规律的要求，进行顺畅的自由流通；在客观上要求冲破一切行政和条块分割，形成统一的市场，才能在整个社会范围内实现水资源的优化配置。各类市场的共同基础，决定了水市场体系的统一性。各种水企业进入统一的市场，是水市场体系正常运行的必要条件。当然，强调市场的统一性，这是就总体而言，是相对于市场的人为分割而言，它并不排斥某些水商品只在一定的区域范围和狭小的地方范围内流通的客观现实。就是说，统一性并不排斥"具体情况具体对待"的辩证唯物主义方法论。

（三）有序性

水市场要按照价值规律办事，价值规律要求商品交换应当等价进行。商品交换的等价性能否实现或实现程度的高低，又取决于交换过程中的竞争状态。而平等竞争有利于实现等价交换。因此，等价交换和平等竞争都要求市场运作过程符合有序性要求。市场运行的有序性，又表现为水市场主体的经济行为合理化、有序化、法制化。为此，国家要凭借政治力量按照市场运行机制的客观要求，制定市场活动者都必须遵守的市场规则，包括市场进出规则、市场竞争规则和市场交易规则，坚决反对不正当竞争，坚决制止出售假冒伪劣产品等，使市场活动规范化、制度化和法制化，从而形成良好的水市场秩序。市场的有序性是水市场形成和发展更为特殊的要求。

（四）竞争性

竞争性也是水市场的特征。因为，完善的市场体系是以竞争性市场为基础的。水市场的实践表明，目前竞争性的水市场不是完全竞争性的市场，而是一种垄断竞争的市场，但存在竞争性的因素。只有通过市场参与者之间的竞争，才能形成真正反映资源稀缺程度的价格信号。只有这样形成的价格，才能成为权衡成本和效益以及协调各个经济主体利益的基本尺度，正确引导水资源的合理配置；公平的竞争又调节着各类市场供求关系的变化，决定着各市场主体在竞争中的优胜劣汰。所以，正是由于水市场体系具有竞争性，才使市场充满生机和活力，才使水市场融入市场经济的大体系，并以经济效益为目标，持续不断地发展。

（五）经济性

水市场体系的经济性表现为，水市场建设方向、运作形式、调节方法以及水市场目标实现途径等因素群体，都必须围绕经济性这个根本要求而构建水市场体系。这是因为，以运作水资源配置为主要特征的水市场，在开放性前提下，形成程度不同的体系封闭，表现为区域分割、竞争的非规范和程度不同的垄断，这些都影响着水市场体系的有序发展。因此，水市场在体现一般市场的共性的同时，还应从经济性角度重视研究水市场的特殊个性。

三、水市场体系的结构

一个完整的水市场体系，其结构应该包括三个方面内容。

（一）主体结构

水市场主体系统是水市场运行的动力源泉，它不断地把各种稀缺资源由一种结构调整到另一种结构，正是通过各种市场主体的不断投入与产出、购买与销售，才使水资源得到优化配置。水市场主体的基本功能，是优化水资源配置。水市场主体结构可分为所有权市场、占有权市场、使用权市场。所有权市场是最高层次的全面让渡的市场。占有权市场是保留所有权、转让其占有权的市场。使用权市场有两种情形：其一，所有权与占有权存在于同一市场主体，只转让其使用权；其二，只有占有权，转让其使用权。水市场主体结构分析不仅可以规范水市场主体行为，而且对水企业承包责任制的缺陷分析和水土资源的流转制度建设，都有一定的参考价值。

水市场主体是水市场运行的交换主体，主要是独立的水商品生产者与水商品经营者，他们是监护水商品或劳务进入水市场的当事人，即实际从事商品和劳务交易的当事人。水市场主体包括：水消费者、水企业、政府代表（即水行政主管部门）。

构成水市场主体的各要素之间存在着各种差别，它们的行为准则和作用机制不尽相同。人的生活需求的满足，是交换的动因。消费者的需求始终是水市场的主导需求，决定着水市场发展规模的扩大或缩小。可见，消费者是水市场发生、发展的第一原生主体。即使商品经济发展到市场经济阶段，决定市场的主导力量仍然是消费者需求。消费者的需求是水市场运行的第一推动力。水企业制度的确立，则是水市场经济体制确立的标志。水企业是市场的第二原生主体。企业制度所形成的市场主体，具有较稳定的组织结构和协调的信息、决策、利益系统，在市场运行中更有凝聚力。水企业是水市场最具活力和拓展力量的经济实体，成为水市场上最经常的、大量出现的市场客体的需求者与供给者。政府在水市场经济的发展中，不仅具有组织和管理经济的职能，而且可以直接进入水市场，参与市场活动。中央政府以消费者或经营者的身份参与市场活动，成为派生的水市场主体，地方政府也可直接参与市场活动，也成为派生的水市场主体，政府参与水市场主体的活动，一般是由水行政主管部门来履行职责的。由于消费者、企业、政府在市场运行中的排列、组合方式不同，就形成了不同的市场主体结构。这种市场主体结构状态，制约着市场的存在与发展。

水市场主体与水市场客体，是构成水市场运行的两大系统。水市场主体是水市场力量的决定方，它既是水市场需求者的集合，又是水市场供给者的集合，水市场的运行，正是在水市场供求矛盾的不断运动过程中推进的。水市场客体的市场需求量的大小，取决于水市场主体的政策取向和货币支付能力的大小；水市场客体的供给规模，则取决于水市场主体的供给能力的大小。水市场的供给能力和需求能力的大小，都是水市场主体作用的结果。水市场主体的决定力量，还表现在它对水市场客体的入量组织和出量管理，决定着水市场客体的流动方向。如果说从水市场运行的长期趋势看，水市场客体对市场的制约则上升为主要方面。这是因为：水市场主体对市场运行方向的制约，主要是从市场短期变动来考察的，是以水市场客体条件为既定方式的，但从市场的长期变动来看，水市场客体就成为动态的市场因素，它直接决定着水市场主体的发展方向、发展规模等。

从上面的分析可见，水市场主体是水市场关系发生的基础要素，作为水市场主体的商品和劳务的监护人，一般来说，对商品和劳务具有四种基本权利，即所有权、占有权、使用权和处置权。这四种权利可以统一，也可以分离。

从水市场主体之间发生的经济关系来看，水市场的基本活动就是水资源和水资产经济权利的相互让渡。水市场主体的经济权利的相互让渡关系可分为：所有权让渡关系、占有权让渡关系、使用权让渡关系、处置权让渡关系。每一种权利都是在对水市场主体自己没有效用或效用较小时才被让渡出去，这种让渡总是伴随着价值补偿进行的。以上四种权利让渡关系的演化，就形成了水市场主体运行所存在的基础。水市场主体的自我组织、自我调节、自我约束、自我扩张和收缩的功能，正是水市场主体之间权利让渡关系的反映。

水市场主体的自我组织功能，就是指水市场主体在受到市场信号的刺激之后，能够自动地安排其组合结构，使自己与市场变动趋势相适应。在这个自动重新组合中，市场主体使内部的各要素，遵循系统原则，按照一定的顺序进行结合，以便与外界条件相适应。水市场主体的自我调节功能，就是指水市场主体经过自我组织之后，所形成的内部结构与外部结构还存在着某些偏差，这时，市场主体就会根据市场形势自动进行自我调节，直至偏差消失或不对市场主体的运行构成威胁为止。

市场主体的自我约束、自我扩张和收缩功能，是指水市场主体行为要始终有利于市场主体的最佳发展，包括自我扩张和自我收缩两种主要职能的实现。当市场主体认为某种市场行为对其自身发展有利时，其扩张机制就会充分展开，使绝大部分市场主体的功能都服务于该市场行为；反之，当市场主体认为某种市场行为对其自身发展不利时，其收缩机制便会充分展开，使市场主体尽快退出该市场。水市场主体在扩张与收缩的交互进行中，求得自身的最佳发展。

总的来说，凡是具有水经济职能的经济组织以比较利益为基础，在利益动机支配下，通过交易来完成的个人活动或组织活动，都被称为水市场活动，其交易活动的当事人也被称为水市场主体。

（二）客体结构

水市场客体结构，可分为一般水商品市场和水要素市场。水商品市场可分为消费品市场和水生产资料市场；水要素市场可分为水劳动力市场、水资金市场、水土资源市场、水技术市场和水信息市场等。水生产资料具有特殊的地位，它既可以属水商品市场范畴，也可以属水要素市场范畴。水市场客体，是指水市场主体在市场活动中的交易对象。这些交易对象在水市场交换活动中体现着一定的经济关系，是各种经济利益关系的物质承担者。水市场客体的内容是作为水市场交易对象的商品和劳务，主要包括：消费品、生产资料、劳动力、资金、技术、信息、水土资源等。水市场客体结构，是指对水交易对象按照其特点及体现的经济关系，所作的划分与分类而抽象出的各种专业分类市场。这些分类市场的有机结合，就组成水市场体系。或者说，水市场客体结构是水市场体系中各类市场及其各构成要素的组成与分布状况，它反映水市场的规模和发展水平。水市场客体结构具体包括以下两个方面。

1.水商品市场

水商品按其最终用途可分两类：水消费资料和水生产资料，相应的商品市场也由水消费资料市场和水生产资料市场构成。

（1）水消费资料市场。水消费资料市场是水资源最终需求和最终供给的焦点，是水消费资料买卖的场所和领域，它是最终产品市场。水消费资料市场是生产和消费、工业和农业、城市和乡村、企业与企业之间以及全国各地区之间经济联系的媒介，在水市场体系中占有重要的地位。

水消费品是城乡居民、机关和社会集团在市场上以支付货币获得生存、发展和享受的资料，同水生产资料市场不同，它是进入消费领域的最终产品，是被社会成员直接消费或转化掉来实现水商品价值和使用价值的。

我国的水消费品市场与其他市场比较虽然建立的时间不长，但随着改革的深入，水消费品市场已经得到较大发展，水市场主体的多元化，水流通领域多种经济成分、多种经营方式、多种流通渠道并存的局面已初步形成，水消费品市场下的分类市场将会得到较快发展。

（2）水生产资料市场。生产资料是人类在物质资料生产过程中使用的劳动工具和劳动对象的总和。它是人类社会进行物质生产活动必须具备的物质条件。水生产资料市场是用来满足水生产消费、从事水生产资料商品经营、进行水商品生产所需的经济活动领域或场所。

水生产资料的品种很多，不同的品种可以满足不同生产消费的需要。水生产资料是根据其在水生产过程中所起的作用进行划分，大致包括：①自然资源。包括滩地、护堤地、分洪区土地、河流、湖泊、近海、空中水、地上水、地下水等。②人工产品。一般指经加工的产品，如水库、水塘、水闸、水坝、水电落差、人工湖、人工河、人工海、人工调水等。③一般市场共享的生产资料。如机器设备、燃料动力、运输工具、零部件、材料及辅助材料等。

水生产资料市场所交换的生产资料，既是进行生产的物质要素，又是物质资料生产的结果。水生产资料市场的正常运行是顺利实现再生产和扩大再生产的一个重要条件。水生产资料的生产与水生产资料市场是相互影响、相互作用的，生产资料的生产决定生产资料的流通，生产发展状况决定市场的发展状况。生产的社会性质、结构、布局、社会分工和专业化程度等都直接制约着市场的发展。

我国水生产资料市场的发展经历了一个客观的过程。新中国成立初期，理论界占主导地位的观点，认为社会主义的水商品活动范围只限于水消费品，水生产资料不是商品。生产资料的交换方式已经由生产单位和使用单位之间的"产品交换"代替了商品流通，商品的价值规律对生产资料不起作用。因此，国家对生产资料实行全面计划管理，限制自由流通。中共十一届三中全会以后，通过正反两方面的经验教训，逐渐认识到社会主义市场经济是一个统一的整体。整个水生产，包括消费资料的生产、生产资料的生产，都应逐步纳入商品生产的轨道。不仅在流通领域，而且在生产领域，价值规律都应起调节作用。在我国不仅要发展水消费资料市场，而且要培育和发展水生产资料市场。应逐步放开一些生产资料，包括水生产资料，建立水生产资料市场和物资贸易中心，将计划分配的部分生产资料逐步地引入市场，运用价值规律调节产、供、销。近几年来，在生产活动的实践中，人们对水商品生产的认识又有了进一步的发展，认为只有建立多层次、多元化的完整统一的市场，通过市场机制、价值规律的作用，才能合理地配置水资源，促进水利事业的发展。至此，我国对水生产资料市场的改革步伐加快，力度加大，把水生产资料纳入市场调节的轨道，并以水市场建设为目标导向，逐步建立和完善水生产资料市场的调整机制。

2.水生产要素市场

水生产要素市场是水商品经济发展的需要，是水商品交换的发达形式。水生产要素市场由水生产资料市场、金融市场、劳动力市场、技术市场和信息市场等构成。没有这些市场的存在和发展，水社会再生产运动就难以实现，水商品经济就不可能得到充分的发展。

水商品市场的发展，同水生产要素市场之间相互保持着一定的、内在的有机联系。水商品市场的发展，要求水资金市场为其提供信贷资金，技术市场为其提供科技资料，信息市场为其提供行情，劳动力市场为其合理调整或促进商品市场的发展。因此，建立和完善社会主义水市场体系，必须完善水生产要素市场。

（三）时空结构

水市场结构是随市场主体、客体及市场组织形式的变化而不断变化的。水市场体系不仅包括市场客体、市场主体，还包括市场空间、市场时间。所谓市场空间，就是水市场主体支配水市场客体的活动场所和范围。所谓市场时间，就是市场交易活动的起点和终点的发展过程。

现实的市场总是具有空间概念的市场，市场空间是市场主体支配交换客体的范围，而市场因素在这个空间的分布和关联状态就形成了市场的空间结构。一般说来，按市场空间扩散和吸收作用的大小，可以分为不同的范围等级，从而形成流域市场、区域市场和跨流域市场耦合而成的分级性一体化市场。市场主体、市场客体、市场时间分布、市场活动场所、各类市场的地区分布结构，是组成市场这一综合体的各个要素，这些要素的不同排列组合，就形成市场空间的要素结构。

市场时间，表现为市场主体支配交换客体的时间轨迹的量度。它表现为交换过程的连续性和间断性的有机统一。在实际市场活动中，水市场主体之间的权利让渡与交换客体的位置移动，可以有不同的组合方式，从而形成市场运动的不同轨迹，组成了一个多重运行轨迹的市场时间结构。水市场结构所表现的水市场体系，根据划分方法的不同，一般表现为流域市场、水工程功能区域市场、行政区域市场、跨流域市场等，它们相互联系、相互作用。

四、水市场体系的培育

在市场经济条件下，水市场是个"迟发展"家族，其"迟发展"效应，要求水利行业市场建设不能拖全国大市场的后腿，必须加快步伐，积极培育与建立社会主义水市场体系。

（一）构造统一开放、竞争有序的水市场体系

从我国水市场体系建设的现状来看，市场调节已经在水利经济中占有相当比重，在某些领域甚至起到主导作用。但是，从总体来看，我国的水市场体系还处于起步阶段，尚未形成机制健全、结构完整的市场体系。为了充分发挥市场机制在资源配置和水市场经济生活中的调节作用，必须克服水市场发育的不完整性、滞后性、封闭性、垄断性等明显缺陷，努力构筑全国统一、开放、竞争有序的水市场体系。

构建全国统一、开放、竞争有序的水市场体系，是水利产业社会化大生产的客观要求，是发展水市场的必要条件，也是建立和完善社会主义水市场经济体制的重要环节。只有建立起全国统一、开放、竞争有序的水市场体系，才能使各种生产要素在更大范围内畅通无阻地流向效益最高的地方，优化水资源配置；才能使水企业和部门在更大范围内及时准确地获得市场信息，根据市场需要调整产业结构、企业结构和产品结构；才能为各种市场主体提供平等竞争的市场环境，实现优胜劣汰，促进协作与联合，

推动水市场经济的发展。

　　统一、开放、竞争有序的水市场体系的构建，必须打破地区和部门的分割、封锁和垄断，克服地方保护主义，其关键在于实现政企职责分开，进一步确立企业的主体地位，政府不再直接干预企业的生产经营活动。同时，要通过水市场机制的作用，发展企业之间的横向经济联系，鼓励企业相互兼并，按照市场经济的规律和经济合理的原则组织生产和流通，以促进水利生产关系的改善，推动水利生产力的发展。

　　统一性是社会主义市场的重要特征。它要求社会主义市场在国家统一计划和统一政策指导下，在坚持服从社会主义生产目的的前提下进行活动。它要求以统一的价值尺度进行等价交换，它要求打破地区封锁和条块分割，形成统一的国内市场，在加强横向经济联系的前提下，建立国家宏观调控下的水资源商品流通渠道。

　　开放性是社会主义水市场体系的另一特征。水市场应是开放式的市场，这种市场开放包括对国内开放和对国外开放，即全方位开放。市场全方位开放，才能促进各地区、各行业之间的交换，促进对外经济技术交流，使商品、物资、技术、资金、劳务及信息进行流动和等价交换，获得比较利益，促进经济增长。形成国内统一市场后，市场的进一步开放，必然要使国内市场与世界市场衔接，参加国际分工；借助国际条件加快我国水市场经济发展、水利科技进步和水管理水平提高，并发挥水市场的枢纽和中介作用。

　　竞争性是社会主义水市场的又一重要特征。充分竞争是社会主义水市场机制发挥作用的前提和基础，社会主义水市场体系中的各类市场都应建成充分竞争的市场。要建成充分竞争的市场，必须使社会主义水市场发展为一种较为宽松的买方市场。在买方市场中，消费者具有更大的自主权，可以公正地评判和自由选择水商品。中国水市场带有短缺经济条件下的市场特点，是卖方市场，因而要变卖方市场为买方市场。社会主义水市场竞争，应是公平合理、平等互利、利益均占、自主自愿的竞争，这就要求彻底消除垄断性的地方和部门保护及卖方市场所体现的生产者的垄断行为所造成的机会不均等现象。

（二）发展和完善水商品市场，培育和规范水要素市场

水商品市场是水市场体系的主体部分，它关系到人民生活水平的提高和社会主义现代化建设能否顺利实现。水商品市场的发展和完善，首先，要建立主要由水市场形成商品价格的机制，并通过完善水资源储备制度，健全水商品价格调节机制，充分利用和改造现有供水设施和渠道，发展水利工程供水生产，在流域、区域及地域水资源协调一致的基础上，扩大供水规模，提高水资源利用率，并在保证水环境可持续的前提下完善水价调整机制。其次，积极改革水管单位管理体制，转换经营机制，在多级产权、多级水市场体系条件下，充分发挥主渠道作用。一切生产要素都要进入市场，是社会主义水市场经济的本质要求，是培育和完善水市场体系的重要内容。因此，积极培育规范水利金融市场、水利技术市场、水利劳务市场、水利信息市场等要素市场的同时，还要逐步实现主要由市场形成要素价格，发挥市场机制对资源配置的基础性作用，发挥国家政策的引导作用，开拓和发展生产要素市场，尽快建立市场中介组织的自律机制，并与水企业管理制度改革和财政、金融、税费等经济体制改革配套推进。

（三）建立以市场形成价格为主的水价机制

在市场经济条件下，各种市场运行都必须以价值规律为基础，以价格来实现。理顺价格体系是市场经济正常运行的前提条件，价格形成机制的转换是培育市场体系的重要环节。因此，要发挥价格机制作用，必须改革水价格体系，建立以市场形成价格为主的水价格机制。

以市场形成价格为主的水价格机制，要求水价格既要反映水

商品价值的变化，又要反映供求关系和货币币值的变化。由于长期忽视价值规律的作用，致使我国的水价格体系存在许多不合理的现象。所谓水价格体系，是指整个水市场经济中相互联系和相互制约的各种水商品价格的有机整体，它有比价关系和差价关系。比价关系是水商品与国民经济其他部门、不同商品之间的价格对比关系，主要有与工农业产品的符合比价关系、与农林土特产品的比价关系以及与工业产品的比价关系等。差价关系是水商品因购买与销售环节、地区、时间和质量的不同而形成的价格差额关系，主要有地区差价、质量差价、季节差价、批零差价、购销差价等。我国水价格体系经过改革，已由单一的计划价格模式发展为国家定价、国家指导价格和市场协商价格并存的运行格局。但是，由于原有计划价格体系的惯性影响，价格紊乱及无序现象时有发生，需要进一步理顺价格关系。原有计划价格机制和价格体系不合理、市场价格被扭曲、价格信号失真，其根源在于传统的计划价格管理体制。因此，改革水价格体系，必须相应改革水价格管理体制。

67

建立起合理的市场价格体系至关重要。市场体系与合理的价格体系相辅相成、互为条件。社会主义水价格体系的合理化，只有在完备的、统一的水市场体系中才能实现，而社会主义水市场体系功能的全面发挥，又离不开水价格机制的杠杆作用。因此，健全和完善社会主义水市场体系，就必然要求建立起与之相适应的合理的水价格体系。水价格体系改革的目的，是要使价格回到市场中去，按照价值规律和市场供求规律办事，真正反映水商品的市场价值和市场供求关系。社会主义水市场体系的建立和水价格机制的健全，应当相辅相成、同步进行。

（四）加强水市场管理和法制制度的建设

建立一整套规范而科学的水市场管理制度和市场法规，是促使水市场体系走上规范化、制度化和法制化的基础，是建立良好

市场秩序、实现公平竞争、公平交易和正当经营，从而维护市场
经济正常运行的法制保证。所以，培育和完善社会主义水市场体
系，要制定和完善市场规则、加强市场管理和物价监督、规范流
通秩序、制止不正当竞争行为、保护生产者和消费者的合法权
益。

目前，我国市场管理制度和法制规则尚不健全，市场上存在
的许多问题，如内贸中的弄虚作假、出售假冒伪劣产品、加价倒
卖，封关设卡、垄断市场、囤积居奇、欺行霸市、无照经营、偷
税漏税等各种现象都可能在水市场中出现；在外贸中互相倾轧、
肥水外流等现象也有可能在水市场中滋生，这些都需要依靠水市
场管理制度和水市场法制建设来解决，以良好的水市场秩序规范
水资源商品的交换。

加强水市场管理制度和法规建设，首先，要加强水市场法规
建设，解决有法可依问题。根据市场规律，借鉴水市场经济发达
国家的经验，加快水市场立法工作，建立、健全具有中国特色的
水市场法规体系，以规范水市场行为。其次，要加强和完善水市
场管理制度，建立有效的水市场管理体系，充分发挥工商行政管
理部门的执法职能、主管部门的行业管理职能以及新闻媒体和群
众的监督作用，为水商品经营者提供平等的竞争环境。目前，我
国处于社会主义初级阶段，生产力发展水平低，水商品经济很不
发达，水市场体系不健全，水市场机制不成熟，还存在着竞争的
不充分性、市场的不完整性、市场开放的有限性和市场供求的严
重不平衡性等特点，因而必须加快培育社会主义水市场体系。水
市场是由宏观控制的市场，这就要求建立起一个强有力的宏观调
控体系，使市场秩序化。建立水市场的宏观调控体系，就是要建
立科学的宏观管理和经济决策系统，主要依靠经济杠杆和法律手
段并辅之以行政手段，通过产业政策、财政金融政策、水利供水
商品规则、水资源调控政策等来对水市场实行宏观调控，调节和

控制市场环境和市场信息，引导水商品企业的经济行为，协调经济发展，实现水资源的有效配置。同时，还必须建立一套完整的宏观经济活动监测指标体系和经济效果评价指标体系，加强水市场信息管理的基础工作，实行市场预测、决策科学化。

总之，完善社会主义水市场体系，同水商品经济的充分发展一样，也需要有一个长期发展的历史过程。当前，我们既要看到建立社会主义水市场体系的迫切性，也要看到培育社会主义水市场体系的长期性和艰巨性。在培育社会主义水市场体系过程中，徘徊不前或企图一蹴而就都是错误的。建立和完善社会主义水市场体系的目的，是为发挥水市场机制与水资源规划机制的作用创造良好的条件，并进行计划与市场体系的协调分工与协作，这是我国水市场管理和制度建设的艰巨任务。

第二节　水企业市场制度

在社会主义市场经济条件下，水利管理单位要成为真正的市场经济主体，除了必须转变、重塑水管单位经营机制，净化运行的外部环境外，另一个重要方面就是建立水市场现代企业制度，使水资源管理能规范运行在一个基本的组织结构中。我国水管单位制度改革的基本方向，就是建立水市场现代企业制度。

一、水企业市场制度概述

（一）现代市场制度

现代市场制度又称现代企业制度，是一种适合现代市场经济要求的，在产权结构、治理结构、决策结构、责权利结构以及制约因素等方面有着一定规则的企业制度。这种制度，依靠在企业内部建立起科学的管理组织结构，按照权力、决策、执行、监督机构之间相互独立、相互协调、相互制约的原则，设立股东大会、董事会、监事会，聘任总经理，由总经理"组阁"等管理方式。

现代市场制度，具有四个特征，即政企分开、产权清晰、管理科学、权责明确。

1.政企分开

按现代企业制度的规范，政企要明确分开。政府与企业是两种不同性质的组织机构，两者之间是法律关系。政府依法管理企业，但不能直接干预企业经营活动。政府调控企业，主要用财税、金融和法律手段，包括对企业经营中某些具体行为的限制，如禁止企业经营垄断、污染环境的产品和向外销售禁销产品等。企业依法经营，照章纳税；生产经营自主，民事责任独立。

政府积极协助企业开拓市场，特别是国际市场，并着力建立健全社会保障体系，减轻企业的社会负担。企业则应重视所有者、经营者、职工、用户、中间商、供应商、消费者等方面的关系，致力于发展经济，并把这些因素有效整合，作为搞好生产经营的必备条件。

2.产权清晰

即产权主体多元化的公司产权关系清晰。法律为这种产权组织形式专门构造一种特殊的法人财产制度，这就是出资者对所形成的财产拥有所有权，而公司则拥有法人财产权，这种法人财产权具有独立于出资者的法律地位。明确财产权利关系，并协调、维护好这种关系，必须依靠建立现代市场制度，使企业变成具有产权关系清晰、产权主体多元化的公司制企业。按照公有制和市场经济双向要求统一的原则，构造出一种合理的市场制度，才能有效地理顺产权关系，依法确定各经济当事人对财产的权利界定并协调和维护，充分发挥产权的特殊功能；引导人们将某些难以把握的不确定的外部因素，转变成内在化的自我激励，形成有效率的产权结构；硬化财产约束，保障正当经营权利和资源优化配

中国水市场管理学

70

置，规范市场交易行为，从而引导市场中的经济实体，形成强大的经济技术实力；提高经营、管理和监督水平，发挥法人制度的优越机制，承担市场竞争的更大风险。

3.管理科学

所谓管理科学，就是企业的内外部管理特别是内部管理，一切都要以市场要求为中心，以发挥人和科学技术的作用为重点，建立一套科学合理的管理制度。科学的管理机制，诱导企业通过横向联合、集聚和优化社会资源，不断开发生产适应市场需求的商品；按照能人治企业的原则，不断选拔、培养和使用优秀的企业家搞好企业经营，增强企业的竞争能力；正确处理产权关系和责、权、利关系，有效调动各方面、特别是广大职工的积极性。

4.责权明确

责、权、利统一是现代市场制度的重要特征之一，也是企业处理各种关系的基本准则。规范的公司都形成了一套使所有者、经营者、生产者责权利相互协调、相互约束的组织机构和行为机制。国际通行的股东大会、董事会、监事会和总经理负责制，是有效维系责、权、利制衡关系的企业组织制度。有了这种制度，即可避免责、权、利相互脱节，有责任无权利或有权利无责任的非正常现象。因此，责、权、利统一是现代市场制度整合资源的有效手段之一。

（二）水市场现代企业制度

水市场现代企业制度是指水企业按照市场经济原则引进现代企业制度，实行多极产权公司制治理模式。它包括企业产权和治理结构、决策和责权利结构等方面内容，构成水市场现代企业制度。

水市场现代企业制度有如下几个基本特征。

1.水市场核心问题是产权明晰

产权明晰是指明确产权的多层关系，具体界定为财产的终极所有权和法人财产权各自归属的主体。建设水市场的核心问题

71

中国水市场管理学

是，合理区分水利国有资产的所有权和法人财产权，水市场在不同层次上实现对不同权利的具体占有，是通过法律作出规定的。

水产权明晰之所以成为建立水市场现代企业制度的核心问题，是因为：首先，产权明晰明确了国家作为水利国有资产投资者的权力和责任。国家作为水利国有资产的所有者，可以通过对国有股权的控股，增大国有资产的控制和调整范围；通过产权交易实现国有资产的合理流动和资源的优化配置，以保证水利国有企业在垄断行业的主导地位；国家拥有水利企业国有资产增值的收益权；对于水利国有企业的经营风险，国家仅承担以其出资额为限的有限责任。其次，产权明晰确定了水利企业作为法人财产权主体的地位；水利企业作为法人占有、使用、处置财产并获得收益；投资者作为财产终极所有权主体，与水利企业法人处于平等民事主体地位，出资人不能支配或干预水利企业的经营活动，但拥有取得投资收益的权利。其三，产权明晰为建立现代企业制度提供了首要条件。产权明晰的过程，就是以法律界定和明确企业投资者与经营者各自权利与责任的过程，在此基础上，政企才能分离，从而使水利国有企业既有责又有权，真正成为自主经营、自负盈亏的法人实体和市场竞争的主体。

2.水利企业是水市场运行的基本经营形式

水企业以其全部法人财产，实行自主经营、自负盈亏、自我发展、自我约束的经营机制，对出资者承担保值增值责任，自主经营和自负盈亏是水企业最基本的内涵。水企业必须从水市场中选择所需要的生产要素，既包括物质要素，更强调人才要素，并在生产经营中最有效地实现要素的最优组合，并最大限度地提高价值和使用价值的整体功能。水利企业必须及时掌握市场行情，按市场需求提供各类商品和劳务，努力提高经济效益以降低生产成本，使企业在激烈的市场竞争中保持优势，企业必须在享有权益的同时，独自承担经营后果。为此，水利企业必须紧紧依托水市场经济关系，利用水市场个性，夯实水利企业发展基础，并以经营为基本手段渗透社会市场，实现水市场经济的良性运行。

3.水企业实行有限责任制是水市场的基本制度

企业和出资者对企业都承担有限责任。企业以其全部法人财产，对其债务承担有限责任；出资者仅以其出资额为限，对企业承担有限责任。这就是说，企业经营中形成的利润和资产增值，直接或间接属于出资者所有。而当企业破产时，出资者最大的损失也只是投入企业的资本金。实行有限责任制度，减少了投资者的投资风险。明确投资者的权益和有限责任制度，适应了市场经济发展的需要，使出资者既敢于向经营者更多地让渡权力，使其放手经营，又能有效地实行自我保护，从而成为水利国有企业进入市场、提高资产经营效益的必要条件和基本制度。

4.政府非直接干预是水市场发展的基本原则

水企业以提高劳动生产率和经济效益为目的，按市场需求组织生产和经营，在市场竞争中实现优胜劣汰。长期亏损、资不抵债的要依法破产。现代企业制度强调在产权明晰的基础上实行政企分开，这首先表现在国家作为国有资产的投资者，不能支配法人财产中属于自己的部分，不能直接干预企业的经营活动；只能与其他股东一样，有权派其代表参加股东大会或被选入董事会，运用股东的权力来影响企业的决策和经营活动。国家对国有资产的管理职能，一般都通过投资公司、控股公司等国有资产管理机构负责实施，国家的主要职能是国民经济的宏观管理，运用经济、法律、行政手段，调节社会经济运营，其目标是实现机会的平等、经济的有序和稳定发展。其次，表现在企业拥有法人财产权，以利润最大化为经营目标，独立自主地组织生产经营，确保国有资产的保值增值，在改变传统的政企合一的产权模式和经营机制的同时，企业以生产经营的优势求得企业的生存与发展，政府只在有限的范围内，以多种手段调控水市场发展。

5.科学管理是水市场实现有序运行的有效手段

在水利国有企业中坚持和完善厂长（经理）负责制，保证厂长（经理）依法行使职权。发挥企业中党组织的政治核心作用，保证、监督党和国家方针政策的贯彻执行。工会和职工代表大会要组织职工参与企业的民主管理，维护职工的合法权益，形成企业内部权责分明、团结合作、相互制约的机制，充分调动企业所有者、经营者和职工三方面的积极性，形成企业按照市场化要求不断发展壮大的内在动力机制。

二、水企业现代经营责任制

（一）推行水利经营责任制的优点

1.激发活力

目前水利管理队伍中，有相当一部分职工是在20世纪六七十年代参加工作的，虽然总体文化水平不高，但在某些具体工作中积累了较丰富的实践经验，如从事水库渔业、种植、养殖等工作，他们很希望发挥自己的技术长处。而近年来参加工作的青年职工，文化水平有了较大提高，对新事物、新技术接受能力增强，有很强的自我实现欲望。如实行承包经营管理责任制，把水管单位的各项任务和效益进行分解，将目标层层落实到各级部门和个人，并给予相应的自主权，视任务完成情况及效益实现程度给予奖惩。这样，就能满足职工实现胜任感的需要，调动他们的竞争本能，完成承包指标。按照管理原理，在一个目标实现后，人们的胜任感会继续被激励起来，从而渴望实现更高的目标。实行承包责任制是开发水管单位人才资源的一种有效方法。

2.产生动力

虽然实现胜任感是当前水管单位职工的最主要需要，但对经济利益的追求也是非常强烈的。水管单位长期以来依靠国家拨给有限的事业费维持生产管理工作，职工的编制问题长期未得到解决，收入偏低；加之水利工程大都建于偏僻地区，水管单位远离城镇，职工的工作、生活环境都非常艰苦，劳动力分配状况不尽合理，职工迫切需要提高经济收入，改善生活条件。因此，实行承包经营管理责任制，把职工的工作成绩与所得经济利益挂起钩来，在利益机制的刺激下，职工的劳动自觉性得到提高，从而取得良好的经济效益，职工的收入也相应得到提高，生活条件得以改善。

3.提高效力

实行承包责任制，明确了国家、水管单位、职工个人三者的责权利关系。水管单位对国家（具体为某级水利主管部门）实行承包责任制，使过去单靠国家发布统一的指令、水管单位照章执行的状况得到改善。水管单位在不违反国家法律、法规及有关水利政策的前提下，有权根据本单位的实际情况制定生产经营计划，减少了盲目性，提高了实效。同时，水管单位也将程度不同地减少对国家的依赖性，逐步走上自我维持、自我发展的道路，从而提高水管单位的劳动生产率。

4.形成竞争力

责任制首先肯定了公正、公平，同时也张扬了水利人固有的自由本性，从而使水利人都能处在一个公正的平台上进行竞争发展。

在水管单位内部实行承包机制，可使不同具体工作任务的各部门，明确自身职责和工作目标，还可解决分配不合理的问题。例如，负责工程管理工作的部门（大坝、水闸、水渠管理所等），不能直接创造产值、利润，以年工作量为承包基数，确定管理经费总额，配以相应的职责要求、考核指标，视任务完成情况给予奖惩。

（二）推行水利经营责任制的阻力

水管单位的承包经营管理责任制不可避免地存在着不足之处，需要逐步改进、完善。从水管单位改革的实际情况看，主要存在着以下几个方面的问题。

1.缺少利益驱动

水管单位大都隶属于各级政府水行政主管部门管理，所执行的国家制定的有关水利政策程度不一；水管单位两大支柱之一的水费制度执行难度较大，水费收入很少。这样，水管单位只能依靠综合经营的收入来维持经营管理工作，处于入不敷出的状况，生产发展、职工收入等问题难以解决，承包内容难以落实，利益机制难以建立，缺乏水市场条件下运作水利资产的利益驱动。

2.存在短期行为

水管单位实行承包经营，承包期一般都不长，且都由在职领导干部负责承包，为了完成或超额完成承包任务，获得更大的经济利益，则不同程度地存在掠夺性生产经营现象，而不考虑单位的长期发展目标。例如，有些水管单位实行承包经营后，竭泽而渔，只管捕捞不管投放，水库成为空库。更为严重的是，承包责任人过分集中于搞多种经营、增加经营收益，忽视工程的运行管理，挪借水利工程维修经费，给工程带来安全隐患。

3.缺少内部凝聚力

由于实行承包责任制后，任务落实到人，干部、职工的心理压力骤然增大，忙于完成各自工作任务，忽视政治理论、文化技术的学习，人际关系相对淡漠。这些，不利于全面提高职工素质、增强单位内部凝聚力，与建立社会主义水市场条件下的新型生产关系不相适应。

4.整改意识淡薄

承包合同的订立受客观条件的制约，往往不够正规、完善，表现为承包基数不确定、随意变动，有关责、权、利的条款不明确，执行合同的严肃性不强。形成这些问题的客观原因是，水利经营管理工作受自然条件的影响较大，在承包期内常出现不可预见的情况。如由于天然来水量丰、枯不等，直接影响供水量和发电量；气候因素影响工程养护、维修的工作量等等。主观原因是，合同在水利部门、水管单位内部订立，当事人对合同的性质认识不足，发包方碍于人情，对承包方提出的变更合同的要求轻易接受，有些承包人完不成承包任务，只是调离了事，不负任何责任，这是短期行为不能抑制的一个根本原因，它直接影响水市场有序运行所遵循的法律制度的严肃性。

（三）推行水市场经营责任制的方法

1.因地制宜，实事求是

对部分水管单位短期内难以核定供水及经营效益的，可暂不实行承包责任制，而先实行岗位责任制等管理办法，待积累一定的管理经验后，再逐步推行。水行政主管部门在强化水管单位经营环境的同时，应加强水利工程公益性和效益性的宣传，并用近年来因水利工程老化失修严重，给国家、人民财产、生命安全构成的威胁和危害；农田灌溉面积逐年减少、农业生产逐年滑坡的事实，说明实行水利工程供水经营的重要性，使水利工程受益区的当地政府和用水户真正认识到水利工程供水的商品性质。以水利工程供水服务农业、农村经济发展为公益性目标，统一于"取之于民，用之于民"的供水经营行为中，以保证水管单位承包责任制的顺利推行。

2.坚持原则，严格程序

对具备实行承包责任制条件的水管单位，水行政主管部门应实行公开招标承包。按优先授标原则，鼓励水利系统内部人员参与投标竞争，也可允许系统外人员参加投标。这样，既有利于选择最合适的承包负责人，又有利于承包合同的严肃性。对于承包期限，可根据多种经营项目的生产周期灵活确定。选定承包人后，主管部门应按严格的经济法律程序与其订立承包经营管理合同。承包合同应体现"包死基数、确保上交、超收留用、欠收自补"的原则，内容包括：包工程维修，包盈余，包工资总额与工程防洪安全、效益和财务盈余挂钩，实现全面的奖罚考核。为提高合同签订的严肃性，可由公证机关办理公证手续，以保证合同的顺利执行。

3.领导率先，组织保障

水行政主管部门与承包人订立承包合同后，承包负责人为承包经营水管单位的法定代表人，享有国家法律、法规、政策和承包经营合同规定的经营管理自主权，主管部门应保证其行使权力。水管单位负责人既有监督承包人正确贯彻国家方针和政策、遵守法律和法规、严格执行合同条款的权利，也有支持、协助承包人顺利完成承包任务的义务。水行政主管部门要经常指导、督促承包负责人在抓好经营管理工作的同时，注重职工的政治理论和文化技术学习，使职工学习、培训定期化，并将其纳入考核水管单位承包经营管理工作成绩的一项内容，以此来提高职工素质。

三、水现代企业资产经营

（一）水利资产经营的意义

1.合理界定水利企业资产经营

资产经营，是指以追求最大利润和促进资产最大增值为目的，以价值形态经营为特征，通过对生产要素的优化配置和资产结构的动态调整等方式和手段，对水利企业进行运营的一种经营模式。

广义的水利企业资产是指企业可利用的一切能够获得经营效益的资源，包括企业的经济资源、科技资源、地域资源、人力资源、自然与社会环境资源等等。狭义的水利企业资产是指企业用来获取经济效益的经济资源，主要包括企业的产品、设备、厂房、货币等有形资产和商标、商誉、专利、技术、人才等无形资产。资产经营是市场经济发展的需要，也是水利企业制度发展的必然趋势。对水利国有企业来说，在传统的计划经济体制下，由于缺乏完善的经济利益制度，片面强调生产产值，不讲究经营效益和资产效益的最大化，属于单纯的生产管理型。

资产经营和生产经营仅一字之差，但两者却有着重大区别。主要表现在：①经营对象不同。资产经营的对象重在企业资产；生产经营的对象仅为产品、服务（劳务）。②经营领域不同。资产经营重在资本市场，或是采取资产以及产权的流动与重组等形式；生产经营重在营销市场，主要通过生产、销售、服务等进行经营活动。③盈利来源不同。资产经营的盈利来自资产卖出价格大于资产内在价值；生产经营的盈利主要来源于生产或劳务的增值。

资产经营与生产经营，既有区别又存在相互影响和联系。资产经营灵活有效，可以促使企业增大资本量，提高知名度，增加企业生产经营的盈利；而良好的生产经营状况又为企业的资产经营提供了更扎实的基础，创造了更好的条件。

2.努力实现水利企业资产经营

第一，实现水利企业资产经营，有利于发挥国有经济的主导作用。在市场经济条件下，要促进国有经济成为水利经济中的主导，关键问题是要看国有资产对水利资产的支配和融合能力。通过合资、合作、控股、参股等资产经营手段，广泛吸纳水利资产的能力和水平。提高国有资产渗透能力，有利于国有资产控制较多的水利资产。由此可见，水利企业资产经营是确保水利国有经济主导地位的重要手段。

第二，实现水利企业资产经营，有利于调整水利产业结构。造成我国现有水利产业结构不合理的原因之一，是国有资产存量过于分散，资产配置效益低下，水资源资产化程度不高。而产权的合理流动与重组，能使资源得到有效配置。盘活资产存量是调整水利产业结构的重要途径。

第三，实现水利企业资产经营，有利于水企业规模的迅速扩大。资产经营不同于生产经营。生产经营从建设、生产到销售，一般需要较长的周期；而资产经营则可以把这一周期浓缩在较短的时间内，大大加快了资金的周转速度，形成较高的投入、产出和交易的流量，在短期内能使水企业资产获得较大幅度的增值，并由此拉动水利资源性资产的迅速扩张，形成水利资产的良性运行格局。

第四，实现水利企业资产经营，有利于转换水企业经营机制。水企业实现资产经营，必须按照市场经济运行规则实现资产的匹配和调整。这就对水企业机制的转换产生了动力和压力，促使水企业加速运行机制和运行方式的规范化。因此，资产经营的结果，能使水企业在转换机制的基础上提高整体实力，提高水利资产的市场化率。

（二）水利资产经营的评估

1.水利资产评估有利于科学决策

资产评估是人类经济活动发展到一定历史阶段，特别是市场经济阶段的产物，是促进生产要素优化配置与经济活动按市场经济规律发展的一项管理技术。资产评估不仅为项目运营提供科学的资产依据，还与水利项目后评价及改、扩、续建水利项目决策有着重要联系。水利项目后评价包括过程评价、国民经济评价、财务评价、工程评价、运行管理评价、影响评价（社会评价）、可持续发展评价等诸多内容。国民经济评价和财务评价起控制作用，而这两项评价的基础是资产。如果先开展资产评估，再开展后评价，则不仅可提高成果可靠性，还可解决后评价计算中的一些技术问题。例如，在计算后评价报告期经济指标时，在未开展资产评估情况下，常因很难定量未来期的效益、费用流程，而不得不采用"效益外延法"、"固定资产分割法"等经验性近似方法计算。但如先开展资产评估，则可依据有关资产评估理论加以计算，同时，在操作上也较容易进行。目前，我国有不少病险水库需要除险加固，还有大量其他各类型的水利工程因老化失修或其他原因而需改建、扩建、续建。由于这些项目都属于对老项目再投入，如需列入基建项目，则应按照基建程序，进行后评价，把后评价成果作为立项依据。在后评价工作之前或在后评价工作中，先进行水利资产评估，则能提高后评价成果质量和项目决策水平，从而减少水利项目立项、建设的盲目性，降低决策失误率。

2.水利资产评估有利于行业增效

水利行业经营核算的资产依据，大部分为1994年清产核资成果，资产额较实际资产价值偏小，远不能反映实际拥有的资产。这是因为，1994年清产核资所采用的时点为1994年3月31日，所采用的计算价格为1992年价格，所填报的资产价值"原则上按购建、调入时的原始价值确定"，同时，在对未入账且查不到原始价值凭证的水工建筑物进行重估时，所采用的《水工建筑物价值重估标准目录》的重估单价，不包括建设场地征用费、水库淹没补偿费、建设单位预备费、施工单位计划利润以及不构成水工建筑物本体的交通工程费、管理单位房屋建筑费等，而且对工程前期费预估不足，更不包括资源性资产、无形资产及建设期机会成本等。所以，1994年清产核资，虽然在当时从资产管理角度，比较真实地查清了资产并发挥了重要作用，但对目前水利行业实际拥有的资产价值而言，却偏小许多。而在经营中，资产数额偏小，则必然导致"三个偏低、一个偏高"，即：水价偏低、折旧费偏低、运行管理费偏低、所得税偏高。资产偏低给项目运营带来了风险，而这种风险，根据对东深供水、引滦入津、引黄济青、引黄入卫、引碧入连等工程的调研，成果分析属于这些工程十大经济风险中的头号风险。因此，对项目实施和行业评价十分不利。通过资产评估，使资产数额真实地反映实际资产价值，则这个风险就可加速化解，从而为项目建设和行业发展提供优越的市场运行条件。

（三）水利资产经营的形式

1.水利资产基本类型

根据受益特性不同，水利资产可划分为公益型、非公益型和准公益型三大类别。

（1）公益型水利资产。公益型水利资产，是指由社会共同利用其功能并免费享用其效益的水利资产。它具有两个显著的特征：一是产权的非排他性。公益型水利资产具有明显的社会效益和生态效益，直接的经济效益不显著或者不是主要的，但间接经济效益明显；加之投资规模比较大，这就决定了私人无法或不愿进入公益型水利资产的领域单独投资，而只有依靠政府，通过税收的集中和财政预算的方式，决定公益型水利资产的供给数量。二是效益享受的非竞争性。效益享受的非竞争性是指受益者的增加不会引起其他受益者所享受到的效益的减少，换言之，受益者的增加引起的社会边际成本为零，或者说，一定量的公益型水利资产按零边际成本提供效益。在公益型水利资产的效益享受上，每个受益者能获得相同的权益，收到相同的效应。

（2）非公益型水利资产。非公益型水利资产，是指水利资产的功能由水利产权主体独自利用、效益单独享受的水利资产，与公益型资产相比较，它也具有两个显著特征：一是产权的排他性。由于该类型水利工程是由投资主体自由决定和兴建的，所以投资主体对水利资产拥有独立产权。而这种产权的人格化就是该水利资产的投资主体或最终产权拥有者。二是效益享受的排他性。这种资产由拥有产权的主体单独利用其功能，享受其效益，其他人被排斥在外，或者通过产权成本要求对使用人作出成本补偿，未履行补偿责任的人被排斥在外。产权与效益享受的排他性特征有利于提高水利资产经营效率。

（3）准公益型水利资产。准公益型水利资产是指介于非公益型与公益型之间的水利资产，既具有公益型水利资产的某些属性，又具有非公益型水利资产的属性。现实中，常指那些能为其产权所有者带来直接经济效益，同时又能为众多人提供有偿服务的水利资产。它具有两个重要特征：一是产权可以在投资者间分散享有或由投资集团、组织独立享有，具有排他性。尽管产权具有排他性，但由于这种资产具有明显而直接的经济效益，能为产权拥有者带来经济利益，社会资金也会有一部分自主参与利益及产权的竞争，从而使得准公益型水利资产的产权具有可变性、分享（散）性和竞争性，促使准公益型水利资产的产权不断重组、变革。这是准公益型水利资产产权制度改革的理论依据所在。二是效益享受的排他性。这种水利物品提供的效益只对支付成本补偿的消费者提供，而排除未支付成本补偿者。与公益型水利资产不同的是，准公益型水利资产还具有广泛的外在效益属性，而这种效益一般是指社会效益和生态效益，类似于公益型水利资产的外在利益广泛的属性，因而称之为准公益型水利资产。水利资产属于准公益型水利资产范畴的占较大比例，而且，随着社会的不断进步和经济发展水平的不断提高，准公益型水利资产在整个水利中的比重将会有不断上升的趋势。认识和把握准公益型水利资产属性，对于合理界定水市场运行属性，具有重要意义。

中
国
水
市
场
管
理
学

83

2.水利资产经营基本形式

水利资产经营的基本形式有两大类：一是依托证券市场、资金市场等有形的资本市场，进行资产运作。证券市场上通常使用的资产经营方式有：上市、配股、股份回购与出售、认股权、抵押、投资基金等。二是通过无形资本市场，进行资产运作。在经济活动中，经常发生的资产经营活动是通过合同契约进行的；在无形市场上，是以资产及产权的流动或重组等方式进行的。其具体形式有：

（1）股份制改造。水利国有企业通过股份制改造，成立投资主体多元化的股份有限公司，以吸纳内外资的投入，并实现债务向股权形式的转化。

(2) 股份合作制改造。水利国有中小型企业，一般以股份合作制形式整体置换国有产权；水利国有大中型企业，一般运用股份合作制形式部分置换产权。

(3) 破产。对长期亏损、资不抵债、扭亏无望的水利小企业，根据《企业破产法》实施破产处理。

(4) 兼并。优势企业实行跨行业、跨地区、跨所有制收购兼并企业。实施兼并盘活存量资产，应防止国有资产的流失。

(5) 拍卖。对长期微利或亏损、人员较多、缺乏发展改造能力的企业，通过拍卖，将企业整体或者部分出售。出售的形式可以采取赊卖、租卖、折卖等。

(6) 国有资产行政性重组。政府国有资产管理部门，通过对国有资产授权和重新授权，调整企业产权结构和组织结构，优化资源配置，促使国有资产的保值增值。

(7) 合资。中方企业以资产折股，与外方合资办企业，这是资产经营的一种开放经营形式。通过合资，既能吸收国外资本，又可引进国外先进技术和管理方法。

(8) 租赁。对规模较小、职工人数较少、属于简单劳动的小型企业，在不改变企业资产所有者的前提下，可以采取租赁的方式，实现资产的整合。

(9) 承包经营。即不变更企业资产的所有者，通过招标等方法产生承包人，进行生产经营。

(10) 托管。在不改变国有企业产权归属的前提下，由委托方将企业经营管理权以合同形式，在一定条件和期限内，让渡给受托方有偿经营，并由受托方承担资产保值增值责任。

现代市场经济条件下，资产经营是个永恒的主题。美国著名的诺贝尔经济学奖获得者施蒂格勒曾指出，100年以来，世界上前500强大企业，无一不是通过资产兼并而扩展起来的，无一是仅仅靠内部积累发展起来的。大力推进资产经营，通过资产的流动和重组，对国有企业实施战略性改组，是提高资产运营效益的重要手段。

四、水现代企业经营机制

水利企业是一个运动着的机体，它通过各种机制的作用来维持生存和发展。在现代市场经济中，水利企业要实现盈利最大化的经营目标，就必须建立起适应市场经济运行要求的企业经营机制。

所谓企业经营机制，是指在企业经营活动中发挥作用的各种因素之间相互联系、相互制约而形成的具有内在性、有规律性的运动原则和功能的总和。企业经营机制的基本功能是适应外部环境变化，调节企业的经济活动，使之有序、有效地运作。现代企业经营机制主要包括利益驱动机制、自我约束机制、内部协调机制、市场引导机制。

85

（一）利益驱动机制

利益驱动机制是指以企业利益导向为基础，调节企业内部利益主体的分配关系来推动企业运行的机制。人们从事任何经济活动，都是为了谋求一定的经济利益，人们之间的经济关系，归根到底都是物质利益关系。因此，人们进行经济活动的内在动机或动力，通常都是为了实现其经济利益。

在社会主义市场经济条件下，水利国有企业作为独立的商品生产者和经营者，必须根据市场需求调节生产经营，努力实现利润最大化。企业必须通过一定的分配方式，正确处理好国家、企业和职工个人的物质利益关系。将企业的经营活动与企业的自身利益、职工的个人利益挂钩，以激发企业和职工的主动性和创造性。只有处理好企业与国家、企业与职工的分配关系，使各利益主体的利益得到合理实现，才能充分发挥企业的内在动力。由于职工是企业最大的利益主体，因此，动力机制的实质在于充分调动职工的积极性。为活化企业发展机制功能，企业必须在它发展的不同时期或不同阶段，确立起具体的发展目标，以目标激发企业产生向上发展的动力。同时，企业以高新科技、优化管理模式、提高经济效益等手段去实现企业的发展目标。

（二）自我约束机制

约束机制是指企业根据主客观条件，主动调整和控制自身的行为，使企业具有行为合理化功能的机制。其实质就是企业依靠自我调节、自我控制的能力，优化自身行为，以作出正确决策，保证企业追求最佳经济利益目标的实现。

水利企业的约束机制有两个方面：一是内部约束机制。包括利益约束、预算约束、财务约束、纪律约束和行业政策约束等等。其中，利益约束是企业内在约束机制的核心。它是通过实现利益与承担责任挂钩，以加强企业的经营责任，约束其分配行为，最终实现企业经营目标。企业的内部约束机制能自觉调节企业的生产行为和财务活动，有效地遏制企业盲目扩张和不合理的经济行为，使企业增收节支，增强实力，实现国有资产的保值增值。二是外部约束机制。主要包括市场约束机制，要求企业的生产经营必须面向市场，吸纳市场信息，遵守和履行合同，严格按照法律和市场运行规则从事生产和经营。

（三）内部协调机制

内部协调机制是指企业适应市场变化，自动协调企业内外部关系以保证生产经营稳定的机制。社会再生产过程中出现的种种不测情况，如政府行为的调整、市场生产要素供求状况的变动等因素，都会造成企业外部环境的震荡，导致企业生产经营的不稳定。这就要求企业具有适应环境变化的能力，对市场信号作出正确反应，采取及时调整生产规模或产品结构、增加或减少生产要素、提高或降低产品价格等措施，发挥企业协调机制的作用。

企业协调机制主要由内、外部协调机制构成。内部协调机制侧重于：①通过将职工的劳动、工作业绩同经济利益直接挂钩，以最大限度地调动职工生产经营的积极性和主动性。②通过调节生产经营过程中各环节，使人、财、物、信息等各类生产要素有机结合、有序运营，使整个生产过程在高效运作中，实现利益最大化。外部协调机制要求企业根据市场环境条件的变化，及时确定或修改经营战略决策，同时及时调整并处理好包括企业与政府、企业与企业、企业与其他部门、企业内部等各方面的关系，以优化和应对企业生产经营的外部条件。

（四）市场引导机制

市场经济条件下，水企业经营的舞台在市场，离开市场，企业的一切活动都无法运转，甚至无法生存。只有立足市场、瞄准水利产业市场才有出路，才能呈现出勃勃生机。小浪底水利枢纽建设管理的事实就是一个很好的例证。

小浪底水利枢纽建设管理局为水利部直属单位，用国家的钱，建国家的工程，建管合一，一管到底。然而，环境总在变化，市场上没有孤岛，改革是大势所趋，必须以内部之变去适应外部之变，才不会在改革中处于被动，在市场竞争中败北。1998年，小浪底水利枢纽工程建设处于施工高峰之时，管理局就出台了五年发展规划，并以"以工程建设为中心，在建好管好小浪底水利枢纽的同时，开拓水电管理、监理、咨询市场，大力发展水利经济。"为指导思想，将融入外部市场、解决长久生存发展问题视为规划与发展的宗旨。经过全局范围的调整，使承担发电和枢纽运行等主业任务的水电公司发展实力大大增强；咨询公司、实业公司、工程公司三个市场竞争实体相继形成。水力发电自动化程度紧跟世界先进水平，运行、维护一体化，设备大修通过招标委托社会力量承担，为日后顺应电力市场改革、实行竞价上网创造了条件。咨询公司、实业公司、工程公司则按照现代企业制度组建，经济责任制或费用包干政策的实行，为开拓市场、对外承揽业务提供了可能。

在创新思维的驱动下，劳动用工制度也着力按照市场化要求进行改革，所需特殊工种公开从社会上招聘；率先改革分配制度，实行以岗定薪，岗变薪变。咨询公司于1999年迈出了进入市场的第一步，承担起广西百色水利枢纽工程导流洞的监理任务；2000年，在黄河大堤加固焦作段监理招标中中标，又在市场上获得一项咨询项目。在搏击市场的同时，不断提高内部管理水平，1999年通过ISO9002国际质量体系认证，2000年获得了甲级咨询和甲级监理企业资质。实业公司利用小浪底坝区的自然风光和建设期形成的部分资产，于1998年成立了旅游公司，目前已形成以旅游产业为龙头，房地产开发、物资营销和园林绿化为辅业的集团式产业结构，并于2000年年底获得国际旅行社资格。市场引导企业，是水利企业市场化的基本要求。而现代企业的规范运行，必须依靠科学合理的机制，实现经营过程的控制和市场信息资源的发散，在经济利益机制的引领下，实现企业资源的最优配置。

第三节　水市场多元化投资体系

我国现行的水利投资体制，是与我国长期以来实行的计划经济体制紧密相联的。在计划经济体制下，政府财政实行统收统支，国家不仅承担水利工程建设的投资，而且还承担工程的运行和管理的资金供应。这一供给型投资体制，在新中国成立初期经济基础薄弱的情况下，对于集中有限的财力、加强基础设施建设、恢复和发展国民经济起过重大作用，特别是一批大中型骨干水利工程，就是这一时期依靠国家财政重点投入建成的。但是，这种高度集中的供给型体制也带来了一些弊病：在资金投入上，水利工程建设与管理投资仅靠国家，渠道单一，致使水利投入严重不足，与国民经济发展不相适应；在吸引社会资金的投入上，造成建设水利工程不合算的假象，社会资金不愿投向水利，加剧了水利投入不足的矛盾和经济结构的不合理；在已建工程的运行管理上，水利工程管理单位只讲社会效益，不讲自身经济效益，使工程的维护和管理没有稳定的资金来源，大量工程老化失修、效益衰减，甚至工程建设越多，背的包袱越重，陷入恶性循环；在实现水商品交换的环节上，水商品意识淡薄，水商品交换体系难以形成，水市场运行畸形发展，市场调节水资源配置不规范，造成水资源严重浪费。

随着国民经济体制改革的深入，特别是投资体制改革，国家财政无偿投资的比重逐年减少，有偿投资的比重逐年增加，国家投资比重减少，社会筹资比重却相应增加。在这一经济背景的影响下，社会资金更不愿投资于水利，给原本就相对脆弱的水利投资体制实现有序运行带来了一定的难度。

一、政府投资与市场运作

水利作为国民经济的基础产业，其效益具有双重性。防洪、排涝、农业灌溉、水土保持、水环境治理与保护属社会公益性，主要以社会效益为主；而城市供水、水电、水利旅游等属生产经营性，主要以经济效益为主。水利的公益性特点，要求前者从立项、筹资、建设到管理主要依靠政府行为，引入市场机制，以国家投入为主；水利的经营性特点，要求后者主要依靠市场行为，更多地通过市场机制发挥作用来筹集建设资金，形成投入产出的良性循环。所以，水利建设应建立政府投入与市场机制运作相结合的投入格局，多渠道、多形式筹集资金。

（一）以政府投资为主导

国家对水利建设的投入逐渐增加，但水利在国家基本建设中所占的投资比例却呈逐渐降低趋势。水利基本建设投资在国家基建投资中的比重，"二五"至"五五"期间为7%左右，"六五"至"七五"期间降至2.5%，"八五"期末回升到2.8%。"九五"期间投资额虽有较大提高，投资所占比例也有较大提高，但与电力、交通、邮电等基础设施投入相比，相对指标仍呈下降趋势。可以预见，"十五"期间要根本改变这一状况，仍有较大难度。

90

水利工程多数是以社会效益为主，是社会效益与经济效益的结合，呈明显的混同性特点，财务收益不明显，或者难以明确划分财务收益比重，致使水利工程的投入产出分析结果，不足以引导社会资金流向水利行业；依靠水市场运行来吸纳社会资金投资水利，在将来相当长的时期内仍然十分有限。建立政府投资的主渠道机制，与完善、发展水市场经济并不矛盾，依靠政府投资的宏观调控，完善水市场投资体系是十分必要的。

政府投资的主渠道机制，就是逐步通过立法的手段，确定各级政府水利投入与财政支出的合理比例，中央财政在支出方式和投资上进行引导，并从中央财政的水利投入中划出一定比例作为专项转移支付拨付到地方，地方对中央财政水利投入实行专款专用，并根据制度规定，匹配相应建设资金。以政府投资为主导，强调了投资主体与受益主体的权利和义务，明确了各自在工程建设与管理中的责任、出资比例等，有利于提高地方政府投资办水利的积极性。

（二）以市场运作投资为方向

市场运作水利投资，是改革、改善水利投资环境的重要手段。实行市场运作水利投资，就是按照市场经济发展要求，积极开辟新的筹资渠道。它包括两方面具体措施，一是完全市场方式，即实行股份制，拍卖某些水土资源，包括某些小型水利工程的使用权、引进外资、利用贷款等。实行这一方式，有利于实现水市场与社会市场的共融，扩大融资渠道。一般在市场经济较发达的地区，其实行条件较为成熟。二是准市场方式，它主要靠改革水利投资结构，强化国家投入资金的资本化管理。体现在划分事权方面，国家将财政性资金重点投向大中型水利工程，通过成立水利投资公司，将过去的无偿拨款、贷款，通过投资公司去投资、参股、合股、控股，按市场规律办事；体现在建设项目管理制度改革方面，推行建设项目法人负责制和建设监理制，全面推行招标制，有效地提高了投资效益。经过近年来市场化改革，多元化、多渠道、多层次的水利投入体系已经形成。水利建设投资中，国家财政拨款的比例从"七五"以前的几乎100%降为"八五"的54%，此外，银行贷款占33%，外资占12%。水利投资体系的市场化格局有力地支持了水利建设。

此外，国家还实行了积极的财政政策，依靠市场发行国债数千亿元。其中，用于水利建设的债券就达600多亿元，提高了市场的融资能力。

二、民间投资与国外投资

提高水利行业利用民间投资和外资的深度和广度，扩大水利投资规模和范围，是增强水市场"造血"功能的又一重要机制。

（一）民间投资

民间投资即社会投资，主要指国内民间资本的投入，其最大特点就是产权明晰，投资者不仅拥有所有权、处置权，而且要承担各种风险。这一融资方式，从根本上解决了目前水利建设项目产权不明晰及投资、建设、管理和收益（或风险）相互脱节的矛盾，有利于水利投资效率的提高和水利工程效益的充分发挥，促进了水利事业良性运行和国民经济发展对水资源的可持续利用。

社会投资办水利的新局面源于改革开放的伟大实践，它是从改革"官办水利"逐步发展成中央、地方、集体、个人共同办水利开始的。中央投资从"七五"期间单一财政拨款逐步改革为拨款、政策性贷款、商业银行贷款、水利专项资金、以工代赈、农发资金、外资等多种渠道，形成全国性水利建设投资新格局。据初步统计，至2001年，各种水利资金种类达30余种。近几年，中央和地方各级财政对水利的投入呈逐年增长趋势，水利投资体系改革出台后的1994、1995年，全国完成水利基本建设投资375亿元，是1991、1992年的2.3倍。"七五"期间，中央投资比重占60%~70%，"八五"期间中央投资204亿元，占31%，地方自筹192亿元，占29%，相当于"七五"期间自筹投资的5倍；使用国内贷款124亿元，相当于"七五"期间的18倍；利用外资57亿元，相当于"七五"期间的12倍。多元化、多渠道、多层次投资体制的形成，在一定程度上缓解了水利基本建设投资紧张状况，进一步巩固了水利作为国民经济基础产业的地位。此外，在经济较为发达地区，如江苏、广东、上海、山东、浙江等省（市），根据国家有关规定，结合本地实际情况，先后出台了面向社会筹集水利建设基金的政策。据统计，至2001年全国共筹集地方性基金近300亿元，特别是江苏省1991年大水之后，用防洪保安资金（每年6亿元左右）作为省内配套资金，投入到治淮、治太工程，并进行省属重点水利工程建设，淮河、太湖流域治理已初见成效，在近年的防洪保安、促进水资源的可持续发展方面，发挥了重要作用。实践证明，利用市场，举民间投资之力，是发展水利事业的重要举措。

（二）国外投资

外资，主要包括外国政府贷款和国外资本市场融资；引进外资渠道，主要包括外国政府贷款、赠款及外商投资。随着我国加入世贸组织，水利利用外资的渠道将进一步拓宽。早在20世纪80年代末期、90年代初期，外资就介入我国城市供水行业，全球最大的水务集团——法国苏伊士里昂集团就曾采取收购城市水厂的形式与中方合作。目前，国内已有沈阳、天津、成都、重庆、南昌、上海等近百余大中城市出现了"洋水务"，城市水务建设逐步发展成为外商投资的热点。

水务业在国际上一直是利润丰厚、投资回报稳定、风险较低的行业。据统计，全球水务产业每年约4 000亿美元，苏伊士里昂集团1998年的水务产值达100亿美元，占其总产值的1/3。中国市场如此庞大，引入"洋水务"，一方面解决了国内投资建设水厂的资金短缺问题；另一方面，引入先进的管理方法和技术，加快了城市水务改革和水资源一体化管理的步伐。但是，中方与洋水务合作时，要求建立完善的水市场体系。因为外资水务公司对相关的合同、法律了如指掌，他们在与中方签订合同时，借助于市场规则，构筑起利益制高点，而中方一般是以政府行为确定市场利益的，在运行上往往滞后于市场要求。例如，东深供水工程的供水方就是外资公司，签订合同时，规定水务公司每天必须购买其260万立方米水，而水务公司每天向香港的供水量仅有120万立方米，产生的费用差额，都由政府补贴。外资的扩张规模政策，容易控制当地的供水市场，从政府的财政中获得垄断利益。可见，利用水市场引进国外投资，既要解放思想、大刀阔斧，又要忍受"阵痛"，慎而又慎；既不能"因噎废食"，又不能"囫囵吞枣"。完善水市场管理体系，是引进外资的当务之急。

三、价格收费与公益补偿

建立价格收费与公益补偿相结合的投资机制，就是要形成科学、合理、规范的价格收费机制和公益性支出耗费补偿机制。因为，水是商品，供水、水电价格应以价值为基础，核算成本和产权收益。以防洪、除涝、水土保持等社会效益为主的项目应建立相应的补偿机制。建立科学、合理、规范的价格收费机制和公益性支出耗费补偿机制，是水利建设和水市场经济发展壮大的迫切需要。

（一）价格收费

水利工程一般兼有防洪、供水、发电、养殖、种植、旅游等多种功能，并具有明显的功能互补性。形成的各项开支，应区分水利工程功能性质，分类补偿。用于社会公益性的成本费用，依靠各级财政预算支付；用于生产经营性的成本费用，通过完善的价格机制予以补偿。完善的价格体制，应体现"成本补偿、合理受益、公平负担"的原则，通过水事"价格法"予以确认。结合新《水法》的政策导向，当前，一要提高城市用水和水利工程供水价格，二要妥善解决农业水价与农民负担的关系，减少收费中间环节，防止乱加价、乱收费现象发生。

新建水利工程供水价格，包括资源水价、工程水价、环境水价三个部分。工程水价的核算要按照满足运行成本和费用、税金、归还贷款和获得合理利润的原则制定。原有水利工程供水价格，要根据现行水价政策和成本补偿、合理收益的原则，区别不同用途并调整到位;要根据供水成本变化情况进行适时调整。一般来说，农业用水以供水成本作为定价标准；工业用水价格以供水成本加供水投资的合理盈余核定；生活用水价格以供水成本加微利核定。各类用水价格要体现节水和水资源优化配置的要求。

水利工程实行有偿供水已被社会普遍接受，其商品属性得到各方面的认可，许多地方已完成了第四步水价改革，价格得到不同程度的调整。新建工程普遍地推行了新水新价，有条件的地方还实行了在国家物价政策指导下由市场调节形成的水价，农业水费收取办法也完成了经营性转变，收取率不断提高，现已成为许多水管单位的主要经济来源，水管单位工程运行、维护和管理经费不足的矛盾有所缓解。1995年，全国国有水管单位水费收入48亿元，比1985年增长了7.34倍；综合水价从1984年的每立方米0.0024元提高到每立方米0.024元。与此同时，水价改革的软件建设，即与价格、收费相关的基础工作得到进一步加强，各级价格

中国水市场管理学

94

收费管理机构在发展中逐步建立健全，作为定价和核定收费标准基础的成本核定资料正在积累和完善，水利供水价格的许多理论成果正在指导水利供水改革的实践中发挥作用。

（二）公益补偿

增强水利产业的"造血"功能、形成良性循环的水利产业机制、规范公益性支出耗费补偿渠道并实现量化运行，是发展供水市场、顺应财政管理体制的又一理性选择。我国目前水利建设资金投入不足，是由穷国办大水利的国情决定的，有限的财政资源投入水利事业，必须体现水利行业的特点和国民经济可持续发展要求。水利项目具有一定的自然垄断性和生态环境的公益性，要使公益性水利项目或水利项目的公益性功能充分发挥效益，就必须有正常的运行管理、维修养护、除险加固以及折旧、大修等费用，解决这些费用的途径，一是根据水利工程管辖范围，由各级财政分级给予补助；二是在水利工程收益范围内，按一定的标准征收防洪保安资金或河道修建维护管理费；三是逐步建立水权有偿转让及水市场准入制度，利用水的所有权、使用权、经营权和转让权的市场关系，强化节水，实现水资源的优化配置；四是充分利用水利行业的水土资源优势，大力发展水利经济及多种经营，实行"以水养水"。

四、资产经营与资产监管

水利资产经营走向市场化运作的一个最基本的特征是资产监管，如果没有资产监管措施，水利资产经营就会呈现无序状态。

（一）资产经营

资产经营就是利用我国资本市场扩容的有利时机，以经营的方法为手段，以水利国有资产保值和增值为目的，进行水利直接融资。当前我国资本市场发展，方兴未艾，潜力巨大，利用各种手段直接融资、开拓资本市场筹资的新渠道，是实现依靠资本市场激活水利存量资产的有效手段。这些新渠道包括以下几方面。

1.扩大股票上市的筹资能力

目前在深、沪两家证券交易所上市的水利企业并不多。以1997年7月和1998年3月分别上市的重庆三峡水利电力股份有限公司和四川岷江水利电力股份有限公司为例，三峡水利上市前后，总资产增长110%，资产负债率由51%降为34%；岷江水电上市前后，总资产增长51%，资产负债率从52%降为35%。由此可见，上市不仅可以实现企业资产规模扩张，还可以改善资产负债结构，降低企业负债率。因此，选择若干条件成熟的水电、供水、水利建筑企业，做好预案研究准备，尽快在国内或海外发行上市，利用股票市场，扩大水行业资产对社会资金的吸附能力，改善水利资产结构，优化水利经营性资产，提高水利企业市场经营实力，面向市场提高经营能力是首要选择。

2.高度重视和利用企业债券的筹资功能

发行企业债券是企业融资的重要方式。现在许多机构和居民都在寻找收益优于存款的投资品种，这为发行企业债券提供了良好的市场环境。举世瞩目的三峡水利工程，截至目前已公开发行债券数百亿元，解决了工程急需资金。从三峡水利债券顺利发行可以看出，企业债券在证券市场上是炙手可热的投资品种。水利作为国民经济的基础产业，对未来经济增长和社会发展有重大影响，具有持续增长的潜质和良好的抗风险信誉。因此，将目前一些经济效益明显的供水、水电、水利建筑等企业改组成集团公司，以集团公司为发行主体，发行地区性水利企业债券，对提高水利企业知名度、借力发展水利经济、弱化水利投资风险都具有重要意义。

3.充分利用"债转股"政策的支持

将过去水利部门利用银行贷款建设的项目，贷款到期而不能偿还的债务，适时转为银行对水利项目或水利企业的股权，以减轻水利企业的债务负担，提高资产运营质量。

（二）资产监管

水利资产经营与监管是水利资产管理问题的两个方面，两种实施手段。目前，全国水利国有资产近5000亿元，盘活如此巨额的水利国有资产，实施有效的资产监管，是充分发挥资产运营经济效益、深化产权制度改革、引入多元化资本、转换经营机制的重要前提。强化水利国有资产监督管理，首先，要加快水利企业的资产重组，调整水利企业现有资产存量和结构优化。资产重组作为企业经营手段，通过企业间及企业内部资产的合理流动和重新组合，如联合、兼并、收购、拍卖、股份制改造、承包、租赁等多种形式，实现存量资产的优化组合，提高资产的技术水平和规模效益。采取剥离不良资产的方式，组建有限责任公司。其次，要加快供水、水电企业集团的组建，提高企业规模效益和竞争力。供水和水电企业具有明显的经济效益，可以参与市场竞争，按照市场规则组织资本运营，提高资本运营效率。选择若干大型供水、水电企业为核心，组织一批中小型的供水、水电及相关企业，建立地区性的水利企业集团，既符合水资源分布的属性要求，又可以按照集团组织形式优化配置水资源，提高管理效率和资本运营能力，实现资本的规模扩张，从而带动一批中小供水、水电及相关水利企业的发展。第三，要在实施水土资源资产化的同时，明确各类水土资源资产的属性，建立起分类监管、分类考核、集团化运营的水利国有资产管理新格局。

第四节　水市场宏观调控

水市场宏观调控，是指对水市场的运行在宏观上进行调节和控制，以保证水资产、水资源性资产实现供求平衡。亦即对水市场进行计划调节，以水利生产要素的合理流动为目标，促进水利计划与水市场的内在结合。水是流动性资源,按水文特性,形成流域。流域被行政区域分割成若干段,形成行政辖区各自的利益和要求。根据流域特性、水市场属性,协调好河道上下游取水以及地表水、地下水、空中水"三水"配置和水环境整治等,是水市场宏观调控的重要目标。

一、中国水市场制度弊端

(一)政出多门

修改前的《水法》,自1988年7月1日施行以来,一直以"水资源统管与分管"的结合为原则,在实践中,"统"与"分"的尺度、界限很难掌握,在很大程度上弱化了流域水行政主管部门统管水资源的职责,过分强化了地方分管部门的权限。各部门在分管的范围内以及涉水的事务管理中,均以本部门为管理主体,各自为政,制定各类法规和规章,造成管理职能相互延伸交叉、政令相互抵触,导致事实上的有法难依。由于政出多门,各地区、各职能部门都从有利于本部门管理的角度争上项目,筹集配套资金,分部门建设,程度不同地存在急功近利的短期行为,投资机制的弊端日渐凸现:有限的投入被分割使用,无法形成全局性的建设合力,降低了投资的社会、经济和环境效益。这一弊端还表现在,投资不能按照轻重缓急的原则,统筹计划、统筹安排,以优先解决水资源"瓶颈"约束问题、水环境综合治理问题等。由于部门利益的影响,一些本应取之于水、用之于水的水资源行政事业性收费、水利工程供水水费被挤占挪用,进一步加大了水资源建设经费的困难。

(二)管理分散

管理分散,主要表现在部门分割和条块分割两个方面。

1.部门分割

作为同一属性的水资源,在同一区域内,按照不同的功能和用途，被水利、市政、环保、规划、地矿等多个部门分别管理，形成管水量的不管水质、管水源的不管供水、管供水的不管排水、管排水的不管治污、管治污的不管回用的尴尬局面。由于部门分割，这就要求各级政府必须层层设置众多上下对口的职能部门，而每一个部门内部势必要配备一定比例的管理人员，并下拨相应的财政经费，不仅增加了管理成本，而且在客观上加大了解决涉水问题的难度，降低了水管部门的效能。

2.条块分割

长期以来，水利行业基本上是以行政区划为主，对同一流域的水资源实行分块管理。除此以外，水利部相应设立不同的流域管理机构，对水资源实行行业管理。由于条块相互分割，在流域内，上下游、左右岸、干支流的协调及水量调度、防汛抗旱、排洪治污以及水土保持、河道航运等方面，各部门、地区之间往往因为利害关系发生纠纷、相互扯皮。另外，由于条块分割、"多龙管水"，水资源环境恶化，可持续利用遭到破坏。水作为一种自然资源和生态环境的控制要素之一，以流域或水文地质单元构成一个统一体，与环境、经济、社会等诸多因素相互联系、相互作用而存在，这一特点要求对水资源必须统筹规划，全面安排；而分割管理难以顾及水资源相关联的各个方面，违背水的自然属性及规律，在水资源可持续利用上造成供给与需求脱节、开发利用与保护脱节、水资源紧缺与水资源浪费并存的局面。

（三）城乡分割

水利部门一直归属"农口"，主要负责大江大河的治理、水利工程修建、农业灌溉及城市原水输送；而城市供水、排水则归属城建部门。用水体制上形成的"城乡分割"，导致城市和农村在防洪减灾、城乡供水、污染防治、生态环境保护等方面，不可避免地存在为争取局部利益最大化而产生的短视行为，尤其是在水资源的开发、利用和保护上存在着竞争性开发、掠夺性经营、粗放式管理、用水效益低以及不重视水生态保护等问题。同时，由于"城乡分割"，也造成了水利投资分散，难以发挥水资源开发、利用、治理、配置、节约、保护的综合效益。城乡分割管理体制的另一个突出问题，就是不能形成合理的投资机制。水资源建设是一项投入大、涉及面广的基础设施工程，多年来一直投入不足。近年来，筹资渠道日趋多元化，水利建设资金筹资难问题虽有所缓解，但由于城乡分割，致使投入机制活力不足而难以形成合力。

二、构建现代水市场调控体制

从分析中国水管理体制存在的弊端可以看出，造成水资源统一管理体制性障碍的原因是多方面的，既有体制、机制原因，也有政策、观念等多方面的原因。要消除这些体制性障碍，必须运用行政、经济、法律等综合手段去解决。

（一）组建机构

为彻底解决长期存在的"多龙管水"问题，必须建立从中央到地方、从流域到区域、自上而下、权威高效、运转协调的水资源统一管理机构，全面实现对水资源的统一规划、统一配置、统一调度、统一管理，这是中国有效应对21世纪水危机挑战、确保经济社会可持续发展的出路所在。

1.组建国家水管机构

将水利和其他部委所属的水资源管理部门职能归并，组成国家水资源管理委员会，为国务院所属惟一的水行政主管部门，强化国家对水的统一管理。在中央一级成立水资源统一管理机构，其重要性表现在三个方面：一是从国民经济可持续发展战略看，水资源可持续利用已被公认为21世纪全球资源环境的首要问题；二是从国家面临的建设任务看，近年来，国家为解决水资源问题，已把水利设施建设列入国家重点基础设施建设；三是从政府机构改革的要求看，国务院按照精简、统一、效能的原则再次实施改革，将部分事务相近、关系密切的国家职能部门归并到一个部门，进一步减少各级政府体制性障碍的阻力，有助于推进水资源统一管理整体目标的实现，有助于地方"水多、水少、水脏"等问题的有效解决。

2.组建流域水管机构

从水资源流动的自然属性看，流域构成水资源管理的完整体系。从水资源配置、水污染防治的综合性、复杂性以及与社会、人口的相关性看，必须按流域实施统一调配和水资源综合治理。建立流域范围内的综合管理机构，既是水自然属性的内在要求，也是加强水资源统一管理的一个十分重要的环节。我国现行流域管理机构只是水利部的派出机构，对流域范围内水资源的监控权、执行权、水量的调度分配权有限，职责不清，难以协调解决流域内上下游、左右岸、干支流在水量调度、防洪、抗旱、治污、水土保持等方面出现的问题。流域水资源统一管理，是当前水资源统一管理中比较突出的薄弱环节。为切实加强流域管理，很有必要建立流域综合规划、统一调配、协调管理、统一监督的流域管理体系，将现有的七大流域机构过渡为中央政府水行政主管部门所属的、有一定自主管理权的行政性管理机构，使其在流域的水量统一调度、分配和水质的污染防治上拥有明确的管理职能和更大的管理权限，从而有利于流域水市场的建立和水资源市场机制的完善。

3.组建区域管理机构

水资源一体化管理，是将水资源放在社会、经济、环境所组成的复合系统中，用综合的、系统的方法对水资源进行高效管理。以水务一体化为主要特征的水务局管理模式，在协调城乡防洪、排涝、蓄水、供水、用水、节水、排水、污水处理及回用、地下水回灌和水土资源保护等一体化管理方面发挥了重要作用。

目前，我国实行的是以行政区划为主的管理体制，省级政府及各大中城市对行政区域内的水资源管理拥有较大的决策权和广泛的事权，尤其是城市，经济存量的集聚和人口的集中，使得用水、排水表现在时间、空间上，都存在供、需、排的结构矛盾，靠城区自身无法实现水资源量与质的平衡。另一方面，随着我国城市化进程的加快，1997年，城市化水平已经达到30%，预计到21世纪中叶将达到70%以上，城市人口将达到10亿以上，水资源供需的结构矛盾会更为突出。因此，改革行政区域内水资源城乡分割、部门分割的管理体制，在省级政府机构和城市中成立水务局，尽快形成与流域相结合的、城乡一体化的管理体制是非常必要的。

实现统一集中的"水务局"管理体制，其有利方面主要表现在：

102

(1) 水资源统一管理符合水的自然属性、自然规律。水资源是以流域为单元进行循环转化的，按流域管理才符合水资源本身的自然属性和生态属性。尽管城市管理是以行政区域为基础，只有在行政区划内尽可能大的范围内统一管理水资源，才符合按流域管理水资源的系统思想。

(2) 水资源统一管理有利于提高政府的决策效率。水务局可以统筹水资源的时空分布和供需矛盾。通过取水许可等手段对其进行合理调度，有利于解决城乡之间、工农业之间、行政区域之间的取用水矛盾；有利于地表水和地下水、外调水源与本地水源的统筹安排；能够实现调剂余缺、优化配置，使有限的水资源发挥最佳的经济效益。

(3) 水资源统一集中管理有利于实现水资源的总体平衡。在统一管理的前提下，通过建立"谁耗费水量谁补偿、谁污染水质谁补偿、谁破坏水生态系统谁补偿"等三个补偿机制，辅之以流域调水，就能够实现水量的供需平衡。只有建立统一管理水资源体制，对水资源进行统一规划、统一调度和建设、统一实施取水许可、统一征收水资源费和统一管理水量水质，才能有利于促进水资源的开发、利用、治理、配置、节约和保护，才能有效解决水资源短缺问题。因此，建立区域水管理运行机制，依靠导入市场模式，是实施水务一体化管理的首要条件。

（二）转变职能

政府管理经济的职能，主要是制订和执行宏观调控政策，搞好基础设施建设，创造良好的经济发展环境。同时，要培育市场体系、监督市场运行、维护平等竞争，调节社会分配和组织社会保障，控制人口增长，保护自然资源和生态环境，管理国有资产和监督国有资产经营，实现国家的经济和社会发展目标。政府在实现水市场宏观调控的职能上，主要体现在以下几个方面。

1.政企分开，政事分开

政府调控失效的体制障碍是政企、政事职责不分，水市场运行中的各类市场主体成了政府行政机构的附属物，条块分割、块块分割同一水系。表现在体制上，政府包揽了一些不应当管的事，而对必须管的又没能管好。水市场主体的事业单位是水利事业的基础，其市场化运作的效果，直接影响着规划、设计、计划安排等实施方案的合理性、经济性、可行性，但水利事业单位作为改革的焦点，自主权不多，政事协调运转不灵而暴露出许多矛盾。因此，政府转变职能的实质，是明确水市场主体地位，创造有利于水市场运作的法人环境。

为完善水市场职能管理，政府必须分清职责，将管理重点转移到水利发展战略、方针、计划和水资源开发方案上来，协调好流域、地区、部门和企业间的用水规划和联系，汇集和传播水经济信息，掌握和运用经济调节手段提高经济效益，制定并监督水法等有关经济法规的执行，管理好对外经济技术交流合作的水利事项，从而简政放权，按市场要求，明确水企业、事业单位的市场地位，依靠完善的水市场体系，来改变水资源配置的条块分割、块块分割的局面。依靠水市场的利益关系，促进水资源合作开发，联合经营，鼓励竞争，建立竞争性利益分配机制。在我国将逐步形成以城市为依托的经济区来发展经济的新形势下，水市场配置水资源应实现从农村向城市的转变，建立和完善水资源"以农补工"的市场政策，并以此为基础，实现政企、政事分开。

2.既要统一，又要搞活

水具有特殊性，一方面作为公共资源，其开发利用带有社会公益性，水资源在部门或地区间进行非均衡配置而产生的短缺一旦发生，很难通过水市场机制进行调节；另一方面，水又是一种特殊商品，可通过市场进行有价转让。因而，水作为商品进入的市场是一种政府通过特许经营管制的不完全市场。由于水市场化程度较低，这就为部门利益的存在留下了一定的条件空间。要从根本上弱化部门利益，就必须协调好政府宏观调控与发挥市场优化配置水资源的关系，改变目前主要依靠行政手段配置水资源的格局。水资源统一管理，既有政府行政干预成分，也有反映水市场关系的经济掣肘。这一水资源管理思想，要求政府职能从计划经济职能向市场经济职能转变，履行管理社会资源、提供公共服务的职责；另一方面，要求政府把市场能够解决的问题交给市场，在市场机制难以发挥作用的领域，才增加和强化新的职能。从当前改革的发展方向看，政府应把工作重点从计划经济下的项目规划、建设和审批、运营和管理，转移到依靠宏观调控，对水资源进行规划、指导、组织、协调、监督、服务上来，依靠完善市场机制实现水资源优化配置。政府调控应重点解决两方面问题：一是建立合理的水价体系，利用价值规律和经济杠杆，促进水资源的节约。实行"谁开发、谁保护"、"谁利用、谁补偿"以及"谁污染、谁付费"等国际通行的准则，根据市场主体的不同责任，形成合理的成本转移机制，保证水资源的自然循环，促进节水型社会的建立。二是变"多龙管水"为"一龙管水、多龙治水",实现政府依靠市场调控、企业和行业依靠市场运行的管理格局。在经济较为发达的缺水城市,通过特许经营等市场手段,鼓励私营资本经营城市水利工程、城市供排水、污水处理及回用,从而实现水资源配置的经济、社会效益最大化。

(三)依法行政

市场经济具有明显的法律特性,属法律经济范畴。因此,水市场必须依靠立法,没有完善的法律体系作保障,水市场管理体制是不健全的,如果没有法律保障,水市场运行的权益要求将难以得到保证。例如,水电出售须经电力市场,水电产业拟定的合理价格只有得到电力部门的认可后才能实现,电力部门具有垄断市场、获取水电产业合法收益的潜在优势,如果没有政策、法律协调水电市场运营,水电产业很容易丧失市场权益。此外,跨省区水市场权益纠纷、移民安置、水资源初始水权确认等,都必须依靠完善的法律体系来保障水市场关系的建立和水市场的运行。

水利法制体系建设,是建立水利良性运行机制的重要保障,是指导水利改革的制度保障,并将在今后水利发展中起到越来越重要的作用。1988年,《中华人民共和国水法》颁布,开始了我国依法治水、依法管水的新里程,各级水行政主管部门相应地建立健全了水利法律机构,依据《中华人民共和国水法》出台了一系列法律法规,先后颁布了《中华人民共和国河道管理条例》、《中华人民共和国防洪法》、《中华人民共和国水土保持法》、《中华人民共和国水污染防治法》、《取水许可制度实施办法》、《大中型水利水电工程移民征地条例》、《蓄滞洪区运用补偿暂行办法》、《占用农业灌溉水源、灌排设施补偿办法》、《建设项目水资源论证管理办法》等一批水法规,特别是2002年10月1日开始执行的新《中华人民共和国水法》,对于规范水市场体系建设、完善水行政管理和水法规监控发挥了重要作用。

三、完善水市场运行的宏观调控制度

水市场运行遵循自主、自律的原则，但如果离开政府宏观调控体制的支持，则有可能导致水市场无序状况的产生，降低市场机制运行效率。因此，建立以间接管理为主的宏观调控体系和法律法规体系是发展水市场的必然。

（一）建立健全以间接管理为主的宏观调控体系

建立水市场宏观管理制度，要求建立健全以间接管理为主的宏观调控体系。计划市场要求将国家的宏观计划与企业的微观计划结合起来，使经济决策在宏观与微观两个层次上协调进行。以市场经济为基础的宏观调控体系，要求政企分开、克服条块分割、发展统一市场；要求政府转变职能，依靠经济手段辅之以法律手段和必要的行政手段来调节经济活动，通过市场机制来进行资源配置。就水利产业而言，国家计划管理的重点，应转向监督水利产业政策的落实与执行上，通过综合运用各种经济杠杆来促进水利产业政策的实现。1997年由国务院发布施行的《水利产业政策》，其目标是为了促进水资源的合理开发和可持续利用，有效防止水旱灾害，缓解水利对国民经济发展的制约。它主要适用于江河湖泊综合治理、防洪除涝、灌溉供水、水资源保护、水力发电、水土保持、河道疏浚、海堤建设等开发水利、防治水害的活动。《水利产业政策》实施的主要手段，是依靠合理确定水利项目性质，理顺投资渠道，对甲类项目，即主要以社会效益为主、公益性较强的项目，由财政预算内安排资金建设；乙类项目，即以经济效益为主、兼有一定社会效益的项目，主要通过非财政性资金渠道筹集建设资金。并在合理确定价格、规范各项收费的前提下，建立水市场机制，推进水利产业化发展。从实施效果看，对于国家财政集中进行大江大河的建设与治理发挥了重要作用。但也不可否认，由于与水利产业政策相配套的水利其他政

策，包括水利金融政策、水资源价格政策、水利财政政策等实施不到位，削弱了水利产业政策实施的经济基础——水市场的建立。没有完善的水市场机制作保证，并将水市场有机融入国民经济的大市场中运行，水利产业的发展只能是空中楼阁。因此，建立健全以间接管理为主的水市场调控制度，直接影响水利基础产业的发展前景。

（二）建立健全完备的水市场经济法规体系

建立新的水市场宏观经济调控体系，包括建立完备的水市场经济法规体系，是加强水市场司法工作和对水企业、水市场实施有效监督的前提。代表国家的水行政主管部门运用经济手段和法律手段，辅之以必要的行政手段，调节和控制水市场环境和发现水市场信号，才能有效地引导水行业市场经济的发展。

1.重视水的立法

目前，世界各国都重视水资源的立法管理，并认同依法治水的观点。美国、加拿大、日本、印度以及欧洲各国在立法管理中主要采取两类立法措施，来加强水市场管理。一类是水资源规划立法，包括水资源综合利用，有的国家还把防洪包含在内；另一类是防止和控制水污染立法。水资源立法重点转向水环境、水灾害、水污染。通过立法，产生一系列管理水资源的制度，主要包括：用水许可、水的有偿使用、水环境影响评价、污水排放的许可和收费、投资分摊及其他制度等。总之，以法律行为替代行政行为进行水资源管理已经成为发展的主流。我国水利立法起步稍迟，20世纪80年代末，《中华人民共和国水法》颁布，90年代相继出台《中华人民共和国水土保持法》、《中华人民共和国水污染防治法》、《中华人民共和国防洪法》以及有关法规。水资源总法（即《中华人民共和国水法》）与分法（即《中华人民共和国防洪法》）规范了防治洪涝灾害行为，《中华人民共和国水污染防治法》规范了水污染防治行为，《中华人民共和国水土保持法》规范了水土资源保护行为。但是，从水资源不足的角度看，尚缺拟设的"流域管理法"、"城市水务法"、"节水法"、"水价法"等。可以预见，随着水市场法制建设的进一步完善，一个完善的涉水法律体系将会形成。

2.强化法律监督

政府是水市场的执法者、监督者、管理者。防治水污染、保持水环境是各级政府的责任；明确责任，制定政策，加强监督，严格执法，是水市场运行对政府的迫切要求；通过建立严格的责任制，使水污染防治工作落到实处，是政府的当务之急；建立严格的法律制度，并建立强有力的执法机构，严格执法，是水市场的内在要求。在水环境治理的市场运行方面，荷兰的经验值得借鉴。在荷兰，对超过标准排放污水的企业，如果第一次被查出，则被处以50万以上荷兰盾（200万元人民币）的罚款；第二次被查出，企业法人则被处以5年以上的有期徒刑。因此，企业不敢冒险排放超标污水。而我国在治理水污染方面，虽然在部分地区试行了国际上先进的排污权交易的市场制度，但要从根本上建立水市场治污制度，尚有时日。当前，首要任务是加强法律监督。

3.实行依法行政

把水资源统一管理纳入法制化的轨道，实现依法行政，是消除体制性障碍的法律保障。一是在国务院"三定"方案基础上，对相关法律法规中一些不适用的条款进行修改。如《水法》中规定的国家对水资源实行统一管理与分级、分部门管理相结合的制度，应修改为统一管理与分级负责相结合，明确界定各级水行政管理的主体。2002年10月，新《水法》已经作出相应调整。与此同时，修订一系列相关政策法规，用以规范从中央到地方、从流域到区域各级水行政主管部门各负其责又相互制约的管理体制，为水资源实施统一管理提供法律基础。二是社会主义市场经济的建立和经济社会的迅速发展，出现了许多新情况、新问题，要有针对性地加强立法工作，完善水法规体系，使所有水事行为都有法可依，有章可循。如针对水资源不足拟设的"水资源管理法"、"水资源保护法"、"节水法"、"水价法"、"流域管理法"等，在适当时机，应该给予法律规范。三是已经或即将实行水务统一管理的地方性法规和相关政策，如《取水许可证制度》、《节约用水管理条例》、《水权市场交易规则》等，在水市场框架下也应迅速完善。

4.全面推行依法治水

要实现治水方略的根本性转变，一是要从单纯依靠行政手段治水管水，转变到全面依法行政、实施宏观管理、政策管理、法制管理和依法行政上来；二是要从单纯重视行业管理向既重视行业管理又重视全社会水管理转变；三是在水利执法工作中，要从重事后查处向查处并重、预防为主转变；四是围绕水利调整布局、优化结构以适应市场经济体制运行方式转变，重点研究水资源的开发、利用、治理、节约、保护和配置政策，重点研究水权、水价、水市场政策，并依法保证这些政策的实施。

中国水市场管理学

109

第三章 水市场运行机制

现代市场经济是一个复杂的、有规律运动的经济机体。由此可知，水市场管理体制的构建离不开与水市场经济相适应的水市场机制的运行。水市场运行机制的质态如何，直接影响水市场管理体制的发展方向和发挥作用的质量。

第一节 水市场机制概述

一、水市场机制内涵和特点

（一）水市场机制的科学内涵

"机制"一词源自希腊文，原指机器和动作原理。后为生物学和医学界类比使用，表示有机体内各构成系统之间的相互联系、作用及运行方式。20世纪中叶，经济学借用了这个名词来描述社会经济运动过程的内在联系和运行原理，认为经济机体的要素不同，调节经济运行的机制也不同。在市场经济中，市场是由供求、竞争、价格等因素构成的经济机体，这些因素相互联系、相互制约、相互作用，而形成经济运行机制。由此可见，市场机制就是指现代市场经济这个有机体的各个组成要素、组成部分和环节之间的彼此联系、相互制约、相互影响，从而有机地结合起来，以推动整个机体运动和发展的过程和方式。

它是在商品交换活动中，市场经济主体在各种市场参数引导下，自发地适应市场供求与价格变化，及时、独立地作出决策，以追求最大经济利益的机制。这里的市场主体，是指具有独立经济利益与决策权力的生产者和消费者；市场参数是指价格、利率、工资、地租、汇率等各种价格因素和价格信号。

水市场机制，是指水市场经济机体内各构成要素之间互相联系、互相作用的制约关系及其功能。在市场经济条件下，各种水市场主体和其他生产要素在市场信号的刺激下会产生各种相应的调节功能，从而控制水市场经济的运行，这一动作过程即为水市场运行机制。

水市场运行机制存在于水市场体系之中，它是通过一系列具体机制，如价格机制、供求机制、竞争机制等实现的，其中水资源价格机制是市场机制发生作用的中心机制，水市场配置水资源，正是通过各种价格参数的变动，实现供给与需求、生产者与消费者的联结，并在动态过程中自行协调水市场主体的经济行为与经济利益关系。

市场机制一般可分为系统机制和部门机制。系统机制包括竞争机制、分配机制、约束机制、激励机制等在系统内普遍发挥作用的机制；部门机制则种类繁多，不同的行业、不同的部门具有不同的机制，如财务运行机制、经济运行机制、人才开发机制等。系统机制具有普遍性，部门机制则具有特殊性。如果把各项工作比作"目"，那么机制就是"纲"。抓住了机制就抓住了事物的根本，就能掌握工作的主动权。毋庸讳言，中国水利行业运行机制不适应市场经济体制的要求，在相应程度上阻碍了水利事业的发展。因此，水利行业的运行机制改革势在必行。

（二）水市场机制的基本特点

与计划经济体制下形成的计划机制相比较，市场经济条件下的水市场机制有其自身的特点，它包括决策自主性、经营灵活性、动力内生性、行为市场性、市场特殊性等方面。这些特点是水市场机制发挥作用的内在根据，直接影响水市场机制的运行形态。

1.决策自主性

在传统的计划经济体制下，水利部门和从事原水生产、经营的企业没有自主决策权，决策由国家统一作出，形成了微观决策宏观化。一旦决策出现失误，微观经济风险将过分集中，影响广泛、损失惨重。在市场经济体制下，水企业成为微观决策的主体，可以根据市场的实际情况作出自己的判断和决策，微观决策的自主化，充分发挥了水企业经营的主观能动性。同时，微观决策的分散化还能使决策风险分流，使损失减少。因为，水企业可以利用自己的灵活机制，随时捕捉到为决策提供参考的经济信息。而经济信息传递方式的变化，会使决策在自主的机制下，非常便捷、高效、灵敏、迅速。在传统的计划经济体制下，由于条块分割、地区和部门相互割裂，水企业只能从自己的上级主管部门获取各种信息，只有依据这些经济信息作出自我调节才能为上级主管部门所认可。所以，经济信息是自上而下纵向传递的，而水企业所获取的各种经济信息也必须是自下而上地纵向传递，才会被上级主管部门在决策时作为判断的因素，如此一来，只会导致企业对信息反应迟钝、决策滞后。在市场经济体制下，每一个水企业都通过市场获取各种经济信息，不同的企业对市场经济信息所作出的决策，又会成为一种经济信息传递到其他企业，从而形成水利企业的信息网，形成社会、经济信息流。经济信息在市场经济条件下的传递是横向的，水市场的横向联系，决策主体的自主性特征，能够使水市场主体灵敏地反映各种经济信息，使决策始终在有效经济信息的引导下作出。

2.经营灵活性

水市场机制对水市场的调节是自发进行的。在市场中，各个

中国水市场管理学

经济主体的决策是分散的，各自依据市场发出的信号调整着自身的供给或需求行为，在市场机制运行过程中自动地调节着水资源商品的供求关系。从量上而言，水市场机制自发协调供求关系的运行轨迹不是一条直线，而是一条起伏波动的曲线，它是一个迂回曲折、反复循环的过程。从一定意义上讲，这种市场机制各构成要素在数量上的波状运动，正是市场机制自发作用的表现形式。在市场经济条件下，一方面，水市场机制仍是市场价值、市场供求、市场价格、市场竞争等各种要素相互依存与相互作用的动态过程。因此，水市场机制的作用领域仍是微观经济，具有微观性；另一方面，水市场机制中的市场行为主体，是具有独立经济利益和具有独立决策权力的生产者与消费者，为追求自身利益最大化，生产者会根据市场供求状况及时调整产量、供给量及其投资策略等；消费者也会根据市场变动及时调整购买量、购买品种及购买时间等。因此，这种由市场信号调节的微观经济主体的经营行为同时具有灵活性。

3.动力内生性

在传统的计划经济体制下，作为市场主体的水企业是政府机构的附属物，没有自主经营权，企业生产、经营的动力来自政府的指令和投入。虽然政府的指令和投入注重了长远利益和整体利益，但忽视了企业的局部利益和当前利益，企业既难以进行自主决策，同时对市场信号的吸纳也很有局限性。在市场经济体制下，企业成为自主经营、自负盈亏、自我发展、自我约束的法人实体和市场主体，对各种市场信号能够作出自主反应，企业经营的动力来自对自身利益的追求，从而提高运作效率。在传统的计划经济体制下，调节经济运行的主要手段是行政命令、指令性计划，这些手段在非常时期如战争、经济危机时运用，对在短期内集中全国财力、投入某个产业和部门、保证非常时期的供给是十分有效的。但在和平建设时期，就会产生种种弊端，不能调动生产者的主动性、积极性和创造性。在市场经济体制下，调节经济运行通过各种具体的市场机制来进行，如价格机制、利率机制、供求机制、竞争机制、汇率机制等，这种调节能从经济利益上引导水企业的经营行为，能调动所有水市场主体的主动性、积极性和创造性，以实现依靠水市场调节水利经济活动，促进水利事业的持续、稳定、健康发展。

4.行为市场性

水企业作为经营的主体，在市场面前必须作出"生产什么?""生产多少?""怎样生产?"三方面的决策，其决策的依据就是市场。

生产什么? 首先，必须生产能满足社会需要的商品；其次，必须生产价格高于价值的水商品。只有这样，才能满足水企业获取最大化利润的需要。为此，不同的经营者就会将自己拥有的水资源或生产要素投向水商品价格高于价值的生产部门，导致这类商品供求关系的变化以及价格的变化，从而引发水资源或生产要素的新一轮流动。这就是市场自动调节水资源和生产要素在社会相关部门分配的作用，实现社会资源的有效配置。

怎样生产? 对任何经营者来讲，首先必须缩短个别劳动时间，将个别劳动时间降到社会必要劳动时间以下，才能实现用有限的水资源来满足市场主体获取最大利润的需要。这就是市场能够起刺激商品生产者改进技术、提高劳动生产率的作用，实现水资源的优化配置。

生产多少? 任何经营者在有效解决以上两大问题的基础上，对生产的规模、生产水商品的数量，对水市场的供求关系、对水企业自身生产成本的降低及收益的提高等都存在着一个基本数量界限，即水市场经济规模。经营者只有很好地解决了以上三方面问题后，才能在水市场上处于有利地位，用有限水资源及经济资产获取最大化的利润，满足自身对经济利益的追求和社会对水利公益性产业的需要。

5.市场"特殊性"

水资源产品的自然属性，决定了水市场机制的特殊性——水市场经济不是纯粹的市场经济，水市场机制也就不是纯粹的市场机制，而是更强调政府调控下的市场经济。为了限制市场机制自发作用给水市场带来的不利影响，政府有必要根据水利产业政策，并运用财政政策、货币政策、收入政策、限制竞争等多种手段和方法，对水市场各种参数进行调节，并规范微观经济主体的行为。这不仅体现了社会主义市场经济的稳定原则，也有利于水市场机制功能的充分发挥和水利"准市场"条件的形成。

二、水市场机制的根据和作用

（一）水市场机制的内在根据

水市场机制和一般市场机制一样，都是以价值规律为依据，受价值规律调节。价值规律是商品经济或市场经济的基本规律，也是水市场经济内在的运动规律，它的作用贯穿于水资源商品生产的全过程，制约着生产者和经营者的各项活动。

价值规律是价值决定和价值实现的规律。它的主要内容和要求有两个方面：一是要求商品的价值量由生产和再生产该商品的社会必要劳动时间决定，商品按照价值量进行等价交换。二是要求社会生产某种商品所耗费的劳动量必须与社会需要应当使用的必要劳动时间相适应。依据这一原理，价值规律要求按照社会对各种使用价值的特定需要量，合理地分配社会总劳动，以实现社会资源的合理配置。价值规律在社会主义水市场中的作用，主要表现在以下几个方面：

1.价值规律调节水资源商品生产，促进产销平衡

价值规律调节着社会劳动在水利各个生产部门、各企业之间的分配，合理配置水资源和各种生产要素的优化组合，促进生产

的不断发展。这些作用是通过供求机制、价格机制、竞争机制的作用实现的。

根据马克思主义商品经济原理，在商品经济条件下，商品的供求变化，首先引起商品价格的变化，商品价格的变化又会引起整个市场价格结构的变化，市场价格结构的变化又会进一步引起各部门利润结构的变化，从而引起生产资料和劳动力在不同部门的重新配置和产业结构的调整。如果当某一生产部门劳动耗费超过社会劳动分配的比例，商品供过于求时，价格就会低于价值，使生产这种商品的生产者收入减少，甚至亏损，于是生产者就从切身利益出发，把自己支配的生产资料和劳动力转移到供不应求、价格高于价值的部门，从而调节了社会劳动在各个生产部门之间的分配，调整了产业结构，调节了商品的供给和需求的关系。这一过程在商品交换的价格竞争中完成。

2.价值规律调节着水的商品流通，完成水商品供求双方的交换过程

价值规律对水商品流通过程的调节作用,主要通过价格机制和供求机制来实现。供给按照与价格相同的方向变动，价格提高，扩大生产，供给增加；价格下降，缩减生产，供给减少。同理，价格提高，需求减少；价格下降，需求增加。商品的供求关系也调节着价格。由于价格信号能准确、及时、灵活地反映市场供求状况，它既能引导生产，又能引导消费，对社会供求双方进行双向调节，从而促进生产与需求的及时协调，使交换过程能顺利变成现实目标。

3.价值规律调节着分配与消费，有利于实现公平与效率

价格机制是实现国民收入再分配的重要渠道之一。水商品比价和差价的变动，都会对国家财政收入和居民的货币收入产生影响，这一影响实际就是在国家、企业、个人之间进行的一种国民收入再分配。自觉地依据和运用价值规律，有利于贯彻按劳分配

的原则。同时，价值规律还调节社会消费，引导社会消费趋向合理化。消费水平和消费结构，主要取决于劳动者的收入水平。在劳动收入既定的前提下，消费水平和消费结构则取决于市场上各种商品价格的变动状况。价格规律在供求机制的影响下，通过消费品价格的涨落，引导社会消费趋向合理化，从而，使生产与消费保持良性状态。

可见，价值规律在水市场中的作用是通过水市场机制的运作来实现的。水市场机制是水资源商品经济的运行机制，是水商品经济客观规律的具体表现，即水市场机制是价值规律的实现机制，它包括水资源商品的供求机制、价格机制、竞争机制等，它们相互交织、相互制约、相互作用，共同推动水市场经济运行。

（二）水市场机制的主要作用

水市场机制对水市场经济运行及水利经济发展的作用是任何其他机制难以取代的，其主要作用表现在以下几方面：

1.优化水资源配置

水市场机制通过供求信号与价格信号，将各种供给者与需求者、生产者与消费者彼此联结起来，通过市场交易使水资源生产满足水资源需求。在正常条件下，水市场机制能够按照消费者的需要对水资源施加影响，把有限的水资源分配到需求最大的地方，使水资源生产满足水资源需求。运用水市场机制配置水资源，可以利用利益杠杆作为约束力和动力来实现。在平等交换的原则下，通过发挥市场机制的基础性作用，并通过市场调节和政府调节的结合，使水资源生产企业按照需求进行水资源配置选择，使水资源能够按照需求的重要性、迫切性顺序来配置，即把水资源首先配置到最需要满足的需求方，还可以把水资源配置到效益最高的部门和企业，使水资源能够发挥最佳效用，从而达到优化配置的目的。

118

2.调整经济利益

经济利益的调整是一切社会的准则，也是人们行为的内在动力。水市场机制能够容纳不同物质利益表现的空间，并且通过各种价格形式来显示各种物质信号之强弱。这些价格形式有价格、工资、财政、税率等，同时，也不排除利率、汇率等价格形式，它们是联系不同利益主体的桥梁。价格形式的不断变化，将重新分配物质利益，引导水资源生产主体改变经济行为、调整经济目标、明确经济步骤、实现经济目的。

3.传递经济信息

通过市场信息的传导，使水资源生产企业选择正确的投资方向，改善投资行为，使企业生产经营活动达到最大的利益产出。同时，市场信息也调节着社会和个人的消费行为，使社会和个人的消费活动能够带来最大的满足，并且通过市场价格的变动，使微观经济主体间的利益关系得到重新分配。在市场经济条件下，市场信息把各种经济利益联系在一起，体现了错综复杂的经济交换关系；市场机制本质上就是一定的经济利益和具有一定经济内容的经济信息统一体。倘若二者统一，必然提高市场信息的价值，强化人们对信息的搜集、整理、分析和利用，加快水市场融入社会大市场的步伐，实现水市场与社会市场的整合运行。

4.推进技术创新

水市场机制，通过市场竞争的外部压力和追求最大利润的内在驱动力，促使水资源企业加快技术进步、改善企业经营管理、提高劳动生产率。在市场经济条件下，水商品生产者为了用最低的成本获取最大的利润，就必须改进技术和提高经营管理水平，减少单位水商品对社会各种资源使用量，从而降低生产成本，最终取得较高的利润。水资源生产企业正是在利益机制的驱动下，不仅充分使用现有技术及水利资产条件，而且还千方百计进行水利技术创新，推动水利技术水平的提高和水利生产力的巨大发展。同时，通过市场竞争对水资源利用进行优化选择，通过优胜劣汰的竞争机制，不断推动水资源企业整体素质与竞争实力的提高。

三、水市场机制的运行形态

水市场机制运行与一般的市场机制运行在其形态上是一致的。一般分为卖方市场运行形态、买方市场运行形态和均衡市场运行形态三种。

（一）卖方市场的运行形态

在市场经济条件下，卖方市场是一种商品供不应求的市场。因而，它是一种以卖方为中心的卖者与买者地位不平等的特殊市场。具体而言，卖方市场机制的运行呈现三种态势：

（1）在我国部分地区，由于水资源商品稀缺，供不应求，促使竞争主要在买者之间展开，并推动市场价格偏离市场价值而上涨。供求缺口越大，买者之间的竞争就越激烈，市场价格向上偏离市场价值的幅度也就越大。

（2）市场价格上涨，迫使买者有支付能力的需求相对缩小，被强制性地适应有限的供给量。但是需求量的萎缩反过来限制了再生产的扩大，在水商品供给条件没有根本改善的情况下，供求之间的短暂平衡关系只能靠昂贵的价格与牺牲需求来维持。

（3）水市场供求状况相对缓和，上涨的水市场价格逐步向市场价值回归。但是，由于供不应求的市场态势并没有得到根本改变，买者之间的竞争不能转化为卖者之间的竞争，水市场价格仍高于市场价值，从而使市场竞争与市场价格对供求的调节作用不能得到正常发挥。

卖方水市场机制运行的基本特征：一是水市场价值由劣等生产条件下劳动耗费决定的高位价值；二是市场价值由高位价值决定，并经常地向上偏离高位价值；三是水市场供求关系由低位市场价值与高位市场价格调节，供给与需求之间维持着一种紧张的平衡关系；四是水市场竞争主要在买者之间展开，在市场交换中，卖方处于有利地位。

因此，在卖方市场条件下，严重的商品短缺，使得水市场价值和市场价格持续向上偏离正常状态，水市场机制的功能被扭曲了，市场机制的作用从而被大大削弱了，这就导致消费者需求持续得不到满足；供给也因缺乏来自需求的压力，使生产经营缺乏进取性，技术创新缺乏动力，供给扩大被大大限制，供求缺口持续存在。在传统的计划经济体制下，由于不少地方水资源供应处于严重的供不应求状态，因此卖方市场的特征十分明显，需求过旺与供给不足并存。再加之我国特殊的地理环境，水资源分布严重失衡，两种情况并存的局面始终存在。

（二）买方市场的运行形态

在市场经济条件下，买方市场是一种商品供过于求的市场。因此，它是一种以买方为中心的卖者与买者地位不平等的特殊市场，买方市场机制的运行呈现出与卖方市场完全相反的特征。买方市场机制的运行呈现以下三种形态：

（1）市场上由于水资源商品供过于求，促使卖者之间展开持续竞争，导致水市场价格不断下降，并不断向下偏离市场价值，其偏离程度与供过于求的程度呈正比。

（2）水市场价格在供求规律作用下，市场价格的下跌导致水市场需求量的扩大，使之与过多的水资源商品供给量相适应。如果供给得到低位价值的支持，即社会优等生产条件的支持，那么，生产者就能够抵御市场价格降低的压力，而不至于使供给量萎缩。可见，在买方市场上，谋求供求暂时平衡的主导因素，在于需求的扩大，过低的市场价格以及由此引起的需求量的扩大，是维护这种平衡关系的动力。但是，由于需求量以及需求取向的易变性，买方市场的平衡关系很不牢固，生产相对过剩将不可避免。

中国水市场管理学

120

（3）由于水市场上卖者之间的竞争相对缓和了市场供求矛盾，使水市场价格逐步向水市场价值回归。但由于水商品供给相对需求而过剩的态势并没有得到根本改变，因此，水市场价格仍维持在水市场价值以下，水市场机制的调节作用被大大削弱。

买方水市场机制运行的特征：①水市场价值是一种优等生产条件下劳动耗费决定的低位价值。②水市场价格取决于低位价值，并持续向下偏离低位价值。③水市场供求关系由低位的市场价值与低位的市场价格调节，供求的平衡关系具有短暂性与不稳定性，始终潜伏着生产过剩的危险。④水市场竞争主要在卖者之间进行，在水市场交换中，买者处于有利地位，从而也会导致市场失去公正。

在买方市场条件下，由于需求得到满足，体现出"消费者主权"，因而它优于卖方市场。但是，买方市场仍然是一种不完善的市场，商品供给过剩不仅使市场价格信号偏离正常状态，从而使市场机制的功能被扭曲，不能发挥应有的作用；同时还表明水的有限资源非效率利用，将造成水资源的严重浪费。有效需求不足与供给过度并存，也不利于水资源的优化配置。

（三）均衡市场的运行形态

所谓均衡市场，不是绝对概念，而是相对概念。相对均衡市场，是指供求基本平衡的市场，它是买者与卖者共同参与竞争、供求关系基本协调、市场价格较为稳定，从而市场机制能够有效运行的市场。其运行呈现以下几种形态：

（1）市场价格围绕市场价值作上下微幅波动，进行双向调节。如果需求略大于供给，则买者之间的竞争将推动市场价格向上略微偏离市场价值；如果供给略大于需求，则卖方之间的竞争将推动市场价格向下略微偏离市场价值。这完全不同于卖方市场或买方市场那种单向地向上或向下偏离市场价值的情形。由于供求不平衡程度很微小，市场价格的波动也很小，所以，不会引起市场价格的大起大落，价格与价值基本相符。

（2）由于通过供求规律的作用，市场价格的上升速度适当地降低了，同时适当地促进了供给的增加；而市场价格的下降，则适当地推动了需求的增长，同时会适当地抑制供给的扩张。因此，市场价格调节供求不平衡的双重职能基本上能同时实现，它既能调节供不应求，又能调节供过于求，使供求趋于平衡。以均衡为起点的双向调节，优于卖方市场或买方市场的单一职能。

（3）由于水价的运行，市场供求的暂时平衡关系又被打破。因为平衡是相对的、暂时的，不平衡才是绝对的、经常的。在供给与需求力量互为变动过程中，一旦需求略占优势，卖者之间的竞争又会转化为买者之间的竞争，市场价格围绕市场价值上下波动，是相对均衡市场机制的第三种运行形态。

相对均衡市场机制运行的特征：一是水市场价值是一种由中等生产条件下劳动耗费决定的中位价值。二是水市场价格取决于中位的市场价值，并围绕着这一中位价值作上下微幅波动。三是水市场供求在市场价格的调节上能相互适应、彼此协调。四是水市场竞争形态不断转化，共同推动着市场机制功能的正常发挥，促进市场机制发挥积极的作用。

与前两种市场形态相比，相对均衡市场形态的优势，在于它是一种较完善的市场类型。在这种市场上，市场机制的功能得到了较完整的体现，不再出现水商品严重过剩或十分匮乏的状况。因此，相对均衡市场也成为中国水市场改革的主要目标。

四、水市场机制宏观调控

由于水资源商品经济有区别于一般商品经济的特殊属性，其市场机制有其局限性，要求水市场机制必须和政府宏观调控机制相结合。

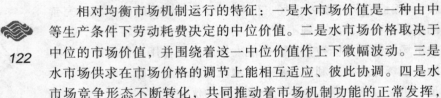

（一）水市场机制的局限性

水市场机制是水市场科学运行的基本手段，但是水市场机制不是万能的，它还存在着许多局限性，从已经实行水市场经济的国家来看，水市场机制对水经济运行的调节会经常地发生"失效"情况。这种"失效"与"局限"主要表现在以下几方面：

1. 水市场机制调节具有不稳定性

这是水市场波动与水资源浪费的根本原因。在市场机制中，作出经济决策的是众多的微观利益主体，由于各自的利益缺乏一致性以及对未来经济变动的预期各不相同，使得各自作出决策及其行为不免带有盲目性。这种盲目性使经济在波动中运行。

2. 水市场机制对产业结构作用有限

价格变动作用于供求变动，存在时间滞后约束，特别是对水利基础而言。由于生产周期长，水资源流入相对困难，供给调整的滞后效应更为明显。因此，单靠水市场机制来调整产业结构、促使水利产业结构优化，需要一个相当长的过程，水资源按照市场关系实现地区性优化配置，具有明显的滞后属性，不利于经济的迅速成长。

3. 水市场机制的运行导致垄断的产生

在垄断情况下，垄断企业为获取垄断利润，会规定较高的垄断价格和相应限制供给量。由于垄断的阻扰，使市场功能难以发挥，同时，由于市场竞争压力的减轻，将不利于垄断企业加速技术进步、改善经营管理。我国水市场机制的建立，尚处于理论创新阶段，在政府直接控制水资源商品价格的同时，支持垄断性生产和水资源的垄断性利用。水市场机制的运行质态在一定程度上适应和保护着垄断。

4. 水市场机制无法解决外部非经济问题

在市场经济条件下，一个企业的生产经营行为会对其外部的其他企业、个人或社会产生有利或者不利的影响，则称为外部非经济问题。如一个企业向外部释放的水污染物使社会其他单位付出了额外费用，这就造成了外部非经济问题。但是，水市场机制对广泛存在的外部非经济问题现象无能为力，仅仅依靠政府作有限的经济调节，甚至作出有悖于水市场机制的干预行为，自然就削弱了水市场机制对社会资源的配置效率。

5.水市场机制不利于有效地提供公共产品和劳务

由于企业是以利润为导向的，水市场机制的动力来自于经济利益的刺激，作为最高层次的水资源商品的生活需求的满足，存在非盈利性的公共服务。公共需求是无法通过水市场机制的推动来满足的。

6.水市场机制不能解决社会收入分配不公平问题

在优胜劣汰机制作用下，水市场机制运行会导致收入差距的不断扩大。可见，水市场机制本身存在着许多自身难以克服的局限性，这些局限性说明，随着生产社会化和现代市场经济的发展，单纯依靠水市场机制已不能使社会经济实现可持续发展，政府的宏观调控和直接的经济参与，成为水市场机制建立和运行的另一目标导向。

（二）水市场机制和宏观调控结合

水市场机制有其自发性、滞后性的一面，为保证有限水资源实现经济、高效、可持续协调利用，必须依靠市场宏观调控机制来弥补、纠正水市场机制的不足。

水市场是微观水市场机制和宏观水市场调控机制相结合的经济形式。微观水市场机制和宏观水市场调控机制相结合，是建立具有中国特色水市场经济体制的基本要求，两者的有机统一，是保证中国水市场实现有序运行的管理基础。水市场机制的失效表明，客观上需要水市场宏观调控机制对水市场机制加以补充、纠正，并在两种机制的协调过程中促进水市场的有序运行。水利经济发展的调节机制是宏观调控机制与微观水市场机制的有机组合，参与经济活动的组织也相应地由市场—微观经济主体两个层面，增加到政府—市场—微观经济主体三个层面。微观市场机制调节的对象是微观经济主体，即企业与个人；宏观调控机制的调节对象是市场。值得强调的是，政府进行宏观调控是为了调节和弥补市场机制的不足，保证水市场经济有序协调地发展，而不是取代市场机制的运行。因此，各种宏观调控政策的出台以及对市场的调控力度都必须建立在市场机制充分有效作用的基础上，并以不破坏水市场正常运行的自发性以及微观经济主体对市场活动的充分选择权为前提，从这个角度来看，宏观调控机制与宏观调控水市场机制在概念表达和内容涵盖上具有共融性。

水市场经济体制改革的目标模式就是建立政府调控下的现代水市场新体制。其具体的实现形式是："政府调控水市场、水市场引导微观经济主体"。它的基本特征是政府通过各种经济参数及其有效手段调节水市场，并通过水市场间接地实现对微观经济活动的调节，使分散决策的微观主体行为，更符合宏观经济持续发展的目标。这种宏观间接调控方式的作用途径是：政府宏观调控机制调控水市场运行，依靠水市场运行调节微观经济活动。它是由两种调节机制联结成三个层次实现有序运行的。两种调节机制是指宏观调控机制和微观水市场机制，它们之间呈纵向的立体结构，并紧密地联结着宏观水资源经济运行、水市场运行和微观水利产业经济运行三个层次。宏观调控机制是由政府通过各种经济参数调节水市场变量，形成新的水市场信号，以消除水市场机制自发作用的负面影响，促进水资源经济稳定增长、持续发展；微观水市场机制则是通过其自发作用机制来调节微观水市场经济主体的行为，使微观水市场经济活动具有灵活性。

水市场机制与调控机制的结合，形成纵向调节体系，在这个体系中形成高、中、低三个有机组合的层次。

最高层次是政府。政府是宏观调控机制的调控主体，调控的客体是市场。政府对水市场运行的具体调控手段：一是运用计划手段进行长期规划，运用经济手段进行间接调控，运用行政手段加以必要干预，运用法律手段实施规范性约束。其中，最重要的是经济手段，主要有财政政策、水利产业政策、水利行业收入分配政策、劳动与保障政策、区域水资源经济政策等。二是制定各种保障水市场机制正常运行的规则，以制止或减弱水市场垄断的不利影响，维护公平竞争，创造良好的水市场运行环境。现代水市场经济，本质上是法制经济，所有生产经营活动都要按严格而科学的法律体系来规范，只有宏观水利经济运行有健全的法制基础，才能使水市场经济的运行纳入法制轨道。对水利经济运行中出现的问题，则根据法律、法规来协调与解决。三是制定水发展战略目标，确定社会总供给与总需求平衡的各种重大比例关系，然后通过各种经济政策诸如财政政策、区域水资源政策、水利产业政策等向市场输入有关的经济参数（这里的参数是指政府掌握的各种可控的变量，如税率、税种、水利财政收支总量、初始水权关系、水权分配制度等），水市场受到政府参数调节后才会有明确的方向和富有活力。

中间层次是水市场。水市场成为协调宏观经济与微观经济的中介。首先，水市场在接受政府经济参数调控后，会发生内在机制的变化，从而形成符合政府宏观调控的各种新的市场变量或市场信号；然后，水市场机制又通过新形成的市场信号自发地对水资源企业的生产经营活动和个人消费行为产生引导作用。这里，完善的水市场体系是中介作用正常发挥的重要前提，因为只有完善的水市场体系，才能灵敏地接受宏观调控信息，并能及时地调节微观主体活动，使微观主体行为更加科学化。

最低层次，也是最基础层次，是微观水利产业经济主体，它们是具有独立经济利益的水资源企业和用水户。水资源企业是水市场供给主体，也是最重要的微观活动主体，在水资源企业市场化改革进程中，必须强调经营机制的转换，促使其真正成为自主经营、自负盈亏、自我约束、自我发展的独立经济实体，在激烈的市场竞争中求生存、求发展，通过优胜劣汰机制，促进水资源产品的时空结构和组织行为结构更加优化。用水户是市场的需求主体，它也必须具有充分的自主权力，这一权力既有法律约定的基本权利，也有消费者的自由选择权。只有这样，两种微观经济主体才能对已受控的水市场信号作出能动、灵敏的反应，从而作出符合宏观调控目标的微观决策。

总之，现代水市场经济，单纯依靠市场调节存在着明显的局限性，客观上要求政府从宏观上加以调控。但是，政府不应直接指挥各个水资源企业的生产经营活动，而应按照市场经济运行的基本要求，通过经济政策、经济杠杆、经济法规，对其实行间接指导，从而净化水市场有序运行的基本经济环境。

第二节　水市场价格机制

水市场价格机制，是水市场机制的主导性机制。建立和完善水价运行机制，是发展水市场经济的关键。加强水资源管理体制改革力度，就是要建立水权制度的整合作用和水价形成机制。

一、水价格运行规律

（一）市场价格与市场价值一致

在水市场上，水的价格与水的价值是不可能完全一致的，水商品和其他商品一样，其价格永远是围绕价值上下波动的，正是这种"波动"规律，推动了水市场经济的发展。

但是，水价格与水价值在其运行中是可以保持相对一致的，只有在相对一致的状态下，价值规律的要求才能得以实现，水市场经济才能健康、快速地向前发展，水的价格机制也才能处于良性运行之中。

　　水商品的市场价值，是在生产中创造、在市场上实现的，只有市场价格与市场价值一致时，价值才能得到实现。水商品要按照符合水市场价值的价格出售，必须具备两个条件：一是要在同种水商品的生产者之间有充分的市场竞争，要求互相之间施加足够的压力，以便把社会需要的水商品量提供到市场上来；二是通过同种水商品购买者之间的竞争，使供给和需求达到平衡。水市场供给量与水市场价值没有必然联系，它们之间的联系只是生产一定量的物品需要一定量的社会必要劳动时间，供给量只代表社会所分配的一定的社会必要劳动，这种劳动是为满足社会需要付出的，社会就必须进行支付，即用社会所能支配的社会劳动时间来购买水商品。但是，社会耗费在水商品上的劳动时间和水商品的社会需要量之间并无必然联系，即使有时相一致也属偶然现象，如果产量超过社会需要量，超额劳动时间就不会被社会承认，水商品就只能以低于水市场价值的价格出售。只有供求平衡，水市场价格才能符合市场价值，水商品也才能按水市场价值出售。这是水商品供求均衡的自然规律。从价值规律来说明水价格与水价值的偏离，也是这个道理。要使水商品市场价格与水市场价值相符合而出售，必须使耗费在水商品上的社会劳动总量同水商品的社会需要量相适应。水市场竞争引发的供求关系的变动，并产生与之相适应的水市场价格的波动，就是力图把耗费在水商品生产上的社会劳动总量转化为社会需要量这个标准。由此可见，正是通过水价格机制的作用，竞争把个别劳动时间变成社会必要劳动时间，从而决定水市场价值。水市场价格与水市场价值的背离及趋于一致，是水价格机制发挥作用的形式。但是，如果水市场价格背离水市场价值的程度过大、时间过长，水价格机制就难于发挥作用。所以，根据水资源的约束程度，及时、适度放开水市场价格，让其根据供求变化而围绕价值上下波动，是价格与价值在动态过程中保持一致的基本手段。

（二）市场需求与市场供给一致

　　水市场的供求关系调节水价格。当水市场价值不变时，水的供给与需求的变化，会引起水市场价格的涨落。供给大于需求，市场价格就会降到市场价值以下；需求大于供给，市场价格就会上升到市场价值以上。

　　水价格的涨落调节水生产要素的分配。水商品的市场价格低于市场价值，水商品生产者就不能获得平均利润，甚至发生亏损。为了追求更高的利润率，通过资金转移，用于水商品生产的生产资料和劳动力就会向利润率高的部门转移。反之，情况则相反。这样，水生产要素就会在市场上发生流动，并进行重新组合。水的各种生产要素的重新分配改变了水的生产条件。生产资料和劳动力价值化表现为资金，所以资金的转移，代表了生产要素的转移。在资金市场上，利息率是资金流向的调节杠杆，利息率的变动引导着资金的投向，它驱动资金向价格高的水商品行业流动，也可以驱动资金流出水商品行业，而流向价格高的其他行业。

中国水市场管理学

129

　　水生产条件的变化调节水市场价值。商品生产的条件，如技术装备水平、劳动生产率等影响着水商品的社会必要劳动时间，从而影响水商品的市场价值。例如，同样数量和质量的饮用水，原先用传统机器设备生产，现在改由计算机控制的机器生产，劳动生产率就发生很大变化，从而同量水中包含的价值量就减少了。

　　水市场价值的变动调节水的供求。假定市场价格与市场价值一致，那么，市场价值降低，市场需求会增加；市场价值升高，市场需求则会减少。市场价值又是市场价格波动的中心，价格变动最终由价值变动决定，而市场供求的变化，又会进一步调节市场价格。

可见，供求与价格是相互作用、相互制约的。建立水市场新体制，逐步完善和强化水市场的价格调节作用是其关键内容，而强化水价格的调节作用，首先在于认识水价格市场运动的规律。

（三）水价变动与供求变动一致

水市场机制的作用机理，可以描述为市场价格与供求之间的互相作用过程及其自发平衡过程。即当水商品供不应求时，水商品的价格就会上涨，在供求规律的制约下，水商品的供给量就会增加，需求量就会相应减少，在供求的升降过程中，两者会自动达到平衡。如果水商品生产者继续增加供给量，就会导致供过于求，于是价格下跌，然后又使供给量减少、需求量增加，供求调整幅度超过平衡点时，又使水商品供不应求，使水价格再度上升，生产者扩大供给量……如此循环往复，永不停息。一方面，供求变动引起价格变动；另一方面，价格变动又导致供求发生变化。在这里，价格对供求的调节作用处于主导地位，因为正是价格涨跌，推动着商品供求态势的不断转换，使市场中的特定商品不至于经常地处于供过于求或供不应求的状况。水市场价格这一中介作用，自发地联结起水市场供给与水市场需求，从而自发地联结起生产者与消费者，进而起到自动调节社会生产与社会消费的分配方面。

从总的态势上看，价格趋向于使买者希望买的水商品数量与卖者愿意卖并能提供到市场上的水商品数量相等；价格决定于供求的均衡点，即能够上市出售的水商品数量和市场需求的水商品数量相等的那一点。需求的增加，会引起价格的上升和供给的增加；需求的减少，会导致价格的下降和供给的减少。供给的增加，会引起价格的下降和需求的增加；供给的减少，会引起价格的上升和需求的减少。

水价格能合理分配稀缺的水商品。无论在什么时候，一种商品的供给一般总是相对稳定的，因此，不得不在许多需要这种商品的人中间进行分配。这种分配是通过调整价格来进行的。当价格上升时，需求收缩，价格下降时，需求扩大；价格处于均衡状态时，需求与供给正好相等。如果供给增加，总的供给量仍可以通过降低价格销售掉；如果供给减少，价格就会上升，从而限制需求。通过这种水价格的变动，调节着稀缺水资源商品在众多需求者中间的分配。

水价格反映水需求的变化。水价格是一种信号，它反映社会对各种水商品需求的程度以及这些需求的变化，促使水供给适应水需求的变化。当市场上对某种水商品的需求增加时，该种水商品的价格就会上升，引起水供给的增加；反之，当市场上对某种水商品的需求减少时，该种水商品的价格就会下降，引起该种水商品供给的收缩。

水价格指出了可以提供水商品条件的变化。由于水资源是有限的，要多生产某一种水商品，满足一部分用户群，就只好限制另一些用户群的需求。如果生产某种水商品的成本提高了，就可以通过价格向消费者发出信息，使消费者可以决定为了支付这些提高了的成本，打算在多大程度上放弃对水商品的消费水平。同时，水价格还为水资源的所有者提供补偿。当水商品的价格上升时，生产者向水资源所有者提供更多的补偿，以便能够把水资源等生产要素从其他区域或用途中吸引过来。正是这种补偿给水资源的拥有者以消费能力，从而推动水利生产力的发展。

二、水价格运行机制

（一）从商品价值到市场价值

水市场价格由水市场价值所决定，研究水市场价格，必须弄懂水市场价值。水市场价值与水商品价值是两个不同的概念。水商品价值是社会必要劳动时间的凝结，它仅仅从商品的供给一方即生产者角度考察水价值的形成问题，形成水商品价值的社会必要劳动时间只被生产同类商品的生产者单方面所承认；而水市场价值是引入现实的市场供求关系而产生的一个价值观念，它从商品供给与商品需求两方面同时考察水商品的价值决定与实现问题，形成水市场价值的社会必要劳动时间，不仅要被商品的生产者所承认，而且同时也要为消费者所接受。因此，水市场价值概念比水商品价值概念更贴近现实。

根据马克思主义的商品经济原理，在不同的供求态势下有不同的市场价值与之相适应。如果市场是商品供不应求的卖方市场，商品消费者从属于商品生产者，那么市场价值将由劣质生产条件下，生产该种商品所耗费的劳动时间来决定，由于耗费劳动过多，它所形成的是高位的市场价值；如果市场是商品供过于求的买方市场，商品生产者从属于商品需求者，那么，市场价值由优等生产条件下，生产该种商品所耗费的劳动时间来决定，由于耗费的劳动较少，它所形成的是低位的市场价值；如果市场是供求基本一致的均衡市场，那么，市场价值由中等条件下，生产该种商品所耗费的劳动时间来决定，由于耗费劳动属中等，所以，形成的是一种中位市场价值。

（二）从市场价值到市场价格

根据马克思主义经济学的商品价值决定商品价格的原理，水商品的市场价值也应决定水商品的市场价格。它通过供求关系的变动，使市场价格围绕着市场价值这一中心而上下波动，表现为价值规律发挥作用的实现形式。因此，一方面，市场价格决定于市场价值，并受供求关系制约；另一方面，市场价格在波动过程中又能动地调节着商品的供求状况，乃至市场价值的形成。在不同的市场态势下，市场价格的高低是很不相同的，在卖方市场上，市场价格决定于高位的市场价值；在买方市场上，市场价格决定于低位的市场价值；在均衡市场上，市场价格决定于中位市场价值。由于卖方市场的市场价值高于均衡市场的市场价值，更高于买方市场的市场价值，所以，卖方市场上的市场价格是最高的，这种高位的市场价格，不仅直接地损害了消费者的利益，也不利于生产者采用先进技术、提高经营管理水平、合理利用稀缺资源，最终导致效率的损失。中国的市场现状，已经通过改革，逐步由卖方市场转变为均衡市场，市场机制已经初步实现了在均衡的市场体系中运行。

（三）从市场价格到均衡价格

中国社会主义水市场的重要目标是实现均衡市场，水价格的重要目标是实现均衡价格。水市场均衡，是通过水价格对生产和消费的调节，即对供给与需求的调节来实现的，是在均衡价格形成的同时实现的。

价值规律的宏观调节作用，就是通过价格围绕价值上下波动的作用形式，调节社会总劳动在各生产部门之间的分配比例，使生产与消费协调发展。当需求大于供给时，交换中获得的超额利润吸引生产者扩大生产，增加供给。当供给增加到大于需求时，价格会低于价值，生产者收益减少，导致生产减少，从而供给减少，资金流入到其他生产部门，价格的变动最终趋向与价值一致。生产比例的改变是通过利益关系的改变来实现的，而利益关系的改变则是通过价格来调节的。供求关系是由市场价值调节的，供求变动反映到价格上，使生产者根据价格信号重新决策，调整资源配置，资源的重新配置使生产资料和劳动力在不同生产部门间实现转移，使生产条件改变，从而使社会必要劳动时间（即价值）发生变化。这种变化后的市场价值重新调节市场价格，从而调节供求和各种市场要素的运行。当供给量与需求量处于均衡状态时，商品的生产量为均衡产量，商品的市场价格称为均衡价格。均衡价格以平均利润率形成为条件，并遵循以下市场条件：第一，生产者必须准确预测各种可能价格条件下的市场需求量；第二，资源充足，生产要素以市场方式自由流动，无障碍地进入任何生产部门;第三,要有完备的市场体系和完善的市场机制;第四,企业成为具有自我约束机制的商品生产者与经营者。

可见,水市场均衡的基本涵义应该是:水市场的经济存量,包括水资源供给量,供求平衡;水资源企业均衡运行,不产生改变经济行为的趋势;水市场价格与水市场价值一致,偏离价值的变动在政府行为的宏观调控之下,并能体现水资源的稀缺性要求;通过水市场机制最优配置水资源,水资源配置效率按最大化原则,在均衡水市场中得以实现,水资源企业在此前提下实现均衡发展。

三、水价格机制的功能

水价格是水市场运行的核心。市场配置水资源的基础作用,主要是通过价格运行机制来实现的。在水市场机制这个复杂体系中,水价格机制是水市场机制运行的集合点,它综合反映了水市场机制作用的基本要求。水价格机制具有通过价格的变动,调节水商品和其他生产要素供给与需求的整合作用;水价格规范了生产、经营和消费行为。因此,水市场价格机制在水市场经济运行中的功能表现为中枢作用。

(一) 水价机制是水市场机制的基础

水价格成为最有效的市场调节机制,是由水价格一系列特点所决定的。其主要特点有:第一,市场依存性。水商品价格的形成、变化都依存于水市场的基本状态,所以,水商品的价格与水市场是相互依存的。第二,综合反映性。水商品的价格水平及变化是由多种市场因素作用的结果。第三,相关连锁性。水商品的价格变动会引起一系列其他商品价格的连锁性变动。从纵向来看,上游产品的成本价格变动,不仅会引起自身价格的变化,而且还会影响以其作为生产要素的下游产品价格的变化。越是基础性的产品,其价格的变动所引起的连锁反应就越复杂。从横向来看，水商品具有互补性和替代性。互补性是指商品在功能上只有经过与其他商品相互补充和配合才具有使用价值，如水泥和水利工程就具有互补性，水利工程数量增大，水泥的供给量不变，价格就会上升；替代性是指不同水商品在满足人们某种需要时可以相互替代，如用通过污水处理工程处理过的污水来代替农业灌溉用水，前者水和后者水之间就具有替代性，这种替代会带来水价的变化。第四，趋向分化性。在市场经济条件下，纸币作为商品交换的媒介，在总体上其币值是趋向下降的。因此，水商品价格在总体上具有趋向上升性。但在新兴科技革命的作用下，部分水商品的价格也有趋向下降性。一般来讲，受水资源约束性较大的水商品价格具有上升趋向，如以水资源丰沛量为基础的原水供水价格呈上升趋势，受水资源约束性较小的水商品价格具有一定的下降趋向，如纯净水价格呈下降趋势。当然，这两者的变化还受诸如人口、经济、社会等其他因素的影响。

（二）水价机制是水市场的导向

首先，水价格机制能够汇集和传导水市场信息。水价格机制一方面能够集中反映各种市场机制发生作用的结果，成为经营者进行决策的依据；另一方面又能引起各种市场机制新一轮的运行，构成新的市场信息，最后又会集中反映到价格机制的运行之中。如水商品在市场上的供求状况、竞争压力、风险大小以及生产这种水商品的水资源的稀缺程度、劳动力工资的高低、获取货币资金使用权的代价以及外国生产要素的价格等等，都会集中反映到水商品的价格之中。而这一水市场信息就会成为众多经营者决策的基本依据，而经营者的决策又会引起各种市场机制在新的水市场状态下的运行和变化。

其次，水价格机制能够引导水市场需求的方向、规模和结构。在市场经济条件下，若交换的商品存在一定的需求弹性，从短期看，商品的需求量与价格成反比例变化。某种商品价格越高，对这种商品的需求数量就越少；同样，价格越低，需求数量就越大。水商品存在一定的需求弹性，以居民生活用水为例，国内外研究成果得出相近的结论，即城镇居民生活用水的需求弹性在0.2~0.5之间，正因为如此，水商品价格的高低会影响消费者的需求数量和规模。另一方面，如果某些商品之间具有替代性，一种商品价格上涨，消费者则会放弃购买，而去购买另一种价格较低却又能满足相同需要的商品，从而调节消费者的需求方向和需求结构的变化。对水商品而言，由于其替代性较差，水价格机制作为引导水市场需求结构和变化方向的作用功能是十分有限的，这是水市场区别于其他市场的主要表现。

（三）水价机制是水市场主体行为的动力

首先，水价格机制能够调整水市场主体的投资方向和生产规模。从不同的生产部门的企业来看，由于不同部门商品价格的变化必将引导经营者的决策，所以一个部门商品价格下降，盈利减少或无利可图，经营者就会在价格信号的引导下，将投资转向那些价格较高、盈利较多的部门中去。对水资源供给部门而言，由于原水价格上升、盈利增大，说明原水产品的需求增长，供水经营企业就会扩大规模以追求更多的盈利。这样，水价格机制就实现了水市场主体拥有的经济资源在水行业内的整合，刺激了社会资源在各生产部门之间的有效配置，调节了生产资料和劳动力在社会各部门之间的分配比例，使社会生产和市场消费保持一致，在新的条件下再次实现平衡，这时，水市场融入社会市场，不同程度地调整着社会资源的方向、结构、规模和产出效益。

其次，水价格机制能够刺激经营者的竞争能力。从水市场内部运行的单个企业来看，企业为了争取其水商品在市场上的占有率和销售额，采用的基本竞争方式是价格竞争，即降低水商品的市场价格。而要降低水商品价格就必须降低商品的成本价格，这就要求水商品生产者改进生产技术、提高劳动生产率、改善经营管理、优化生产要素的配置，实现社会资源的节约，促进水资源的可持续利用，从而提高供水企业的竞争能力。

（四）水价机制是宏观调控的依据

水价格机制是宏观调控的重要手段。水价格不仅受水供求关系影响，而且水价格还会调整、改善水供求关系。水价格不仅影响生产者和消费者的市场行为，而且也为国家宏观调控提供了信息，成为宏观调控的基本依据。市场理论依据表现在，当某一商品的市场价格大幅上涨，表明该商品供给缺口较大，国家通过利率、税率、工资等经济手段调节后，引导企业扩大该商品的生产规模，增加市场的供给量；反之，则通过各种经济杠杆的作用，引导企业减少该商品的生产规模和供给量，从而实现供给与需求的大体平衡。对水资源的原水生产企业，由于靠市场力量难以实现供求平衡，而必须由国家依据市场价格的信号，通过政府行为来加以干预，逐步实现供求的大体平衡。如国家通过南水北调工程解决北方缺水、南方洪涝的问题，政府进行投资、增加供给，避免市场机制作用下的经济波动。同时，水价格机制作为宏观调控的重要手段，又能调节国民收入的再分配和协调经济主体的利益关系，如政府通过水价格机制调整工农业产品的比价关系，可以实现国民收入的再分配，通过节水型社会建设，协调经济主体的利益，实现水市场经济主体的利益均衡。

第三节　水市场供求机制

水市场价格机制是与市场中的需求与供给紧密相连的。在需求与供给组成的市场上，有两种压力在起作用，一种是购买者的购买意愿决定于产品的价格，另一种是出卖者愿意出售的产品数量和希望得到的价格。水市场需求与供给分析旨在把两种压力区分开来，分别阐述其内在特点及影响因素，然后再将两者整合，阐明水市场供求规律及供求机制建设。

一、水市场需求

（一）市场需求原理

市场经济条件下，社会生产的进行、服务方向的确定、经济资源的配置等，都由市场需求决定，并随市场需求的变化而变化。研究有限资源的市场配置，必须动态地、多角度地考察市场需求。

需求是指由需要产生的要求，是指消费者在一定时间内，在诸多影响条件保持不变的情况下，在每一可能价格下，愿意且有能力购买某一商品或劳务的数量。在经济学中，需求指的是想要拥有某种东西的欲望，以及为了取得这种东西而付出一定代价的意愿和能力。也就是说，它不仅是一种希望或一种欲望，而且是一种切实的需要，即有支付能力的需要。这种需要的最一般特点是物质利益性。

在市场上，消费者对某种商品的需求量取决于这样一些因素：一是个人偏好，个人偏好不同，购买情形不同；二是个人收入，收入水平不同，购买数量和购买种类不同；三是商品价格，一般地说，价格越低，购买量越大，价格越高，购买量越小；四是相关商品的比价，一种是互补性商品比价，一种是替代性商品比价。以上这些因素，直接影响市场需求量。

从需求量与价格的关系来看，消费者在某一时间里所要购买的商品或劳务的数量，取决于该种商品或劳务的价格，商品价格越高，人们购买的数量越少；商品价格越低，人们购买的数量越多。价格与购买数量之间的反方向变化，是受需求弹性支配的普遍性规律。

消费者总体对某一种商品的需求形成该种商品的市场需求。市场需求与个人需求一样服从同一原则，即在其他需求条件不变的情况下，市场需求量与该种商品或劳务的价格成反比。

市场需求在一定时期内是既定的，但又是不断发生变化的。引起需求变化的因素是多方面的，就外在因素而言，主要有两个：一是价格水平，二是收入水平。因价格变动或收入变动而引起需求的相应变动的比率称为需求弹性。根据上述两个引起需求变动的因素，可把需求弹性分为需求价格弹性和需求收入弹性，前者反映需求量的变动对价格变动的敏感程度，后者反映需求量的变动对收入变动的敏感程度。

首先，需求受商品价格的影响。假定在一定时期内，消费者的收入水平和个人偏好是既定的，可以观察到这样的现象，市场上某种物品或劳务的需求量是随其市场价格的变化而变化的。一般地说，价格上升，需求量则下降；反之，价格下降，需求量则上升。在需求运行线上，价格和需求量呈反方向变化。因价格变化而引起需求的相应变动率就是需求的价格弹性。

商品需求价格弹性的大小取决于几个因素：一是商品的效用。某种商品属生活必需品，这种商品的价格变动一般不会引起需求量的较大变动，这种商品属缺乏弹性商品；如果某种商品属高级享受物品，则这种商品的需求对价格的变动较为敏感，属富有弹性商品。二是对某种商品的需求占总支出的比重。当用于某种商品上的支出只占收入的很小份额时，即使它的价格上涨，人们也不会着意限制消费或花很大的力气去寻找代用品。因此，对这种商品的需求，相对来说是弹性不足；相反，当用于某种商品上的支出占收入的相当大的份额时，价格上涨就会使人们减少这种商品的消费或去寻找代用品，则对这种商品的需求就是富有弹性的。三是代用品的多少和价格。如果某种商品有较多的替代品且价格低廉，那么，这种商品价格的提高就会使消费者转而购买代用品，这样，该商品的需求价格弹性就大。相反，如某种商品的替代品较少且价格较高，或者根本没有替代品，那么，该商品

139

的价格变动不会引起需求量的较大变动，该商品的价格需求弹性就小。

其次，需求受消费者收入水平的影响。需求不仅受商品价格的影响，也受消费者收入水平的影响。一般地说，在商品价格一定的条件下，消费者收入水平提高，会引起需求量的相应提高。因消费者收入水平的变动所引起的需求的变动率就是需求的收入弹性。一般情况下，生活必需品的需求收入弹性较小，奢侈品的需求收入弹性较大。一般情况下，当人们收入增加时，所增加的收入中用于购买生活必需品的支出所占比重会减少，用于购买奢侈品的支出所占比重将会增加。这是因为，收入水平的变动引起消费结构发生变化，收入水平的高低意味着购买力的大小，也决定着消费商品的档次和质量。收入水平高，购买的消费品数量就多，质量就高；收入水平低，购买的消费品的数量就少，质量就差。通常情况是，收入较高的消费结构中，生存资料所占的比重相对较小，享受资料和发展资料所占的比重较大。从收入对消费结构的影响可以看出，收入的变动必然引起需求的变动。

在市场经济条件下，消费者为了满足多方面的需求，以有限的收入获得最大限度的满足，需要合理地把自己的收入分配到不同商品的消费上，并不断调整自己的购买行为。生产者要使自己生产的商品符合社会需求，必须以消费者的购买行为和整个市场需求的变化为导向，研究价格和收入水平这两个因素所引起的市场需求的变化，并据此确定和调整生产经营决策，调整产品结构或服务方向。社会根据市场需求进行资源配置，市场根据需求实现有序运行。因此，需求是市场的中心。

在自给自足的经济形态下，生产者需要什么就生产什么，这时，生产者的利益和购买者的选择是联系在一起的，作为产品和劳务的供给者，生产什么要由市场需求来决定，只有能够真正满足市场需求的生产者才能获得利润，不能满足市场需求的生产者将在市场竞争中被淘汰。每个生产者要使自己的经济活动符合市场需求，必须随时了解市场状况及变化趋向，并据此进行产品定向或服务方向的决策。从社会角度看，根据需求安排生产，按照市场需求进行资源配置，既可使有限的资源得到有效地利用，又可满足现有资源条件下的需求。

（二）水市场需求态势

无论何种生产，生产的目的都是为了满足人类需要，偏离这一目的的生产，是没有实际意义的。在社会生产不再是自给自足的生产而是为了交换而进行生产的情况下，商品生产者生产的商品能够较好地满足社会需要，这里的商品生产才可以转化为再生产并不断得到延续和发展。相反，如果生产的商品不能满足社会需要，所从事的生产也就失去再生产实现的条件，生产将难以进行下去。水商品生产具有一切商品生产的共性，所不同的是，水商品生产更具社会公共产品的属性，这一本质属性，要求研究水商品市场经济，既要立足于一般商品的共性，又要针对公共产品的社会环境，研究其交换的差别，找出个性的对策，将水商品准确导向水市场。

1.水市场需求现状

中国多年平均年水资源总量为28124亿立方米。按1998年人口计算，人均水资源只有2221立方米，为世界人均水资源量的1/3略多。我国缺水形势，一是受地理、气候因素影响，水资源的地区分布很不均匀，其中黄淮海流域片人口占全国人口总数的34.7%，耕地面积占全国的38.5%，而水资源量仅占7.5%。二是越来越多地受到经济社会快速发展的压力影响，以及水资源时空分布极不均匀、汛期易形成洪涝灾害、非汛期往往严重干旱缺水，特别是北方地区水量偏少，水资源十分紧缺，水需求问题突出。随着经济社会的发展和人口的增加，特别是城市生活、生产用水的急剧增长所形成的集中需求，使水资源的供需矛盾更加突出，形势更加严峻。水资源供需失衡已经成为经济社会实现可持续发展的"瓶颈"约束，主要表现在两个方面：

一是水环境恶化。以河北省为例，人均占有水资源383立方米，缺水达60亿立方米，60%以上的地表水和城镇工矿区的地下水受到不同程度的污染。该省中南部河流已经处于"大部皆干，有水皆污"的境地。再如河南省，人均占有水资源440立方米，实际年缺水量70亿立方米，河道干涸，湿地消失，大量未经处理的废污水流进河道，造成严重水污染，破坏了环境，加剧了水供需矛盾。据《中国环境报》报道，国家林业局的一份最新研究报告显示，我国平均每年消亡20个天然湖泊。大量围垦和拦截地表水流，使湖泊水面急剧缩减，湖区洪水出现频率升高。在东中部地区，50年来，因围垦而减少天然湖泊1000个，围垦湖泊面积相当于五大淡水湖面积之和。有"千湖之省"美誉的湖北省，20世纪50年代共有湖泊1052个，而目前只剩下83个。昔日"八百里洞庭"水面缩小近四成。

二是水需求增长较快。1999年，我国总用水量5670亿立方米。其中，生活用水575亿立方米，占总用水量的10.1%；工业用水量1175亿立方米，占20.7%；农业及其他用水3920亿立方米，占69.2%，人均综合用水量458立方米。生活用水中，城镇生活用水量268亿立方米，人均生活用水定额232升/天；农村生活用水量271亿立方米，人均生活用水量68升/天。工业用水中，电力工业（火电）用水281亿立方米，城镇一般工业用水623亿立方米，农村工业用水271亿立方米，分别占工业用水量的23.9%、53.0%和23.1%。农业用水包括农田灌溉和林牧渔业用水。其中农田灌溉用水3579亿立方米，占总用水量的91.3%，农田灌溉综合定额为492立方米/亩。林牧渔业及其他用水量341亿立方米，占总用水量的8.7%。至2001年，总用水量已增至5973亿立方米，总量增长303亿立方米，各类用水年平均增长2.8%。较快的水需求增长，给水资源供给造成了巨大压力。

2.水市场需求预测

预计到2010年，全国总需水量在6600亿~6900亿立方米，总供水量6400亿~6600亿立方米，缺水200亿~300亿立方米。

（1）生活需水。生活需水包括城镇生活需水和农村生活需水两部分。按照动态人口预测模型的预测结果，在2050年以前，我国的人口总数仍将不断增加。其中，2010年我国人口将达到14亿，而城镇人口将达到7.53亿，城市化率为50%左右。城镇生活需水中，考虑了因居民生活水平提高和需水管理以及节水技术的不断完善和提高的因素，需水定额的增长趋势将逐步变缓。预计2010年，城镇生活人均综合需水定额为251升/天，其中，用于城市建筑行业、服务行业、市政及城市生态环境等方面的公共需水量占城镇人均综合需水的37%左右。农村生活需水包括农村家庭生活需水和农村家养牲畜饮水两部分，2010年全国农村人均生活需水定额（含牲畜需水）为81升/天，表现为相对稳定的需求趋势。

（2）工业需水。根据国家的产业发展政策，并参照各省（区、市）预测数据，通过建立动态投入产出宏观经济预测模型，预测到2010年全国GDP为10.7万亿元，工业总产值为38.5万亿元。随着科学技术的进步和工业节水技术的推广，预计2010年全国工业用水综合重复利用率将达67%，比1993年增加22%；2010年工业的万元产值需水量（不含电力工业）为32立方米，比1993年下降104立方米，预计工业需水的临界总量为1400亿立方米。

（3）农业需水。为保证粮食基本自给，达到人均粮食占有量400公斤的水平，综合考虑后备耕地条件和水资源条件等，预计全国有效灌溉面积到2010年将达到10亿亩以上，相应耕地灌溉率提高到60%以上，农业灌溉节水成为农业发展的重要方向。随着未来各种节水措施的实施，预计2010年全国灌溉水利用系数将达到0.60左右，农田灌溉定额将下降到450立方米以下，农田用水将稳定在4000亿立方米左右。

（4）生态及环境需水。生态环境需水，指为基本遏制生态环境恶化趋势，并逐步改善生态环境质量所需要的水量。在2010年城镇生活需水中，预留了38亿立方米的城市生态环境需水，北方干旱区预留了77亿立方米生态环境需水。此外，根据各流域特点，在流域片河道内用水中，分别预留了一部分冲沙、冲淤、维持河口稳定和河道环境的用水，随着城市化生态环境建设的加快，生态及环境用水将会有较高增长。

二、水市场供给

（一）市场供给原理

市场供给是指在一定时间内，在其他影响条件都保持不变的情况下，生产者在每一可能的价格下既愿意又能够提供某种商品或劳务的数量。

经济学中所说的供给，是在一段时间内，在一定价格水平下，能有多少商品或劳务可供出售。同需求一样，供给量取决于商品价格和供给条件。供给条件包括以下四种：一是生产要素价格的变化；二是其他商品价格的变化；三是自然条件的变化或意外情况的发生；四是政府的政策。研究供给的价格分析，主要是在保持供给条件不变或影响因素相互抵消的情况下，供给与价格的依存关系，以及价格的变化对供给的影响程度关系。

供给与需求不同，需求几乎可以立即对价格的变化作出反应；而供给的调整则通常需要一段时间，因为无论是技术的改进，还是生产者的加入或退出都需要一定的时间。因此，供给不会像需求那样很快对价格变动作出反应，但从较长时段来考察，供给最终是要随价格的变化而发生变化的。一般地说，供给与价格是成正比关系的，价格越高，供给量越大；价格越低，供给量越小。通常用供给表或供给曲线表示市场价格与生产者所愿意供给的商品数量之间的关系。

在市场运行中，影响供给的因素很多，概括起来主要有以下几个方面：一是商品的价格。一般而言，供给量与商品价格呈正向变动关系，价格愈高，商品的供给量愈多，这就是供给法则。当然，现实中也存在着种种例外，但市场学所要研究的，主要是一般的供给与价格变化的关系，即价格上升时，供给量增加，价格下降时，供给量减少的变化规律。二是相关商品价格。该商品价格不变，但如果与它相关的商品价格发生变动，也会影响到该商品的供给量。例如，当水库原水价格不变，而引用河水价格上涨时，水库原水的生产者会减少水库水的供给量，转而增加引用河水的供给量。三是生产成本。生产成本的变动，来自于生产技术或生产要素价格的变动，如果生产技术提高，企业就能在不增加投入的情况下生产更多的商品，从而在原有价格情况下愿意并且能够提供更多的商品。四是预期价格。企业对未来价格的预期，会对供给量产生重大影响。如果未来价格看涨，企业会减少目前的供给量，增加未来的供给量；反之，则相反。五是政府政策。包括产业政策、税收政策等。例如，政府降低税率，就相应地降低了企业成本，从而在一定条件下可以降低价格，并通过需求的增加而使供给增加。

（二）水市场供给态势

根据中国水资源供需状况，近几年来实施了较大规模的流域间调水，水资源总量的供需矛盾有所缓和，但由于城市化进程的加快，工业化水平不断提高，水资源供需的局部矛盾仍十分尖锐，城市生活和工业用水一直处于上升趋势，农业用水经过一段时期的快速发展后，逐步转入缓慢增长状态，这与我国城市人口与城市数量的增加、工业总产值的增长以及农田灌溉面积的发展趋势基本一致。

在对水资源布局进行配置方面，政府宏观调控对规范水市场趋势主要做了以下两方面工作：一是进行区域间水资源配置，通过跨流域调水工程进行较大范围内的水量调配，以改善水资源分布不均的状况，缓解重点缺水流域与区域水资源不足的矛盾；二是进行区域内水资源协调，以流域为基础，以初始水权确定为管理手段，充分发挥当地水资源的作用，进一步加强节约用水，提高水的利用效率，促进区域间（区际）水资源的协调和可持续发展。以2000年为例，2000年全国供水设施的实际供水量为5900亿立方米，约占多年平均水资源总量的21%，其中地表水4660亿立方米，约占总供水量的79%；地下水1130亿立方米，约占总供水量的19%；污水处理回用等其他水源供水量110亿立方米，约占总供水量的2%。此外，海水直接利用量为120多亿立方米。在实际供水量中，跨流域调水210亿立方米，占实际供水量的3.5%。

随着政府宏观调控对水资源管理力度的不断加强，水市场供给态势主要呈现以下变化：

第一，供水增长受水资源条件制约，地区间发展不平衡。北方地区由于受水资源条件的制约，除松辽河流域片外，总供水量增加不大，部分流域片地表水供水量反而有所减少。北方地区主要依靠节约用水和增加地下水供给，来维持经济社会增长的需要；而南方片则随着供水工程的增加，供水量呈逐年上升趋势，有效地缓解和减轻了水供需的矛盾。

第二，用水结构发生较大变化，农业灌溉用水比重不断下降。随着我国城市化进程的加快，工业生产发展迅速，城镇生活水平不断提高，工业用水和城镇生活用水增长明显加快，2000年工业和城镇生活用水的比重由1980年的16.6%增加到32.3%；而农业用水的比重则由83.4%下降到69.2%，这种变化趋势随工业化和城市化的发展还将继续。

第三，节水意识和节水措施不断加强，单位用水指标明显下降。近10年来，由于水资源紧缺的影响和水价杠杆的有效调节，以及节水措施的广泛采用和海水资源的有效利用，我国工业和农业的单位用水指标下降很快，工业万元产值用水量从20世纪80年代的500立方米左右，下降到现在的103立方米；农业灌溉定额亦由583立方米/亩，减少为492立方米/亩。

第四，供水工程的供水量虽有较大增长，但仍满足不了经济社会发展对水资源的需求。在1980到2000年期间，我国年平均供水增加量近70亿立方米，但由于经济快速增长，对水资源需求量不断增加，缺水地区虽增加了为数不少的补水工程，但仅使局部缺水情况有所缓解，面上缺水仍十分严重。另一方面，随着沿海开放地区工业化、城市化速度的加快，出现了新的缺水地区，我国的缺水形势在总体上依然严峻。

随着主要大中型供水工程的兴建，地表水供给量年均增加约70亿立方米，而地下水增加速度明显变慢，年均增加约10亿立方米，较2000年前有所减少。随着跨流域调水量的增加，总供水年均增长量将达100亿立方米。至2010年，总供给量将比2000年增加800亿立方米，接近6700亿立方米，约占年均水资源总量的24%，从我国水资源态势看，已接近开采的经济极限。但在这一供给水平下，当遇到中等干旱年，水资源供需仍存在较大缺口，缺水量将达300亿立方米，但缺水率将有所下降，缺水最严重的海河及淮河流域水供需矛盾将有所缓解，重点城市和重点地区的缺水现象也将会有明显改观，但北方缺水地区的农业缺水现象仍比较严重。2010年，总需水量6600亿~6900亿立方米，总供水量6400亿~6600亿立方米，缺水200亿~300亿立方米。同时，要实现2010年预测供水量,每年需要供水投资300亿元，约占国内生产总值的0.5%。因此，依靠建立水市场机制、扩大融资能力并引入水市场经济杠杆、压缩水资源需求、依靠水市场管理机制的创新、加强水资源的合理配置、开发替代性水源、进行产业结构调整等，成为未来水利可持续发展的必然选择。

三、水总供给与总需求

（一）水总供给与总需求的态势

水的总供给，是指可用于市场上交换的水资源产品的总量。这些产品是作为商品来生产的、形成的供给，不仅具有使用价值以满足社会需要，而且这些使用价值还必须以一定的数量或规模出现在市场上。同时，供给的水商品还要有一定的市场价值，表现为一定的市场价格。

水的总需求，就是被买来当作生产资料或消费资料，以便进入生产消费或生活消费的水商品总量。水商品市场需求与社会需要量在本质上相同，而在量上有一定的差别。市场需求以交换为基础，以价值实现为手段，这就要求耗费在水商品总量上的社会劳动总量，同这种水商品的社会需要总量要相互适应，即与相应的购买力相适应，才能顺利实现交换。在市场经济条件下，水的总供给与总需求的平衡，是价值规律的客观要求。水商品社会总供给和总需求的平衡表现为市场的供求平衡。如果市场上水商品的供求基本平衡，总供给和总需求之间也就基本平衡。相反，如果区域市场上出现了水商品的过剩，水资源按照区域的自然属性进行价值排弃，而另一区域市场的水商品则存在供不应求，这是水资源商品总供给和总需求之间存在不平衡的表现。

水市场是我国市场经济的重要经济形式，水市场的总供给与总需求的平衡呈明显的层次性特点，全国性水市场平衡是以区域性水市场平衡为条件的，离开区域性水市场的平衡，全国水市场的平衡便失去意义。要充分体现市场制度的优越性，就必须自觉地保持水市场总供给和总需求之间的平衡，有计划地分配水利劳动，所遵循的客观依据就是利用市场关系。长期以来，我国水市场功能得不到发挥，离开水市场需求单纯地进行水资源的综合平衡，不能根据市场的变化调整社会劳动的分配，必然出现水资源丰沛地区原水资源大量排弃，其实质就是水资源商品的积压；另一方面，水资源紧缺地区生产和生活的需求不能得到有效满足，水资源在区域间无法依靠水市场关系实现经济调节，全国性水商品的总供给和总需求长期失衡。克服这种失衡的根本措施，是运用水市场价值规律的宏观调节作用，建立全国统一的水市场体系，一是按水市场总供给量多少，合理分配需求定额；二是用平均利润率调节水利资金的流向；三是用资金投向引导水资源等生产要素的合理流动和最佳组合。

要使水总供给与总需求处于一种良性状态，首先必须宏观调查与分析我国水市场的人均综合用水量、用水年增长率、用水效率和用水结构等要素。

人均综合用水量是个相对稳定的参数，1993~2000年，全国人均综合用水量均在440立方米左右，低于世界平均值740立方米。用水年增长率，是指流域、行政区域内生活、工农业、服务业等用水的社会总用水量的增长幅度。一般认为，当用水增长率低于人口增长率时，属于用水低增长。1980~1993年和1993~2000年，全国用水年增长率分别为1.3%和1.0%，低于同期人口增长率的1.4%和1.07%，标志着我国从1980年起，全国用水已进入低增长阶段。

用水效率，通常以每立方米用水量产出的国内生产总值（GDP）来表示，它是衡量流域、行政区域用水效益的指标，一般用工业万元产值的取水量和灌溉水利用系数等单位指标进行评价。2000年，全国用水效率为15.4元/立方米，按当年的汇率计算，约为世界平均的1/5，美国的1/10，日本的1/25。虽然自1995年以来，我国用水效率平均每年递增5%，5年内提高了26%，但与一些发达国家相比，仍有很大差距。用水结构，是指生活用水、工业用水、农业用水、服务用水及环保用水的比例。

我国农业用水占社会总用水量的比重，由1980年的88.2%，降至2000年的68.9%，生活、工业及其他用水相应地从9.6%提高到30%以上。城市化、工业化的加速发展，国民经济及产业结构的调整，尤其是农业产业化的推进，使得我国用水结构将会发生更大变化。

按照行政区域对水市场进行分析，继北京、天津、山西等省（市）从20世纪80年代开始出现用水量的负增长与零增长后，1993~2000年，又有辽宁、吉林、内蒙古、山东、陕西、甘肃、新疆、青海、上海、浙江、江苏、湖南、江西等13个省（市、区）用水量呈零增长。传统观念认为，因为北方缺水，所以用水呈零增长，但水资源较丰富的南方5个省（市）也呈现零增长，这说明零增长是水资源可持续利用、人与自然协调发展的趋势。呈现零增长的16个行政区域，2000年用水量共计2801.3亿立方米，占全国用水总量的近50%，其中江苏省2000年用水量为438.2亿立方米，新疆自治区为485.4亿立方米，这两个用水大省区的用水量约占全国用水总量的1/6。由于这两个省、区的水资源相对较丰富，用水量的年际变化较大，丰枯年用水差额可达100亿立方米左右，甚至更大，但其趋势仍呈零增长。

从宏观上看，中国的水资源问题是随着人口增长、经济发展、社会进步逐步显露并被人们逐步深化认识的。20世纪50年代，毛泽东同志提出"水利是农业的命脉"，对水利的性质和作用给出了基本的定位；新中国成立不久，全国大兴水库建设，其主要任务是扩大灌溉面积，发展农业，解决粮食问题；随着经济进一步发展，城市化进程加快，洪涝损失代价增大，防洪问题愈益突出。"91淮太大水"、"98三江大水"，举国为之牵动，七大江河及沿线大城市的防洪问题遂被摆上重要的议事日程。2001年北方干旱，大面积农田受灾，许多城市发生水荒，又敲响了中国水资源短缺的警钟。自20世纪70年代以后频繁出现的黄河断流，令世人关注，但当时的认识仅仅停留在断流的现象上，没有深入到本质，2001年大旱促使人们从更深层次上开始思考水资源短缺问题，这是研究利用水市场关系，调整水资源的总供给与总需求的出发点、立足点。

（二）实现水总供给与总需求的平衡

水市场的总供给与总需求的平衡是完善水市场机制的重要目标。影响水市场平衡的因素有两个，一是市场机制，二是宏观调控机制。从水商品属性看，市场机制调节占主导地位，但由于水商品具有"公共产品"的特殊属性，所以宏观调控又占有非常重要的地位。实现水市场总供给与总需求的平衡，政府的宏观调控起着关键性的作用。

水市场机制的运行还表现为价格与供求之间的互相作用，起作用的水商品价格是在政府宏观调控下形成的。因此，水市场机制可分成两个层次，第一个层次是政府调控水市场参数（主要是供水价格），第二个层次是水市场参数引导微观市场主体的行为。两个层次的结合，规范了市场主体在追求自身利益最大化的同时，能够有效地提供满足社会需要的水商品，并从整体上体现市场主体的利益关系。

在现代市场经济条件下，发展水市场经济与加强对水市场的宏观调控，两者是辩证统一的。离开了国家的宏观调控，水市场就会发生混乱，水资源商品的生产和经营就不能正常进行。但是，不放开水市场并使水市场成为竞争和开放的市场，水市场机制就难以发挥作用，生产要素就难以实现高效配置，水利经济的生机和活力就难以体现。所以，必须从有利于保持水商品总供给和总需求的基本平衡这一目标出发，合理确定水市场的宏观管理方式和调控程度。

在计划市场条件下，社会对生产过程的控制，是按照社会需要组织生产，对市场总供给与总需求进行计划控制。计划市场客观上要求具有计划调控装置，建立宏观管理机制。在自由市场条件下，生产资料在不同部门间的分配，不是有计划按比例地进行，而是由任意性和偶然性决定的，劳动的浪费和恶性竞争，是自由市场经济的两大负面影响。在这一经济形式下，价值规律发生作用的条件表现在，不同生产领域力求保持平衡、商品生产者生产的使用价值必然联结为一种自然体系，即社会需要量。另一方面，价值规律决定社会将所能够支配的全部劳动量，去匹配实际生产的使用价值，而形成平衡关系。但这种平衡经常遭到破坏，社会分工只是在事后作为一种内在必然性起调节作用，并且这种按比例分配社会劳动的必然性，是通过市场价格的经常性的变动来实现的。这种自由的市场调节，一是使总供给与总需求失衡，这是因为，市场机制对供求关系的调节不仅具有滞后性，而且还受到产品性能、企业对市场信息的反馈能力以及市场竞争格局等因素的影响。二是误导资源配置流向，这是因为，多中心决策格局具有分散性，对市场信息的认同感较差，促使企业投资决策不符合社会经济发展战略目标，从而导致资源流向的不合理。三是有可能导致削弱社会公共设施等社会事业的投资，造成社会发展的不协调。总之，市场机制不是万能的，市场调节必须与宏观计划调节相结合，才能克服上述弊端。水市场的发展同样遵循这样的规律。

水商品供求关系的变化会引起水价格的波动，从而影响水市场主体的经济利益，引导市场主体调整经营行为，实现水资源的优化配置。

水市场的总供给与总需求的平衡，还表现为积累与消费总需求的平衡，表现为与国民收入总供给之间的相互协调和相互适应。要达到这一目标，就必须相应地改革现行的水利管理体制，建立健全中国水市场宏观管理制度，在政府引导水市场、水市场配置水资源的框架下，去建立具有中国特色的水市场，寻求全国统一水市场与区域水市场的最优结合。

四、水市场供需平衡

（一）水供求关系

水资源是稀缺资源。在市场经济条件下，要解决好把有限的水资源用于生活和生产问题，取决于消费者对生产者所提供的水商品的购买反映。

一切经济活动都是从需要开始的，水市场经济活动也不例外。社会劳动的分配，或者说社会生产的运行及其经济结构的建立，都取决于社会需要。按社会需要来调节社会生产，是社会经济发展的客观要求。随着社会经济的发展，购买者收入水平的提高，水消费需求内容不断扩大，层次不断提高，水的社会生产和产品供应也相应丰富多彩，水的生产导向逐步转变为需求导向。只有符合社会需求的供给才是有效供给。水的生产者可以有自己的选择，对生产时间、生产多少、怎样生产作出有利的选择；同时水的消费者也有自己的选择，在消费时间、消费多少、怎样消费这些问题上，也可以有各种各样的选择。水的生产者选择与水的消费者选择之间的关系，在社会经济发展的不同阶段是不同的。在社会生产力发展比较低的阶段，水生产只能满足人们最基本的生活需要，水生产者往往仅靠掘取地下水满足生活需要，生产者与消费者在自然经济形态中实现统一。在以社会化大生产为基础的商品经济条件下，生产者与消费者分离了，生产者选择与消费者选择之间的关系变得错综复杂了。在这种情况下，不仅生产者选择决定着消费者选择的实现，而且消费者也决定着生产者选择和生产权益的实现，生产者要使自己的选择和权益得到实现，就必须尊重消费者的选择，促进消费者权益的实现。

市场经济条件下，水消费者的选择，是通过水市场需求表现出来的。水价格反映了水市场需求的程度，水价格变动反映了水市场需求的变动。水价格既调节需求，也调节供给。水价格变动引起的水供给的相应变动程度因水商品的特性不同而有区别。水市场供给弹性的大小主要取决于供给的难易程度，即受时间和成本这两个综合因素的影响。调整供给时间是影响供给弹性的重要条件，但供给在短时间只会对价格变动发生较轻微的反应，如果经历的时间延长其反应就会加大。因为供给的变化通常意味着所使用的生产要素发生变化，但是，变化需要时间，而时间长短又因生产条件的不同而不同。对于水商品供给而言，在短期内，只能通过变动劳动力等可变生产要素来调整供给，而其他要素即水资源、供水工程等固定生产要素，只有在长期内才能得到改变。也只有在长期内，水商品供给才能对水价格的变化作出充分的调整。

（二）水供求规律

在水市场运行中，水商品供求表现为供给与需求的矛盾运动，与一般商品供求相比，有着大体相同的市场供求运动规律，认识这些规律，对于完善水市场体系、健全水市场机制、推动水市场经济的发展，有着重要的现实意义。水市场供求规律包括以下几个方面的内容。

1.水供求矛盾是绝对的，供求平衡是相对的

由于中国水资源与人口、经济分布的极不平衡，水市场的供求经常处于矛盾状态，供求平衡只是偶然的。但是，价值规律即市场价值规律调节着供求变化，使供求可以通过竞争趋向平衡。但供求平衡总是相对的、暂时的，平衡表现为供求运动中的平衡。供求变化影响市场价格的涨落，但市场价格反过来影响供求的增减。价格若高于市场价值则供给增加、需求减少，价格低于市场价值则相反。这种不平衡会连续发生，向一方的偏离会被相反方向的偏离抵消。价格对市场价值的上下偏离，通过一个过程的运动会互相抵消。所以，从动态上和总体上看，供求总是一致

中国水市场管理学

的，市场价格总是与市场价值一致的。但市场供求平衡往往是作为不平衡变动的结果和平均趋势而存在的，而且是通过市场竞争来实现的。市场价值取决于社会必要劳动时间，它调节着价格变动，使价格符合价值，同时，它又最终调节着供求，使供求趋于一致。因为价值规律调节着社会劳动时间的分配比例，从而调节生产与消费的比例关系，使市场供求保持相对的平衡。

水商品的价值，是在生产中创造并在市场上通过交换实现的。水商品只有按照符合价值的价格出售，价值才能实现，但必须具备两个条件：一是水商品生产者之间要通过充分的竞争，把社会需要的水商品量提供到市场上来；二是水商品消费者之间要通过竞争，使水商品的供给和需求趋向平衡。水商品的供给量是由社会所分配的一定的社会必要劳动时间所决定的，它与商品的价值没有必然联系。如果水商品的供给量超过当时的社会需要量，则超过部分的社会劳动时间就是社会所不必需的，就不会被社会所承认。这时，水商品就只能以低于其价值的价格出售。可见，只有供求平衡，水价格才能符合水价值，而要做到这一点，必须使消耗在水商品上的社会劳动总量同水商品的社会需要量相适应。市场竞争以及市场价格的波动，可以促使消耗在水商品生产上的社会劳动总量，转化为水商品的社会需要量。由此可见，正是通过水价格机制的作用，由竞争把个别劳动时间变成社会必要劳动时间，从而决定水商品价值。价格与价值的背离及趋向一致，是水价格机制发挥作用的形式。

总之，水供求的平衡是偶然现象，不平衡是经常的、永远的。不平衡彼此接连不断地发生于水市场运动的全过程，并通过供求之间的矛盾运动而实现相对平衡。从一个时点或较短时期来看，供求存在不平衡；但从一个较长时期看，供求会由于偏离的相互抵消而达到平衡。正是由于水市场供求双方在不平衡的相互对立的转化中，通过供求机制实现了供求平衡，可见水商品供求机制是供求双方矛盾运动的平衡机制，是解决水市场供求矛盾，实现水市场平衡的基本方法。

2.水市场供求与水市场价格互动运行、互为条件

水市场机制主要是由水供求机制和水价格机制构成的。所谓水供求机制，就是水市场供求变动与水市场价格变动的联系。所谓水价格机制就是水市场价格变动与供求变动的有机联系和运动方式。水市场供求变化引起水价格变动，而水价格变动又会引起新的水供求变化。正是在这种相互联系和波动中，供求关系逐步趋向平衡，价格和价值大体相符，价值规律的要求才得以实现。因此，水价格机制是价值规律实现的基本形式，水价格是调节市场供求关系的有力杠杆。

水供求与水市场价格的关系，包括两个方面，一是供求影响市场价格，按照社会必要劳动时间理论，如果供给超过了社会需求，则形成的超额劳动时间就难以转化成社会必要劳动时间，因而市场价格就要低于市场价值；二是市场价格反过来影响供求，市场价格上涨，供给增加，需求减少；市场价格下跌，供给减少，需求增加。

当供求一致时，水市场价格与水市场价值一致；当供大于求时，市场价格就会下跌到市场价值以下，这是因为供给量大于社会需要量，有一部分商品耗费的劳动不能实现为价值。反之，如果市场需求大于供给，则价格就会上涨到市场价值以上。价格下跌，生产者不能全部实现产品价值，利益受损，就缩减生产，促使供给减少。价格上涨，生产者获得超额价值，就会增加生产，从而增加供给。

那么，水的市场价格是如何决定供求的呢？这里需要确定两个假定条件：一是市场上存在众多的买者和卖者；二是在买方之间、卖方之间、买卖双方之间存在着竞争。在这种条件下，不难发现水市场中价格决定供求的规律——价格下降，将引起需求增

加、供给减少；价格上升，将引起需求减少、供给增加。水市场上各经济主体之间的竞争不断影响着水价格，水价格又反过来影响供给和需求。当市场竞争使市场上水商品的供给和需求相一致时就形成了供求均衡，处于供求均衡点上的价格就是均衡价格。均衡价格是通过市场供求的自发调节而形成的。当商品价格偏离均衡点时，供求的相互作用又会使价格回到均衡点。例如，当价格高于均衡价格时，需求量将下降，供给量将增加，供给大于需求将引起价格下降，使之回落到均衡点，使供求相等，恢复市场均衡；反之，当价格低于均衡价格时，需求将上升，供给量将下降，需求大于供给，使价格上升到均衡点，供给与需求相等，重新达到均衡状态。由此可以引出水商品的供求定律，即水市场价格变化的基本定律——需求大于供给，价格上升；需求小于供给，价格下降；供求相等，形成均衡价格。

那么，如何判明水市场价格是均衡价格呢？所谓均衡价格是水商品的需求价格和供给价格相一致时的价格。需求价格是指消费者对一定量水商品所愿意支付的价格，供给价格是指生产者为提供一定量水商品所愿意接受的价格。因此，如果水市场价格是众多购买者为取得水商品所愿意接受的价格，那么，这种水市场价格就是均衡价格。

可见，在依靠市场配置资源制度下，水价格是由水市场上的供给和需求两种力量相互作用而决定的。水价格在引导和调节水资源的配置和利用方面发挥着极为重要的作用。当市场上某种水商品相对稀缺时，价格上升，利润增长，生产要素收益增加，其结果是引起生产要素的正向流动，供给按照消费者的愿望得到增加。反之，如果消费者不需要某种水商品，价格就会下跌，生产要素收益减少，其结果引起生产要素反向流动。在这里，价格制度反映了消费者的意愿，并且根据这些意愿来分配生产性资源要素。这种通过市场价格分配水资源和水商品的市场经济体制具有

中
国
水
市
场
管
理
学

157

明显的优点，在这种体制下，各种水商品价格集合成的价格体系好像一架庞大的计算机，记下了人们对各种水商品的期望，并把这些期望传递给水商品生产者，把生产资源转移到水资源商品的生产上来，实现水资源的高效利用。当然，这种体制也存在不足之处，最大的难点，是水商品的供给存在特殊性及水商品功能的不可替代性，生产要素的相对固定，以及水资源的自然属性和作为水商品长途输送的困难，都影响着水商品市场的理性配置。但是，作为水商品供求与价格互动运行的结论却具有一般的市场意义，为水市场的价格改革提供了有益的借鉴。

3.水供求矛盾运动推动水市场经济发展

水商品市场供给与需求既相互对立又相互依赖，形成矛盾运动的总体。正是这种供求矛盾的运动，推动着水市场向前发展。

在水市场上，水商品生产者必须通过市场让渡商品，取得货币；水商品消费者必须通过市场用货币购买水商品，以满足自己的需要。供给，是指生产者不断生产并提供给水市场的可供出售的原水资源。需求，是指水市场上出现的对水商品的需要，它不仅指消费者的购买欲望，而且反映购买能力即支付能力的大小。需求引导供给，供给为了满足需求，又促进产生新的需求。新的需求从总体上形成水商品运动，从而构成水市场活动的主体内容。这种水商品供求的矛盾运动，是生产分工内部矛盾的外部表现形式，它不断地推动着水市场的扩展，推动着水利经济的发展。

水供求关系受多种因素影响，在水市场上无止境地增减变化，并处于不断的运动之中，其中任何因素的变化都会引起供求关系的变动。水市场需求有很大的伸缩性，即所谓需求弹性，需求弹性取决于货币收入的增减、价格的高低、购买者心理、商品的替代作用，依次形成需求的收入弹性、价格弹性和交叉弹性。水商品供给也有弹性，商品的供给弹性是指供给量对价格变动的反应程度，即价格按一定比率上升或下降所引起的供给量增加或减少的比率。但水商品供给弹性比较复杂，因为供给量的调整涉及到水利工程规模、周期、资金转移等复杂因素的综合影响，因而需要一定的时间，有较大难度。正是由于水商品供给和需求受多种因素综合影响，又具有一定的弹性区间，所以供求始终处于"多"与"少"的运动状态之中。

水市场的合理运行，客观上要求水市场供给和水市场需求大体平衡，但从供给与需求的变化来看，供求是难以达到一致的。水市场供求机制正是通过价格变动使供求趋向平衡。当供大于求时，价格下跌;需求增加，需求增加到一定程度就会大于供给，则引起价格上涨，刺激供给增加……如此往返变化，使得供给与需求大体上趋于平衡，因而水市场供求与价格的关系表现为两方面：一是水商品供求影响水价格，供求不平衡导致水价格涨跌;二是水价格反过来影响水商品供求，价格的变动使水商品供求趋向平衡。

水商品的供求机制在均衡和非均衡两种不同类型的市场上，发挥的功能和作用是不相同的。在均衡市场上，由于供求相对均衡，价格成为均衡价格，供求处于相对稳定的状态；在非均衡市场上，如果需求总是大于供给，生产者与消费者处于非对等地位，生产者在市场上处于优势，消费者在市场上就处于劣势，生产者往往感受不到市场的约束，常常会通过提高价格等手段获得较高利润；如果供给总是大于需求，消费者在市场上处于优势，生产者在市场上就处于劣势，这时的竞争主要在生产者之间进行，从而促使生产者改进技术、降低成本、改善管理、提高服务水平等。在实际经济生活中，均衡市场很难形成，非均衡市场普遍存在。由于水资源总量的约束，水商品供给总是有限的，区域、区际间的水资源商品按照市场关系流动也还存在许多不利于水市场运行的客观因素。因此，水供求机制作用研究，在客观上

中
国
水
市
场
管
理
学

159

提出了调查市场、研究市场、预测市场、分析市场的研究任务，然后作出水市场理论和方法的总结，这从不同的侧面为水利改革环境下的水市场建设提供了发展空间。

第四节　水市场竞争机制

竞争是市场经济的基本特征，只要有市场就会有竞争。竞争体现市场经济的发育程度，竞争的理性程度与市场发育的成熟程度是一致的。水市场竞争机制的作用，在于转变经营方式，以尽量少的投入，获得尽量多的产出，提高社会、经济效益，进而实现水利经济增长方式的根本性转变。

一、水市场竞争的必然性

（一）竞争是市场的天然属性

竞争是市场经济条件下，不同经济主体之间在共同市场上，为了取得优势以实现自身最大社会、经济效益而展开的各种较量，竞争是商品生产者为取得有利的产销条件而进行的系统的市场活动。

市场竞争客观存在于市场经济中，竞争成为联结市场诸要素的纽带，并作为一种启发的力量，制约着各利益主体的经济行为。市场竞争是经济发展的必然现象，只要有商品生产，就会有市场竞争。同商品经济一样，市场竞争得以形成的一般基础是社会分工，并随着社会分工的发展而发展，同时，市场竞争也对社会分工的发展起着巨大的促进作用。竞争是社会分工的产物，一方面，社会分工把生产资料和劳动力分散在许多具有不同职能的市场主体内，这些主体生产个别价值，存在交换的需要。而个别价值的认定过程即确定不同使用价值交换比例的过程，就是一个竞价过程，因为隐含在使用价值背后的价值是看不见摸不着的，只有通过买卖双方讨价还价以及买者之间和卖者之间报价的比较，才能确定交换比例，才能实现交换，形成商品的交换价格。竞价是市场竞争最初和最基本的表现形式。另一方面，社会分工把不同使用价值的生产者分成一个一个相对独立的经济实体，即利益单位。较为典型的企业形式，就是具有自身特殊利益的经济实体。这些经济实体要维持自己的生存，要实现自我发展，就必须在市场活动中追求更高的利润率。为了取得更高的利润率，就必须占据有利的市场条件，即通过市场，获得价廉物美的合适的原材料、生产工具和劳动力，占据更多的市场份额。各个市场主体为取得更好的市场条件而展开的相互之间的力量较量，就是市场竞争，市场竞争的实质是利益争夺。

（二）竞争机制是水市场发展的内在动力

建立水市场，是发展水利经济的一场革命。过去，在计划经济体制下，水资源作为关系国计民生的战略性资源、自然环境的重要控制要素被掠夺使用，水资源被大量浪费，水环境不断恶化，水体净化能力不断下降，浪费水—缺水—水环境恶化连锁产生，水商品企业缺少生机，缺少活力，根本原因就在于水市场供求关系不完善，竞争机制不健全。水利走向市场，就必然引起水市场竞争机制的新一轮嬗变。因为市场是以市场价格的变动来调节各种商品、劳务和生产要素的供给和需求以及调节生产经营和消费行为，从而实现社会资源重新配置的。在各种市场机制中，价格机制是核心，价格是最有效的调节手段。水市场主体为了争夺价格优势，必然展开激烈的竞争，通过竞争的优胜劣汰使竞争的一方处于利益的主动地位。

对于水资源竞争而言，由于可供水量不足、水质达不到用水标准或工程调蓄能力限制，致使水资源竞争表现在用水目的上、时间上、地域上的较量。

首先，用水目的上的竞争性，主要体现在两个层次上。第一，在微观目标上，防洪与兴利以及兴利诸目标间的用水矛盾。如防洪需要在汛前尽量预留一些防洪库容，而兴利诸目标均希望水库在汛期多蓄水，以备汛后"均匀"地利用。第二，在宏观层次上，用水竞争性体现在各经济部门之间。在有限的水资源已成为区域可持续发展的制约因素时，若满足迅速增长的城市与工业用水，则势必影响农业灌溉；若把有限的资金用于扩大供水能力，则可能弱化水资源保护和污水治理，从而导致由于水体污染造成的有效水资源的减少。

其次，用水时间上的竞争，主要体现在发电与灌溉、城市供水与灌溉、通航与发电的用水矛盾上。对于水力发电、城市供水等连续生产行为，一般要求各时段有稳定的泄水量，而灌溉用水则有较强的季节性，因而产生了年内均匀用水与灌溉期集中用水的冲突。又如，水库水电站一般担负电力系统的调峰任务，因而一天仅在几个时段内大量用水，造成下游河道水位变化较大，给船只航运和泊岸装卸操作带来困难。

再次，用水地域上的竞争，主要体现在上下游、左右岸的可用水量及水质上。往往是上游多用水，下游可用水量不足；上游水质条件好，下游河段水质矿化度提高，水污染威胁严重，用水成本提高。

从作用的指向看，用水目的的竞争，在决策上属于多目标问题；用水时间上的竞争通常涉及到不同用水部门间利益的协调；用水地域上的竞争，涉及到不同地区初始水权的分配问题。此外，用水竞争性，在更深层次上还体现了投资的竞争性。因此，用水竞争性不仅使水资源开发利用成为一个复杂的多层次、多目标群的决策问题，而且已经成为水资源可持续利用的内在机制，推动着水市场运行机制的良性循环。

二、水市场竞争的类型

水市场引进竞争机制包含的内容十分广泛，既有与体制相联系的水利企事业改革，又有与管理制度相联系的水企运营改革，还有涉及水利投资与活化存量资产的制度创新、人力资源的分布等。但水市场竞争机制的质态分析，又可以归纳性地从水市场的态势、程度、机制、策略上进行描述。

（一）从水市场态势上分类

水市场竞争机制的最基本的形式，是买者、卖者和买卖者之间的竞争，这是市场态势上的利益较量，是水市场在宏观环境作用下的优胜劣汰的角逐。

买者之间的竞争，主要发生在水资源稀缺的地区，在卖方市场上产生。由于水商品供给量小于需求量，表现出供给不足，因而使供给者处于主动地位，而需求者处于被动地位，过多的需求量争夺较少的供给量，使市场竞争主要发生在需求者之间。

卖者之间的竞争，主要发生在水资源丰沛的地区，在买方市场上产生。买方市场条件下，由于需求得到满足，体现出"消费者主权"，因而它优于卖方市场。但是，买方市场仍然是一种不完善的市场，水商品供给过剩不仅使市场价格信号偏离正常状态，使市场机制的功能被扭曲，不能发挥应有的作用，而且表明社会有限水资源非效率利用。在买方市场竞争中，由于商品供给量大于需求量，表现出供给过剩，使供给者处于被动地位，需求者处于主动地位，过多的供给量争夺较少的销售市场或需求者，使市场竞争主要发生在供给者之间，演变为低水价下的用水浪费。

买者与卖者之间的竞争。是买者与卖者围绕价格展开的竞争，这是一种任何市场态势下都存在的竞争形式，它主要作用于均衡市场上，或者说，在政府宏观政策的调控下，水商品买者与卖者在水市场上，力求实现均衡竞争，是"准市场"条件下的限制竞争。

（二）从市场程度上分类

水市场竞争在水市场运行的程度上，可分为完全竞争市场、垄断竞争市场、完全垄断市场。完全竞争水市场，是指没有任何垄断因素、完全自由竞争的市场。其特征表现在：一是市场上所有的买者和卖者参加同类、同质水商品的市场交易，水生产者的产品是没有差别的，水产品之间是可以相互替代的；二是市场成交的价格是在多次大量交易过程中自然形成的，单一的买者和卖者都没有力量影响市场价格；三是水商品生产要素随需求的变化可以在不同行业之间自由流动；四是水企业可以确切地了解自己的销售收入和成本函数。完全竞争水市场目前还没有出现，但从市场特性和水市场的发展趋势看，这种类型的水市场在一定范围、一定区域内将会出现。垄断竞争市场，即带有垄断因素的竞争，这种类型的水市场比较普遍。由于水资源所有权属于国家，特定区域存在集体所有制水权，这就从社会属性上决定了水市场具有垄断竞争的特点。同时，又由于水资源具有地域性和区域性的自然属性，使水市场的垄断竞争成为可能。其垄断竞争的特征表现在：一是水市场上有许多水资源企业生产的水商品是有差别的，消费者渐渐形成了对水商品消费的偏好，并形成约定的消费方式；二是企业之间存在着价格外如质量、服务、销售条件等竞争手段；三是企业具有程度有限的改变价格的自主权。完全垄断市场，即市场上的水资源商品只有一家企业经营，市场上不可能产生相似的替代产品，交易价格由垄断一方决定。在现实水市场中，完全垄断市场特征十分明显，水市场改革就是要引入市场的竞争机制，发展垄断竞争市场。

（三）从水市场机制上分类

从水市场运行的角度看，竞争还可以分为买方内部的竞争、卖方内部的竞争及买方与卖方的竞争；从水的社会生产的角度看，竞争可分为部门内部的竞争和部门之间的竞争；从竞争的方式看，又可以分为正当竞争、不正当竞争和价格竞争、非价格竞争。正当的价格竞争是竞争的基本形式，其实质是劳动生产率的比较，是个别劳动时间与社会必要劳动时间的比较，这种形式的竞争是在部门内部进行的，或者说是在生产同类水商品的企业之间进行的。部门之间的竞争是由于供求与价格变化所引起的生产资料与劳动力在部门之间的转移，形成资源的重新配置，提高资源的使用效率的竞争。非价格竞争，主要是通过特色创新、售后服务、广告效应、商品信誉、企业形象和品牌等方式进行的。竞争机制的功能在于能对水企业形成一种外在的压力，促进企业劳动生产率的提高，有效使用相对稀缺的水资源。

（四）从市场策略上分类

在市场经济条件下，水企业参与水市场竞争的策略是多种多样、变化莫测的，但能够体现水市场竞争机制的基本类型主要有：

（1）廉价竞争。即通过降低成本或降低利润率，以扩大销售的价格竞争。

（2）质量竞争。即通过提高水商品质量和服务质量而提高企业信誉，以扩大产品销路的市场竞争。

（3）创新竞争。即企业通过革新工艺，开发新的水商品，创造新的市场需求，以占领更大市场份额的竞争策略。

以上三种类型的竞争主要发生于纯水市场。

（4）时效竞争。时效，是指产品和服务提供的适时和及时的程度。时效竞争即通过提高时效而进行的竞争，关键是适时、快速。时效竞争主要体现在原水资源供给市场。

（5）借力竞争。即企业通过发展经济联合，借助企业集团的实力和优势，增强企业参与市场竞争的力量和减少风险，以求自身的生存和发展。

竞争的策略手段，主要是价格竞争，以较低廉的价格战胜对手。竞争的内容包括争夺较大的销售市场、争夺资金来源、争夺先进技术、争夺技术人才等。竞争机制充分发挥作用和展开的标志是优胜劣汰。因此，水市场竞争机制的功能，一方面是保证水商品这一竞争形式主要是在政府引导下，以水利基础设施建设和城市涉水建设而展开的竞争，能依靠价格机制充分展开，并充分发挥其竞争功能；另一方面是保证水市场机制对水企业活动能够充分实施调节，并在一定区域内以工程措施分配原水资源。

三、水市场竞争机制的作用

水市场竞争是水市场机制的基本要素。水市场机制促进水利生产力发展和调整水资源的配置，都是通过水市场竞争机制而实现的。一般意义上的市场竞争，可以促使企业改善经营管理和提高劳动生产率，促使企业的资源在社会生产各部门之间流动。形成的竞争机制是一种优胜劣汰的压力机制，任何经济主体不仅把获取最大利益作为动力，而且也因为竞争机制这条"鞭子"的存在而不断奋进。市场竞争的作用存在于竞争过程之中，如果没有竞争或缺乏竞争，占据垄断市场地位的少数企业就会靠牺牲其他市场参与者的利益，谋取垄断利润，整个社会的经济效率和福利水平也就会因此降低。经济学家常讲"一个竞争者胜过一打物价监督员"，竞争能降低商品的市场价格、增加商品功能和品种、促使厂商提高产品质量和服务质量。正因为如此，市场经济下政府的主要职责，就是通过经济、法规、行政等各种手段促进竞争，让所有市场主体都公平地参与市场竞争。总之，竞争机制是市场机制的重要组成部分，是市场的天然性质和活力机制。正是按照优胜劣汰的竞争规则进行竞争，才使经济不断发展、社会不断进步。

水市场竞争机制，既有市场竞争的共性，又有水市场竞争的个性。在共性方面，水市场竞争依据的法则、原理、结果都是一样的，目标是促进水资源的高效利用和市场主体的利益最大化，以水资源的可持续利用，支持经济与社会的可持续发展。在个性方面，由于水市场竞争的局限性和竞争内容的单一性，水市场竞争机制的作用方向和条件都受到政府行为的严格限制，其优胜劣汰的双重效应被政府的产业政策限定在一个狭小的范围内。但是，水市场竞争机制，对于促进水市场经济发展仍发挥着重要作用，这些作用主要表现在以下几个方面。

（一）竞争有利于形成正确的水市场信息

水市场竞争有利于水企业增强市场观念和效益观念，从而为企业发展提供正确的市场信息。在水市场竞争中，企业的水商品必须在市场上接受广大消费者的评价和检验，能否为消费者所接受，关系到企业的生存和发展。水商品适销对路，经济效益就好，企业和职工的收入就增高，否则，效益就降低甚至会亏本。这就迫使企业一方面要面向市场，注意生产更多适销对路的产品，另一方面要改善经营管理，努力提高经济效益。竞争的内容，包括争夺销售市场、争夺高质量原水资源、争夺资金和先进技术、争夺人才和信息等。水市场竞争机制反映了市场竞争与供求关系、价格变动、资金和劳动力流动等相互之间的有机联系和作用过程，这一过程为水市场主体提供了合理的发展资讯和市场信息，使水市场主体迅速作出科学的决策。

（二）竞争有利于水企业技术进步

水市场竞争的外在强制特点，必然会影响并转化为内部强制，变成水企业发展的内在动力。在市场竞争中，企业只有不断采用新技术、新设备、新工艺、新材料，才能使自己的产品价值低于市场价值，从而提高本企业的经济利益。水企业为了提高劳动生产率，必须不断开发新的水产品，采用新工艺、新技术，这就必然促使水企业的分工进一步深化。由于分工，市场价值不是由个别劳动时间形成的，而是由社会必要劳动时间形成的。社会必要劳动时间只有通过竞争才能形成。通过竞争，价值规律才发挥作用。竞争机制的强制性作用，督促水企业不断改进技术、加强管理、降低生产费用、提高产品和服务质量，从而不断提高经济效益。竞争机制作为外部强制力量的制约杠杆，推动着水市场主体在平等竞争的机会条件下，采用先进技术、改善经营管理、提高劳动生产率，在竞争机制作用下，实现优胜劣汰。

（三）竞争有利于增强水企业活力

水市场竞争是市场机制的活力要素，是水市场的天然属性和活力机制。传统的计划经济体制否认和排斥竞争，企业面向政府，背对市场。生产什么、生产多少，不是根据市场需要，而是由政府管理部门决定。产品无需经过市场检验，好、坏、优、劣皆不影响企业的生存。在这种体制下，企业行为是被动的，根本感受不到竞争的压力和破产的威胁。企业经营活力、经营创造力更是无从谈起。

随着企业水商品生产者地位的确立，竞争关系也随之确立。利害得失的计较，将迫使企业对内全面提高素质、对外适应市场需求，灵活地从事生产经营。竞争机制发挥作用的条件，在于水市场对自身利益的追求，表现为竞争。竞争通过生产要素的合理流动和组合，使社会劳动总量得到合理分配。竞争机制的这种分配职能不是计划所能代替的，它是不以人的意志为转移的社会过程。在竞争中，以资金为主要表现形式的生产要素随利润变动而流动，形成动态平衡，从而使水企业保持生机和活力。

（四）竞争有利于促进水企业以水市场为导向进行横向经济联合

在计划经济体制下，"条条"封锁，"块块"分割，水企业成了水行政主管部门的附属物，由于缺少经济联系和经济交流，阻碍了水资源、资金、技术和人才的流动和有效利用。开展形式各异的市场竞争，水企业在自身利益驱使下，企业行为的外向性将逐步增强，以水资源为主要形式的经济资源必然会在最优的组织形式中得到最有效的利用。

水市场竞争有利于在自觉运用价值规律的基础上，对水利经济的宏观调控进行管理。市场竞争可以把社会的总供给和总需求之间的变化灵活、及时地显示出来。竞争的这种作用，为国家制定和调整指令性、指导性计划提供了重要依据，从而使计划管理建立在科学的、可靠的基础上。政府通过对水资源的计划性管理、宏观性调控，促进水企业的横向联合，有利于打破地区间、流域和区域间的封锁，从而提高水资源的配置效率。

四、科技创新与水市场竞争

水市场竞争"争"什么？除了竞争的一般内容外，其关键在于科技创新的竞争。因为，科技创新是水利事业发展的"生命线"。近年来，我国水利科技迅猛发展，为水利建设、改革和发展提供了强有力的支持。"九五"期间，完成了许多国家科技攻关项目，水利科技体制改革成效显著，科技推广工作全面普及，国际合作与交流正向深度和广度发展。当前，我国社会主义现代化建设正是向第三步战略目标迈进的关键时期，水利工作任重道远。对水利行业发展而言，如果没有创新意识，缺乏科技创新能力，就意味着由传统水利向现代水利的转变将失去强有力的科技支撑，就难以保持水利事业的持续稳定发展。从战略高度认识这一问题，加快科技创新，是促进水利现代化建设的首要选择。

（一）科技创新是水市场竞争的重要内容

首先，科技创新是促进水利现代化的必然要求。当今世界经济全球化趋势不断增强，国际竞争日趋激烈，要实现我国现代化建设、解决经济和社会生活中存在的矛盾和问题，必须保持较快的发展速度。水利作为国民经济和社会发展的支撑，必须为人居用水安全、防洪安全、粮食安全、保证经济发展的安全和保护生态环境的安全等提供保障。加快科技创新，促进水利现代化，是水利更好地为经济和社会发展服务的直接动力。

其次，科技创新是水利产业结构调整的需要。从产业结构调整方面看，耕地和水资源紧缺已成为我国农业发展的长期制约因素，加快科技进步与创新，加强节水灌溉技术与农业技术的结合，有利于进一步夯实农业基础地位，保障粮食安全，为建成节水高效现代灌溉农业和现代旱地农业奠定基础。当前，水资源短缺已成为我国经济和社会发展的严重制约因素，必须把节约和保护水资源提高到战略高度加以认识。通过科技进步与创新，不断提高科技对水利的贡献率，以水资源的可持续利用，支持水利产业结构调整，最终实现社会与经济的可持续发展。

最后，科技创新是水利人竞争取胜的法宝。水利科技创新的原则是，科技创新必须服务于水利建设；必须坚持可持续发展；必须促进学科的交叉、综合、渗透，鼓励跨行业、跨领域联合科技攻关；必须坚持用高新技术对水利行业进行技术改造。创新是一个民族进步的灵魂，是国家兴旺发达的不竭动力。创新包括思路创新、制度创新和科技创新等诸多方面。在思路创新方面，要坚持水资源可持续利用的原则，实现人口、资源、环境的协调发展；要坚持全面规划、统筹兼顾、标本兼治、综合治理的方针，不断适应社会主义市场经济体制的要求。在制度创新方面，要坚持科技体制改革，以"正确定位、分类指导、稳住重点、促进发展"为核心，积极而有序地进行。在科技创新方面，要不断探索新理论、新方法和新模式，创造新技术、新工艺和新材料，要在规划、设计、施工、管理和科研等方面实施全方位创新计划，并以市场为结合点，提高理论指导实践的水平。

（二）信息化是水市场竞争的制高点

水利信息化建设，为科学合理地实施防汛抢险等救灾指挥、减轻洪水灾害、保障人民生命财产安全，发挥着巨大作用。当今的市场竞争，不仅是资本、产品和技术的竞争，而且是更激烈的信息竞争，这是信息时代一切市场竞争的制高点，更是水市场竞争的制高点。只有把资源优势与信息优势结合起来，才能形成更强的竞争能力。在国外，一些大公司为了保证本公司在商务活动中有竞争力，都设有自己的商情信息网。水利行业是一个信息密集型行业，一方面，水利部门要向国家和相关行业提供大量的水利信息，包括汛情旱情信息、水量水质信息、水环境信息和水工程信息等等，为防洪抗旱和水资源综合管理服务，为国民经济发展服务；另一方面，水利建设本身也离不开相关行业的信息支持，包括流域区域经济信息、生态环境信息、气候气象信息、地球物理信息、地质灾害信息等等。因此，加速水利信息化建设，既是国民经济信息化建设的重要组成部分，同时也是水利事业自身发展的迫切需要，也是水市场实现制高点竞争的重要环节。水市场信息化系统建设主要包括以下三方面内容。

中国水市场管理学

171

1.构建水市场信息采集系统

构建水市场信息采集系统，既能为各级水利部门和防汛调度指挥部门源源不断地提供即时信息，还是水市场实现竞争的千里眼，顺风耳。水市场信息采集系统由以下几个层次组成：第一个层次是各类传感器，主要对雨量、水位和流量等参数进行测量，控制水市场体系中运作的水资源总量；第二个层次是利用终端单元来接受传感器的数据，进行必要的处理后建立水市场的数据系统；第三个层次一般是各监测分中心利用无线数字传输电台收集水市场运行的数据；第四个层次是通过微波等通信干线将各监测中心的数据汇集到上一级信息中心进行处理，建立水市场运行质态监测数据库，为国家加强宏观水市场监控提供科学的依据。

2.编织水市场通信保障系统

信息化的核心作用是通信系统，它不仅包括水市场调控水资源数据的上传下达，还为水市场制度建设提供通信保障。水市场作为调整水利产业与水资源配置的神经中枢，它的触点应遍布水市场运行的各个角落，这主要可以依靠计算机网络系统将收集到的水市场数据进行处理，为水资源流域配置和区域结构调整提供可靠的数据库，最终为决策提供依据。通信系统中无线调度系统是理想的无线通信方式。无线调度系统分为常规移动通信系统和集群移动通信系统，它能满足分布在水市场中的各类型区域的市场主体不同层次的要求，构成水市场通信保障系统的基本形式。

　　3.实现水市场信息化管理

　　提高计算机和网络的普及应用程度，加强信息资源的开发和利用，已成为当今社会发展的主流。水利信息化是社会信息化不可或缺的组成部分，同时也是水市场实现水资源调控现代化的基础，是构成水利现代化的主要目标。要实现这一目标，必须把加速科技进步和创新放在首要位置，通过采用计算机技术、网络技术、微电子技术、现代通信技术、计算机辅助设计系统、遥感技术、地理信息系统、全球定位系统、自动化技术等高新技术对襁褓中的水市场的运行进行规范与监控，在水资源的监控调度、雨洪利用及水市场投入产出分析、大中型灌区的计算机监控等诸多方面发挥作用，实现水市场信息化管理，进而实现水利管理现代化。

第四章　水市场水权交易

173

水权制度是水市场运行的基础性因素，构建水权市场、抢占水资源市场的制高点，是建立水市场制度的核心。

水资源短缺已经成为中国经济社会发展的严重制约因素，为应对水资源紧缺日益严重的形势，必须建立水权制度，以水权制度的规范运行，实现水资源有偿使用和转让，达到优化配置水资源，提高水资源的利用效率的目的，这是实现水利现代化首要的理性选择。

第一节　水权理论

水权是经济学中的产权理论渗透到水资源领域的产物。水是一个很大的概念，从《中华人民共和国水法》规定的范畴看，水包括地表水、地下水、大气水、土壤水、海水、污水等，研究水权，首先必须弄清楚水权的概念、水权的属性、水权的特征。

一、水权概念

水权是指有限的可利用的淡水资源，在不同群体范围内或个人间的所有权、使用权、受益权和处分权，具体含义可以从以下三个方面理解。

（一）水权是水资源的产权

产权是财产权的简称，它是法定的主体对财产的所有权、占有权、收益权和处置权的总称。它以所有权为基础、为核心。排他性是产权的本质特征，即在一切自然人企业制度下，财产权是由法律规定的主体对于客体的最高的、排他性的独占权；在法人企业制度下，所有权与经营权的分离具有法律意义，即公司财产取得了独立的法律形式，即法人资产。

在经济上，产权有以下特征：

（1）产权是所有制关系的法律形态。产权是依法获得的权利。生产资料的所有关系有两种表现形式：一是人们在生产资料或财产占有上所体现的经济关系；二是所有权的独占或垄断在法律上表现出来的法权关系，即排他性产权。

（2）排他性产权的契约性质。产权作为所有制关系的法律形式，具有上层建筑的属性，产权所有者要求他人在法律上承认他对财产的权利。同时，所有者还可以通过契约或委托形式，把财产的占有、使用、收益、处置等产权权益在特定时期内转让或租赁出去，如承包者获得财产在一定时期内的收益权和使用权。在公司法人制度下，股权与物权相分离，收益权与处置权脱离。

（3）产权起源与资源稀缺性及交易费用有关。现代产权理论认为，强有力的产权约束能防止资源的滥用，合理的产权安排可以促使资源的有效配置。同时，产权归属的确定性使得产权交易中的谈判对象大大减少，从而大大降低交易费用并提高配置效率。

（4）产权的统一性和不完全性。产权的统一性，也就是产权的完全性或完全产权，即使用权、收益权、转让权、处置权集中于同一主体。随着产权的交易与流动，产权发生分解，出现了不完全产权，债即是典型的不完全产权。市场经济中的产权，绝大多数是不完全产权。在产权的具体运用和交易的情况下，"四权"以不同形式分离。例如，在现代公司制度中，产权分解为股权、法人所有权、经营权，其产权主体分别为股东、董事会和总经理。

产权概念较之所有权概念，内容更宽泛、更具体，它主要回答资源配置主体在法律范围内可行使的各项权利。所以，产权概念有利于揭示经济生活中多种复杂的财产占有和支配形式，有利于人们更具体地把握所有权的内涵及实现形式。如对清新空气的享用权、阳光的采集权、宁静受用权等，虽不能成为所有权的内容，却可以成为产权的内容。

（二）水权的核心是所有权

《中华人民共和国宪法》第九条规定："矿藏、水流、森林、山岭、草原、荒地、滩涂等自然资源，都属于国家所有；由法律规定属于集体所有的森林和山岭、草原、荒地、滩涂除外。"《中华人民共和国水法》第三条规定："水资源属于国家所有，水资源的所有权由国务院代表国家行使。农业集体经济组织的水塘和由农村集体经济组织修建管理的水库中的水，归各该农村集体经济组织使用。"

中国水资源的所有权现状是，水资源的所有权属于国家，但农业集体经济组织所有的水塘、水库中的水（即水资源中的部分水体）仍按原水法的方式管理，仍具有集体所有的特征。在计划经济体制下，我国长期实行以计划手段配置水资源，水资源产权主体混乱，致使水资源配置效益低下。随着经济社会的不断发展，水的供求矛盾日益突出，水资源短缺日趋严重。为了解决这一突出矛盾，世界各国普遍通过立法规定水资源为公共所有、建立和完善水权制度、实行水资源所有权与使用权分离、水资源实行有偿使用和转让等方式，以提高水的利用效率，实现水资源的优化配置，满足经济社会发展对水资源的需求。由于水资源的所有权属国家所有，这就决定了水资源的保护和管理的主体是国家。国家可以通过所有权采取行政的、经济的、法律的等各种手段来调配、保护和管理水资源，并通过行使受益权，建立水资源有偿使用制度，实行水使用权的转让。

但长期以来，谁代表国家行使所有权及如何行使所有权都不够明确，所有权、使用权、行政权三者混淆。通常以行政权、使用权管理代替所有权管理，致使所有权被淡化、肢解，国家作为所有者的代表，地位模糊，使所有者的责、权、利无人监管落实。各部门之间、单位之间以及个人之间在水资源开发利用方面的水事纠纷日益加剧，因此，必须明确国家所有者代表。我国法律规定，国家授权水利部为水行政主管部门。

（三）完整的水权包括所有权、使用权、受益权和处分权

国家对水资源，农村集体经济组织对其所有的水塘、水库的水（即部分水体）享有占有、使用、收益、处分四项权能。《中华人民共和国民法通则》第七十一条规定：财产所有权是指所有人依法对自己的财产享有、使用、收益和处分的权利。这就是说，权利主体即国家，对权利客体即国境内水资源享有所有权；权利主体即农村集体经济组织，对权利客体即农村集体经济组织所有的水塘、水库中的水（即部分水体）享有所有权，两种权利主体对所有权财产享有占有、使用、收益和处分的权利。在民法理论中，占有、使用、收益、处分四项权能的基本解释分别是：占有，指所有权权利主体对于财产的实际管理或控制的事实；使用，指特定权利主体依照财产的性质和用途，在不损坏物之本身或变更其性质的情形下对财产加以利用；收益，指通过对所有物的占有、使用等取得其新增利益的权利；处分，指权利主体对其财产在事实上和法律上的处置，由此决定物的命运的权能。一般而言，处分权是所有权内容的核心和基本权能。

在产权理论中，完整的所有权包容了占有、使用、收益、处分等四项基本权能。这四项权能通常与所有人结合在一起，但由

于每项权能，因其特定的内容和相对独立性而具有可分性，因而在实际生活中，四项权利的部分或全部权能根据法律规定或所有人的意志，经常与所有人发生或长或短的分离，但并不因此使所有人丧失对财产的所有权。四项权能的分离与恢复，使所有人发挥物的效益，满足生产、生活需要或实现财产利益。

水的所有权，是对应水资源的所有权提出的。水资源是从整体上来概括的，而水是指个体、单体水，个体、单体水的所有权称为水的所有权。这如同森林资源、林木和木材，森林资源的所有权属于国家、集体，而林木、木材的所有权属于各种市场主体。所谓水的所有权，就是指经过制度安排，可以在各种市场主体之间转移的水的所有权。这种区分对于我们进一步认识水权的属性具有现实和理论意义。

二、水权属性

水权是指对水资源的所有权，其权能包括水资源的占有、使用、收益和处分四项权能。其中，占有、使用、收益三种权能可以概括为使用权。水权是一组权利和义务的结合，包括水资源的所有权和使用权、防洪和除涝义务、污水治理责任等。水资源的所有权与使用权可以相互分离，由不同的市场主体行使。

（一）水权的法律属性

1.公权性

水权的公权性质，从根本上看，是由水资源的国家所有决定的。随着人类社会的发展与人类社会对水资源的依赖和需求，人们逐渐认识到水资源蕴含着巨大的经济价值和不容替代的生态环境价值，世界各国在制定其《水法》时，大都将水资源的权属定位在国家所有。由于水资源的稀缺性和水污染造成的环境问题，许多国家逐渐开始注重水资源的公共性。国家通过公共受托人（如中央政府）对水资源进行统一管理。水权，既然是从水资源所有权中派生出来的，是对水资源取得的使用和收益之权，其权利的支配，必然基于所有权人的授权，或者基于所有权人与水权人订立的合同，它从根本上体现着国家的意志和利益。通过水市场运作的水利服务，比如防洪、河道治理、水文监测、水质保护等，都属于公共物品的范畴，主要具有公共物品特征，具有非竞争性和非独占性，需要由政府为这些公共服务提供财力与政策等方面的支撑。因此，水权的公权性质是水权的最根本的法律属性。

2.私权性

水权首先具有私权属性，水权的私权性是指水资源的使用、收益权。从一定意义上讲，水权人就是合理地追求自己利益的"经济人"。水权制度弥补了自然状态下水资源低专有性和低可分性的缺点，水权人将取得的水资源看做私人物品，对它进行排他性的支配，进而产生对财产的安全感、利益期待感和高度的责任感，对创造财富产生极大的热情。水权制度一旦受法律的调整，其独特属性必然在法律中得到体现。在各种水权人之间，实行私法自治原则，即由法律地位平等的水权人，通过自由协商决定他们之间的权利关系，国家原则上不干预，而只有当发生纠纷并不能通过协商解决时，才由司法机关出面进行裁决；只有当水权当事人的自由意志违反了国家的水资源管理法规，损害了第三方的利益，甚至危及水资源可持续利用目标的实现时，国家为了维护社会的总体利益、为了保护水资源与生态系统，才行使人民授予的权力，进行必要的干预。由于水资源的稀缺性、多目标性、公共性，水权人行使权利要受到更为严格的法律限制，即所有权人不得随意收回其财产和妨碍权利人行使权利，也不得侵害非所有人的利益。

（二）水权的自然属性

水资源作为一种自然资源，其自然属性和人们水行为的合理化，无疑是促进经济社会增长和发展的一个重要决定因素，尤其是进入21世纪，随着经济社会的不断发展，社会对水的需求急剧增加，供需矛盾日益加剧，水资源短缺问题已成为经济社会增长和发展的瓶颈，如何高效率地供应和配置水资源，已经成为许多国家和地区经济社会增长和发展过程中面临的首要难题。

1.双重性

水资源在绝大多数地方可以在不同的季节或不同的条件下，以气体、固体和液体三种形式中的一种或多种广泛存在于空气、土壤、岩石、极地、冰山、河流、湖泊、海洋、湿地、动物、植物等载体中，并且在陆地与海洋、地上与地下、上游与下游、地面与空中等彼此间形成较为广泛的联系。水资源对满足人类物质生活和精神生活需要的双重必要性，是指水资源不仅在物质层面上为人们提供多种消费，为社会劳动产品的生产提供原材料需要，而且，由自然水体的各种景致所构成的水环境，也是人们回归自然、陶冶情操的精神生活需要；由重力作用和地形地貌因素造成水的自高而低的流动性，对土壤、岩石等物质的削蚀和侵蚀作用特征，既为人们带来了水力发电、引水灌溉等可用之利，同时也会诱发洪水、水土流失、泥沙淤积等水自然灾害。

2.相对性

水资源运动的最主要特征就是其连续的循环运动，它通过海—陆之间、陆—陆之间以及海—海之间蒸发、降水，不断地进行交换和循环。这种运动从总体上、长时期来看是有规律的，但局部地区、短时期的异常变化和特殊性同时并存，绝对数量的巨大性和相对数量的不足性却随机发生。地球表面的70%被水覆盖，地球被称为"蓝色的水行星"，海水、淡水总水资源量非常巨大，但一定流域或区域内可利用的淡水资源量却是有限的，在干旱和半干旱地区或经济发展用水增长较快的地区，其数量常常是相对短缺，时空分布不均及水资源结构的不合理，远远难以满足人们对水资源的多层次需要。

3.独特性

水资源的自然属性与地球上其他任何自然资源相比，无论是其存在形式、运动形式，还是对于自然和人类的重要性，都是十分独特的，而且是其他自然资源所无法比拟和替代的。水资源既以其自身形式构成地球的水圈，同时又以汽态或液态的方式渗透和存在于大气圈、生物圈和岩石圈，是自然界中惟一一种同时存在于地球四大圈层的物质。是地球生命系统和人类社会赖以存在和发展的最重要的物质条件和环境条件。

（三）水权的社会属性

水权的社会意义在于使人们生活、生产用水的社会地位实现机会均等、公平对待，水权的经济意义在于使人们生活、生产用水的经济效率实现平等竞争、效益最优，因而水权是联系人类经济社会平等发展的基本纽带。水权的社会属性具体表现在以下三个方面。

1.主体的不确定性

水资源占有主体的不确定性，是指在水的自然运动和循环状态中，来自任何社会层面的主体者都不能够真正对某一确定的自然水体拥有绝对确定的占有权力，水资源的社会主体占有权来自于水循环运动的局域稳定性和相对可靠性。水资源利益主体的可转变性，是指在同一河流的上下游、左右岸的不同地段，或同一流域的干支流之间，或相邻流域的有关地段之间，通过一定的社会活动和手段，水资源的利益或危害可相互转换。

2.客体的不均衡性

水资源被享用机会的不均等性，是指地球上不同的气候带、在同一条河流的不同地段，人们享有水资源开发利用的条件差别非常显著；不同区域的人类群体和个人，对享用水资源的机会是不均等、不均衡的。水资源丰盛的地区享用就充足，反之，就不充足，甚至严重短缺。

3.利用的区域性

水资源开发利用的区域性，是指在经济社会发展系统中，水资源的开发利用是以具有一定数量人口和一定地理面积的行政区域为单位，来进行规划和实施的，它与水资源的自然流域性既有一定的地理重合，也有相当程度的地理差别。

三、水权特征

认识水权，除了要认识它的属性外，还要认识它的特征。只有认识了水权的特征，才能从本质上去真正地认识水权。根据水权的属性和特性，中国目前的水权具有以下特征。

（一）非排他性

从法律层面上来看，法律约束的水权具有无限的排他性，但从实践上来看，水权具有非排他性，这是水权特征之一。我国现行的水权管理体制存在许多问题，理论上水权归国家所有，实质上归部门或者地方所有，导致水资源优化配置障碍重重。以黄河为例，尽管成立了黄河水利委员会代表水利部行使权利，并且在黄河水管理上发挥了积极的作用，但水资源开发利用各自为政的现象却没有在根本上得到改观，"水从门前过，不用白不用"等观念，长期驱动人们的用水行为，大量引水无疑加剧了黄河的断流，引起更大的生态环境问题。国家水资源拥有的产权流于形式，水权的强排他性转化为非排他性，水权被异化。

（二）非完整性

在水资源的所有权、经营权的法律框架下，我国根据自己的国情规定水资源所有权归国家或集体所有，这是非常正确的，但纵观水资源开发利用全过程，国家总是自觉或不自觉地将水资源的经营权委授给地方或部门，而地方或部门本身也不是水资源的使用者，再通过一定的方式最终转给使用者，水资源的所有者、经营者和使用者相分离，导致了水权的非完整性。

（三）非平衡性

水权既有积极的外部经济效益，也有消极的损失。以流域为例，如果上游过多地利用水资源，就可能导致下游可利用水资源的减少，甚至导致江河的干涸，给下游带来一定的损失。同样，在某一地区修建大型水库，由于改善了局部地区的小气候，可能给周边地区带来额外的效益，如增加旅游人数、为当地提供一定的就业机会等。由于我国的水资源归国家或集体所有，水权的交易是在所有权不变的前提下，所进行的使用权或经营权的交易，交易的双方是两个不同的利益代表者，其地位是不一样的。一方通常是代表国家或集体行使水资源的管理权，出让产权，另一方则是为了获利的水资源经营者或使用者。产权出让者可以凭借政府良好的权威形象，对出让的产权施加影响，这种影响是在垄断条件下形成的；购买者则不具备这样的优势，他们只能被动地接受这种影响，特别是在商业欺诈或者腐败诱因的作用下，水权交易可能变得更加不平衡。

四、水权价值

在建立水市场进程中，水作为资源，被认定为水权，这是水利发展新阶段的体现。水权问题既体现了人类社会发展进程中人与自然的不和谐性，同时又体现同一时期人类社会不同利益团体之间，对于水资源开发利用的矛盾和冲突。水权是联系人类经济社会平等发展的基本纽带。

（一）水权是社会平等发展的基础

水权的社会价值在于，水权在人类社会系统中首先是一种政治权利。但这种政治权利不同于普通的、直接关系到国家体制、政治制度等社会意识形态领域中的权利，如公民权、选举权、言论权等，而是直接关系到自然水资源在人类社会系统中的平等分配和利用、个人与社会团体在条件与发展机会方面由水权政治属性规定的待遇，以及社会和个人能否获得优美适宜的水环境等方面的权利。这种权利调整的是自然水资源进入人类社会系统的原则和方法，以及保证个人脱离自然人成为社会人、人类组织脱离自然群落成为社会群体对水资源的需求。

作为实物的水，所有权可以进行"转让"，所有者权益也就相应地发生转移，但这种转移造成的后果，既有积极的（如循环利用），也有消极的（如污染蔓延）。在现代有组织的社会系统中，水权既不是普通意义的政治权利，也不是普通意义的物权。普通意义的物权，是人对财产的权利，其归属是专有的，其所有者的权益是排他的，而作为实物进入社会系统中的水，尽管可以通过一定手段确定其所有者，但这种所有不等于专有，而存在程度不同的"实际转让"。也就是说，由于水的诸多自然属性，甲的水，可以通过渗漏成为乙的水，也可以通过流动成为丙的水。在这些转让过程中，所有者的意志往往并不起任何作用，而是水的自然规律和运行规律在起作用，因而这种"转让"绝不等同于普通意义的人为条件下的物权转让。

总之，无论是作为政治权利的水权，还是作为物权的水权，在现代社会系统中，都有其显著的特殊性，需要我们在实际应用中加以确认和区分，只有这样，才能发挥水权在调整水资源社会分配和社会利用方面的积极作用，促进水资源综合有效使用，减轻或消除水资源利用不当造成的损失与破坏。

（二）水权是经济平等发展的纽带

水权的经济价值，即在于通过划分和明确水资源权属，为优化水资源配置、提高水的经济利用效率，提供一种竞争的市场机制。实践中，水权问题突出表现在，随着生产规模的扩大和经济的高速增长，水权调整的目标不仅仅局限于社会问题本身，因为建立水权制度的根本作用，是通过市场机制促进水资源在全社会的优化配置与合理使用，从而提高水资源开发利用的经济效率和社会福利，保证经济社会的可持续发展和人与自然环境的和谐共处。古典经济学理论强调资源的稀缺性和对稀缺资源的利用效率，但是，古典经济学理论却没有意识到水资源的稀缺性，反而导致水资源的低效率利用和一系列社会和环境问题。现代经济学理论将水资源领域中出现的一些问题归结为"市场失灵"和"政策失效"，提出将水资源和水利工程这些社会公共物品通过明晰产权来提高配置和使用效率。

在水权得不到明确的情况下，同一流域、不同地区的生产单位或个人，对于水的关心程度和利用机会差别是非常大的，上游地区取用水条件便利，可以随意引水浇灌生产力较低的土地；下游地区处于取用水机会的末端，在上游地区浪费大量水资源的情况下，却不得不忍受断流之苦，大片良田因无水可灌而绝收，甚至连最基本的饮用水也不能保证。这一现象，一方面表现为人类生存境遇的不平等，另一方面也是经济效率低下的表现。上游地区用水大量浪费，属于资源浪费型的低效率，而下游地区因无水可用造成绝收，属于资源缺乏型的无效率；就流域整体来说，水资源配置处于极度失衡和极不合理的状态，不仅整体经济效率低，而且社会危害和环境危害都十分严重。造成这种后果的根本原因，在于水权不明晰。

市场条件下明确水权是水市场运行的基础。一旦水权问题得到明确，一定地区的一定人口，其可支配的水资源是定量的、有限的，因而在开发和使用时不得不考虑投入产出效益，考虑经济与社会效益。上游地区不能因为取水便利而无节制用水，下游地区也不会因为取水机会差而失去生活、生产的基本用水条件，而同样会以水权限度内的水资源，来安排使用和发挥出最佳的综合利用效益，以同样数量的水生产出更多的产品，创造更高的价值，实现经济效益的总体最优和经济的可持续增长。因此，明晰水权是培育和建立水市场的纽带。

第二节　水权构成

水权包括水资源所有权、使用权以及其他相关权。在使用权中，根据使用权目的、使用内容、使用对象的不同，分为用水权、水量使用权、排污权（水自净能力的使用权）、水面使用权、水能使用权、水温使用权、航道占用权等多种权力。为利用水资源，用水户还必须从水域和地下取水，这种行为必须经过特许，因此，取水权是水资源开发利用过程中必不可少的相关权利。另外，用水户通过购买商品水，也获得了商品水使用的权力，表现为商品水权。

一、水权划分

合理地界定水权，是水资源高效利用的基础，也是完善水市场的前提。由于水资源的特性和水资源商品的特殊性，决定了水权的界定不同于一般资产，它必须遵循以下一些基本原则。

（一）公平原则

公平、效率、持续三者的协调统一是水权界定追求的理想目标，但在现实中经常存在冲突，如坚持将水资源向高效率产业倾斜的效率原则，会产生一系列问题。此处以农业水资源向城市生活和工业倾斜为例加以说明。近年来，农业水资源向城市生活和工业转移数量不断加大，水资源利用整体效益得到提高，但在一定程度上对农业的水权构成了侵犯，农民不得不加大节水投资力度，在一定程度上加大了生产成本，需要采取必要的措施补偿这种成本，这样才是公平的。同样，在流域范围内不同省份水资源的分配和流动，也涉及到利益的再分配，所以在水权界定时，应该考虑公平交易的原则。

（二）效率原则

中国是世界上贫水国之一，同时也是水资源浪费大国。当前我国灌溉用水的利用率只有0.3~0.4，与发达国家的0.7~0.9相比，相差0.4~0.5；农作物生产率平均0.87千克/立方米，与以色列2.32千克/立方米相比，相差1.45千克/立方米。从用水效率上看，我国1995年的用水效率只有美国1998年的1/10，日本1999年的1/25。为了满足21世纪中叶中国16亿人口物质生活的需要，只能靠挖掘水资源的潜力，提高单位水资源的生产效率，这是水权界定必须关注的问题。水权界定所涉及到的效率，应该从整个社会、流域和水资源利用、生命周期等综合角度来考察。生命是第一的，水资源的利用，首先必须满足生活，用于生活的基本水量，其效率占据首位，在此基础上，水权的界定应利于全社会的节约用水，有利于将水资源向高效益产业倾斜，提高用水的效益和效率。

（三）可持续利用原则

我国水资源存在的问题很多，可概括为"水多、水少"和"水脏、水浑"，这些问题的存在和积累，严重地制约了国民经济的发展，威胁人们的生存。水是国民经济发展的重要资源，是社会可持续发展的物质基础和基本条件，水资源的过度开发和水环境的破坏，必然削弱水资源支持国民经济健康发展的能力，并且威胁后代人的生存和发展。所以，必须站在全社会和中华民族持续繁衍的战略高度来认识水资源。

二、水权体系

水权是一个具有多重结构、呈复杂联系的体系，是多种权能构成的集合体。这些权能各自相对独立，又彼此相互联系而成为一个产权整体。

（一）水资源所有权

水资源所有权是对水资源占有、使用、收益和处分的权力，表现为对水资源全面、直接的支配。水资源的所有权是水量使用权的基础，它决定了使用权的所属、类型和权能。为适应不同的使用目的，所有权创设了具有处分权的用水权、排污权以及没有处分权的其他水使用权，这使水市场条件下的水权走向了多元化。

我国的单一体制，决定了地方权力的内容来自于法律或中央人民政府的授权，同样省级以下地方人民政府的有关权利也来自于上一级的授权。一旦授权，区域对一定份额的水资源行使直接支配权，区域公共利益的代表，通过合法程序便可对水资源实施占有、使用、收益和处分，包括事实处分（如加工）和法律处分（如转让）。我国的水资源为国家所有，所有权是一种公共权力而不是共有权力，不能由平等主体协商分割，而必须由能代表全民意志的机构来授予。由于权利主体的国家不能做到事必躬亲，因此，法律规定可通过使用权的社会化，使水资源的开发利用主体分散化，以适应社会发展的要求，推动社会经济的发展。

水资源所有权是其他水权的起点，集中体现了权利、义务和责任的统一。它既具有占有、使用、收益和处分的四项权能，同时也兼备保证社会公平、维护国家权益、保证用水安全、消除外部性影响的义务和责任。国家对水资源主要的管理职能包括：超脱区域和流域界限，从整体上规划和调配水资源，确定水资源配置顺序并按照相关原则配置水资源；按照生活、工业、农业、生态环境的需要确定可配置水资源量；订立水权运作规则和开发利用水资源的规则，并对规则的实施进行全面的监管；保证公益目的用水等。因此，与以上内容有关的任何变化，都必须由政府作出或批准作出。如水权的任何变更，不管这种变更是长期的还是短期的、是所有权层次的还是使用权层次的、是采用市场机制还是行政机制，都必须获得政府的批准，都应纳入政府的管理行为。

（二）水使用权

所谓水使用权，是指通过权利转让和特许方式从水资源所有者那里获得的用益物权。水使用权有多种，包括具有处分权的用水权、排污权和没有处分权的如水面使用权等其他水使用权。特殊情况下，政府也无偿划拨给一些公益部门使用权，这种水使用权不具备转让特点，即不具备水资源法律上的处分权力。作为水权经济运动中的一个中间环节，使用权拥有者对上对下也必然地产生一系列债权关系，并受债权关系的约束。水资源具有明显的公共物品特征，水使用权拥有者对水资源的处分，必须在政府的管理框架内行使并满足约定要求；对下一环节的用水户，也要承担有关的民事义务和责任。

从水域和地下取水，并对水资源行使使用、收益和处分的权利叫用水权。它的配置，是水所有权的代表根据水资源供给量、用水优先顺序、水资源的调控等多因素来确定的。用水权的拥有者有权要求得到稳定、安全、公平的用水权益，而对所有权的拥有者、用水权的拥有者的义务，是必须缴纳与其权利相对应的转让费并办理特许手续，接受政府的监管并遵守诸如不得改变用水目的、节约用水、达标排污以及在特殊情况下削减取水量等约定，一旦违反约定，要接受政府相应处罚，对于违反公共利益的用水行为，政府有权限制甚至剥夺其用水权。由于对用水权的支配明显涉及公共利益，因此，政府对用水权的监管坚持全面而严格的原则。

排污权是一种用益物权，排污是用水的必然结果，其量是由水环境容量和排污者的污水成分、单位性质等确定的。排污者首先要获得排污许可并缴纳一定费用作为排污处理的成本补偿，超过额度的排污要缴纳一定费用作为超标排污造成的外部性的补偿。但是，水环境容量是受到总量限制的，因此，排污者不能无限制使用排污权，而必须通过限污、购买排污权等措施，来平衡排污的需求与供给。排污权拥有者也可把多余排污权进行有偿转让，实施市场化的排污权交易。

其他水使用权是对水资源的单一功能进行利用并获得收益的权利，如水面使用权、水电站用水权、循环水用水权、冷却水用水权、航道占用权、水域使用权等，这些使用权的获得，也必须缴纳与其所享受的权益相对应的权益转让费，并办理特许手续。

（三）取水权

取水权是以取水行为为标的的权力，属准物权。通过办理特许手续后获得的取水权，具有从水域和地下取水的权利。取水权本身会不必然地造成对水资源的量和质的影响，因此，取水权的获得，以缴纳对取水的管理费用为成本。取水权的行使遵循法律法规和有关对取水地点、取水量、取水方式等多因素的约束，并随这些约束条件的改变而影响取水权的实施。

（四）商品水权

商品水权是用水个体通过买卖合同而获得的使用、支配水的权利，债权债务关系的双方，主要通过合同来规范和约束双方的权利和义务。商品水具有一定的私人物品性质，因此，商品水水权的行使较少涉及公共利益，商品水的获得者尽管也涉及节约用水、消除用水的外部性影响等维护公共利益的要求，但其义务和责任可通过价格来体现和保证。因此，对商品水水权的实施不需进行直接的行政管理。按照市场经济的效率原则，能通过水市场机制来体现的权益和义务以及权利的转换，尽量使用水市场机制。因此，在这一层次上，政府主要不是通过直接的监控来实现公共管理，而是利用法律和政策来引导和规范，特别是利用水市场机制的引导来实现商品水权的部分公共管理职能。

第三节　水权转让

　　水权转让，是政府宏观指导下的水市场交易行为。利用水市场配置水资源，是水资源配置的理性选择，水权转让价格的高低，水权价值的实现，是由构成水市场的多方面因素所决定的，水市场供需双方的意志以及供需双方协商的程度和水市场调节的范围，直接影响水权的转让。

一、水权转让及其意义

（一）水权转让的概念

　　水权转让就是水权流动，也叫水权交易。是指水的所有权、使用权、收益权、处分权在不同主体间流转，是一种权利的变更。

　　我国水资源实行国家所有，分级监管，不存在中央和地方政府分级所有的问题。因此，水权转让，实际上只特指水资源使用权的转让，水资源所有权不存在转让的问题，这是讨论水权转让问题的核心和立论的基础。

　　产权流动分为非经济性流动和经济性流动。产权的非经济性流动包括：战争和暴力导致产权的转移、分割以及属于民事范畴的划转、继承等流动。这里所研究的水权转让主要是经济行为，即水权的经济性流动。水权的经济性流动，是指水权的有偿转让，即水权交易。它是在政府行为指导下，通过市场行为实现的，包括以交换、经营、承包、租赁、拍卖、托管、兼并、收购、出资入股、组建股份公司、改组、改制、改造等方式获得或转让的财产权利。产权交易的最原始形式是商品产权，派生的水权交易的内涵，从单纯的财产所有权转让，扩大到财产使用权、收益权的转让，如租赁关系、典当关系、承包关系、代理关系等等，使得水权关系更加丰富多样。水权流动与交易的丰富性和多样化，将成为现代水市场经济中水权的显著特征。

水权交易既包括水权的整体转让，也包括水权的部分转让。企业水权转让是典型的水权整体转让。在水权市场上，企业的整体水权交易很少，一般是在资产股份化条件下，通过股权转让实现水权的部分转让。

水权交易是把明晰了产权的水资源使用权及受限制的处分权，通过市场进行流通，通过市场对资源的配置作用，实现水资源的价值。水权的转让与一般物权交易有明显不同，一般物权转让时可以一并转让标的物的所有权及使用权，也可以是其中的一项权利；但水权转让，只是水资源的使用权和一定程度的处分权，而不包括完整的所有权。

（二）水权转让的意义

1.有利于水资产保值、增值、变现

水权交易通过市场化手段，激发水资源所有权与使用权的分离。水权交易有利于资产的保值、增值，使资产变现，即由实物形态转变为价值形态，收回原有投资，重新投入以实现产业结构调整、产业战略转换。这一方式是水市场运作的基本方式。

水权交易的出现，既是水资源供需矛盾加剧后的必然产物，也是社会可持续发展的需要。水权交易是水权供求双方在水市场上进行水资源使用权、经营权的买卖活动。水权交易的结果，是引导水资源流向最有效率的地区或部门，流向为社会创造更多财富的用户。落后和欠发达的地区或部门，在发展阶段通过转让水权获得发展资金，而发达地区或部门可以通过在水市场上购买水权，满足经济快速发展对水资源的需求，达到水资源的优化配置。

2.有利于提高水的利用效率

水权交易是解决水资源存量呆滞、增量资源不足、资源利用

中国水市场管理学

191

效率低下的有效途径。通过水资源使用权的流转，促进水资源从边际效益低的使用转向边际效益高的使用，从而实现单位水资源产出的最大化。

2001年2月15日，浙江义乌市花2亿元向毗邻的东阳市购买了5000万立方米的水资源永久使用权，这是我国水权制度改革以来的首笔水权交易。义乌与东阳同处钱塘江支流金华江流域，东阳位居上游，境内有两座大型水库，水资源量丰富，人均水资源2126立方米，在现有供需水平下，年均富余水量1.65亿立方米。义乌居于下游，水资源紧缺，人均水资源1130立方米，无法满足城市发展的要求，并且，义乌境内缺少建造水库增加供水的条件，即使有条件建库，建库供水的成本也高于购买水权的价格。通过对丰裕水权的转让，东阳市开发水资源的投入在经济上得到回报，同时也满足了义乌市的市场发展对水资源的需求，提高了水资源的利用效率。

3.有利于提高节水的经济效益和环保的生态效益

水权交易是实现水企业间资产、股权、债权合理流动及有效利用和实现水资源配置的途径，对于调整、优化产业结构、产品结构发挥着重要作用。水权交易还在一定程度上促进了节水的开展，因为，减少购买水权的支出与增加可出售水权的获利，直接构成了节水的经济动力。此外，水资源利用效率的提高及配置的优化也必然带来生态效益的优化。水资源稀缺地区，水权的价格相对较高，从而限制了高耗水行业的发展，有利于调整产业布局，使之与水资源的分布相协调。在义乌与东阳的水权交易中，东阳市多余的弃水变成了义乌市发展的命脉，水的边际效益提高；东阳市采取节水措施节水1立方米的成本是1元，而出售给义乌市的回报是每立方米4元，节水的经济效益十分显著，节水动力增强。

4.有利于实现水资源优化配置

在水资源短缺的情况下,用水者取得水权要付出代价,即取得水权的机会成本。这个代价包括其他用水者和其他用水类别减少用水的损失。只有包括资源水价的水价,才是完整的水价,否则就没有反映用水的全部机会成本,水价也就不能正确引导资源配置。

通过水权交易来配置水资源,是依靠经济杠杆,通过调整人们的经济利益关系来自觉调整用水数量的结构,实现水资源优化配置。市场经济条件下,商品水价包括三个部分,即资源水价、工程水价和环境水价。其中工程水价相对固定,环境水价比较稳定,资源水价作为取得水权的机会成本,受到需水结构和数量、供水结构和数量、用水效率和效益等因素的影响而不断变化。不同的用水户,在不同地区的不同时间,使用不同水源的不同量的水,其资源水价应该是不同的。根据水资源和经济社会发展情况,主动调整资源水价,就能引导人们自觉调整用水结构和数量,实现水资源的优化配置。

5.有利于搞活水利产业

水权交易使得不同部门、地区、企业等的不同水权主体互相融合、分离、重组、混合,实现水权结构多元化,水利产业也因此充满生机和活力。通过水的使用权的有偿转让,运用经济杠杆进行水资源的合理配置是一种手段,也是一项重要措施,这是经济发展与社会进步的一种标志。水资源优化配置的社会化程度的提高,在一定程度上刺激了水利产业的高效整合。

二、水权转让的必然性

随着水市场经济的发展和水市场机制的完善,作为水市场运行核心的水权转让,已发展成为不以人们的意志为转移的客观的、必然的现象。

（一）中国水权管理现状

中国现行的水权制度，强调水资源的国家所有权，主要体现为国家的管理权和调配权。在实施水资源的国家管理权时，《中华人民共和国水法》第十二条规定："国家对水资源实行流域管理与行政区域管理相结合的管理体制。"在实施水资源的国家调配权时，《中华人民共和国水法》第二十八条规定："任何单位和个人引水、截（蓄）水、排水，不得损害公共利益和他人的合法权益。"

水权是水事活动中有关各方权利关系的总和，有水事活动就存在着水权，水权通常是通过规约进行规范的。当水资源变成紧缺资源并被当作一种财产时，原有的规范就不能适应形势需要，水事权利中的矛盾就暴露出来。改革开放以来，我国水资源方面的问题逐步显露，充分说明我国计划经济时代对水事权利的规范和管理手段，已经不能适应现代社会，特别是不能满足市场经济条件下，经济、社会与环境发展对水资源的开发、利用和配置等方面的要求。

（二）中国水权管理体制存在的问题

1.水权不明晰

在中国，水资源存在着投资主体不清、产权界定不明的问题。以集体使用的水资源为例，农村集体经济组织所拥有的水塘和水库中的水属于集体使用，此处的"集体"究竟是指什么人，非常模糊。因为当时建设水塘和水库的资金来源历经时代变迁已很不清楚，即投资主体是谁很难确定，有时根本就找不到具体的投资主体。许多农村水塘和水库是多年来群众的义务工或群众集资，或政府"以工代赈"，或乡镇政府投资办起来的，当初并没有账目可查，这些水塘和水库所形成的资产找不到真正的主人。国家水资源永久主权并不等同于国家水资源所有权，在坚持国家水资源永久主权的前提下，可以将水资源推向市场，实现水资源的市场供给。要实现水资源的市场供给，政府供给退出是前提。政府供给退出，不仅可以使水资源产权主体多元化，使供水商成为水资源所有权的主体，从而为实现水市场高效供给奠定基础，也可以避免或减少政府不必要的干预所造成的损失。

2. "多龙"管水、治水

现行水权制度不合理性的直接表现之一，是政府部门在水资源管理费中存在的设租和寻租现象，许多政府部门狭隘地理解《中华人民共和国水法》第十二条规定："国家对水资源实行流域管理与行政区域管理相结合的管理体制"，形成了"多龙治水"的局面。那些和水资源管理权有关的政府部门往往从本部门的局部利益出发，行使对国家水资源的管理权，使水行政管理部门的统一管理权受到严重的削弱。

对水资源坚持社会主义公有制，并不表明在中国向社会主义市场经济转变的现阶段，水资源产权不能多元化。水资源实行多种产权形式并存，是克服水资源浪费和污染的根本性的制度措施。通过水资源在法律制度上公共产权和私人产权的综合性安排，促使水资源产权制度绩效大于制度成本。水资源单一公有制的改变，可以使水资源在进入市场的同时，培育出能进行博弈的产权主体，真正发挥市场机制的作用。

3.水权流动市场化程度低

水资源进入市场交易的基础，是取消对水资源的垄断性支配。中国现行水权制度的不合理，导致水资源的商品化程度低。由于天然水资源在自然存在时是无价值的，水资源的价值是通过交易体现出来的，水商品化程度低，导致水资源的价值不能通过交易得到应有的实现。劳动价值论并不代表水资源无价。由于误解劳动价值论，过去，我们对水资源产权制度，作出了阻碍水资源价值实现的制度安排，从法律上禁止水资源的市场交易，限制水权流动，特别是禁止水资源所有权的流动，使水资源的价值无从体现，更谈不上向合理化、高效率方面流动。水资源财产权不明晰和水资源国家管理权不统一，导致了中国水权交易难以操作，影响了水资源的优化配置。

产权理论的一个重要原则是"谁投资、谁拥有"；"谁所有、谁收益"。由于水利项目既有完全公益性项目，又有竞争性项目，还有大量介于两者之间的项目。因此，水利建设要根据其项目的不同性质，明确分工，健全投资体制。近段时期，水利部在南水北调工程建设与运行管理方案中，提出了"政府宏观调控，股份制运作，企业化管理，用水户参与"的总体思路。在资金筹集上，各地通过"认购水量、购买水权，投资入股、形成股权"，从而拥有相应的产权。在公司自主经营上，通过采取股份制运作和企业化管理的方式，构建南水北调工程有限责任公司，建立现代企业制度，明确水利国有资产的所有权和收益权，明确水行政主管部门对资产的监管权和经营单位的法人财产权，通过这些措施实现南水北调工程市场化运营。

（三）中国水权转让势在必行

1.水权转让是水资源配置的有效手段之一

通过市场手段实现水权合理、高效流动，已成为今天的现实，在市场经济条件下，水资源已被当作一种经济资源来追求。但在水权不能交易的情况下，水权拥有者对水权的支配有两种方式，一是有多少用多少，不考虑节水问题；二是节约自身用水，然后通过非公开交易方式使多余水量的潜在价值得以实现。水权交易机制的建立，同样对节水行为也产生了激励。解决了节水工作中只有约束、缺少激励机制的问题。此外，水权交易机制的建立还有助于流域、区域水资源合理配置。中国水资源区域分布不均问题的解决，在过去区域利益缺乏刚性的条件下，输水工程是惟一的约束条件，没有充分考虑调出地区的利益。在市场经济条件下，水权的变动是利益的变化，过去被掩盖的利益矛盾现在暴露了出来，无偿的水权转让难以再进行下去了，因此，通过交易来实现区域甚至流域的水权转移就成为必然的选择，同时，这种交易也为水资源在区域间合理流动创造了激励条件。

在许多发达国家，如美国、日本、澳大利亚等国都开展了水权交易，对于水资源的合理配置起到了一定的作用；在一些发展中国家，如突尼斯、摩洛哥等贫水地区，也开展了水权交易，由此带来的节水效益也十分显著，曾被联合国的有关组织作为典范来推广。但是，由于水权交易受到法律制度和管理手段等多方面限制，致使许多国家只是在产业结构变化大、水资源紧缺的地区，在一定区域行业间开展了水权交易。从中国的实际情况看，水权在一定范围内的适度交易有其必要性。一是完全的行政配置不能满足经济发展的要求，而适度的交易能弥补行政机制呆板的弊端。随着经济技术的发展，新兴产业不断涌现，夕阳产业日渐势微，水资源需求的变化性和行政配置相对稳定性之间的矛盾将越来越明显，解决这一矛盾必须要有与市场变化相适应的灵活机制。二是在节水方面，水权交易能有效弥补行政手段的不足，使节水工作中的行政约束与经济激励有效地结合起来。

2.水权转让是水权的最佳配置方式

水权转让从纵、横两个方面来看都是一种必然趋势。从水权的纵向运动看，水的获取、加工使用，使水权处在一个不断变化的过程中，权益和责任在每一层次都有变化，并且，每一层次的权益和责任的主体获得，都是通过付费的方式来实现的。可以说，在水权的纵向运动中，市场机制已得到充分体现。从水权的横向运动来看，目前，横向运动往往采用行政手段来实现，市场机制无法发挥作用，原因既有观念问题，也有技术问题。市场交易是权益和责任的转移，由于对水的权益和责任认识不足、界定困难，阻碍了水权在横向上的交易。但从国外的一些经验来看，水权的清晰界定是完全能做到的，水权的横向交易也是可行的。

从理论上来看，只要是法律制度上对水权的权、责、义及其拥有者的边界界定清晰，通过交易就能解决好水资源的配置问题。因为通过交易，权益的转移是清楚的，不会出现不付费而消费的情况；责任和义务的转移也是清楚的，消除消极外部性影响的责任也随着权利的转移而转移；可能产生的自然垄断，也可以通过加强政府监管或采用特许经营的机制来消除。以较小的代价获得相同的配置结果，产权交易被认为是最佳的配置方式。相对于政府提供的一切制度安排，产权交易更有效率。但是，不同环节的水权具有不同的权益特征。水权的一次配置（区域分配）和二次配置（取水许可）以及排污权的配置都具有明显的公共权益分配的特征。由于交易费用的存在，水权的初始分配至关重要。因此，在这些环节上的水资源机动份额的确定要充分、公平地考虑用水者的利益，要按照公共权益分配机制来安排，即随着市场机制的建立和完善，应逐步由目前的计划经济的行政配置为主，过渡到与市场经济相适应的区域（用户）民主协商配置为主。相对来说，商品水及废水的交易较为明朗，交易额度可以由交易者自由协商确定。一旦获得具有相对保障的水权份额，就可在政府的监管下进行适度交易。在政府监管下进行适度交易，是水资源这一公共产品与私人产品交易的区别所在。

三、水权转让的可行性

水权转让的核心条件是产权（财产权）的明晰和确立，包括水资源分配的登记和公示，水权的优先权确定以及基于民事法律的水权裁决等内容。新水权的获得，一般应尊重流域内现有水权，通常新水权在获得水权管理者许可前，需获得现有水权拥有者的同意。所有这些，都为水权的市场运作创造了可行条件。

（一）我国水资源两权已渐趋分离

水资源所有权和使用权分离是水资源转让的前提。对国有资源或国有资产而言，所有权和使用权可以分离已是不争的事实。虽然法律上还没有明确规定水资源所有权和使用权的分离，但成为法律要研究解决的事项已成必然趋势。一般来说，由于水资源为国家所有的特定性，水资源所有权是不能转让的。水权转让，实质是转让水资源使用权及其派生的权属。在国家法律没有明确水资源所有权和使用权分离的情况下，并不妨碍水权转让的实践，可以通过实践总结，加以法律规范。因此，与两权分离相匹配的水资源量的评价和用水定额的制定是关键。通过长期的调查评价，已基本摸清全国、各流域和各行政区域的水资源量，这是建立水权和水市场制度的基础和前提条件。只有搞清楚全国各流域和各行政区域的水资源量和可利用量，才能在全国范围对省级区域分配水量，进而再向下级行政区域层层分配水量，并依此制定各行业生产用水定额和各行政区域生活用水定额。通过制定各行业生产用水和生活用水定额，再在已知全国可用水资源量、各省级区域水资源量，以及各省级区域经济发展、生态环境情况的基础上，科学确定水量的分配。

（二）我国水权主体已逐渐明确

我国的《宪法》和《水法》明确规定，国家行使对水资源的所有权。水资源使用权这个产权主体应由谁行使？根据我国的国情和水情特点，总结水资源管理的实践经验，理应由中央直接行使一部分，放权让地方行使一部分。当前我国水资源统一管理和流域区域分级管理的实际做法，实质上也是中央和地方的事权划分。无论是中央还是地方，根据事权划分，分别拥有那部分水资源使用权。作为水资源使用权产权主体，可以根据水资源的实际情况采用计划手段无偿配置。水权转让是计划与市场的结合，权且称为计划有偿配置。允许水权转让，是否会排斥计划无偿配置的担忧是不必要的。两种配置方式并存，根据不同情况和条件，采用不同配置方式，更体现水资源的国家所有的特点。但无论采用哪种配置方式，水量分配必须法定化，水资源使用权必须进行界定。

（三）我国水权初始分配的一级市场已经建立

我国在多年的水利实践中已编制了较为科学的水资源分配方案，水权转让必须以水量分配的科学性和法定性为依据，水资源分配的科学性是水权转让的基础，长期以来，我国对水资源开发利用作了大量的规划。近年来，针对用水紧缺的矛盾，编制了水量分配的许多方案。从水权转让的角度来分析，这些规划方案较为粗放，而实现这些规划和方案的手段也比较落后，这反映了在现实生产力水平条件下，水资源开发、利用、节约、保护、管理和配置上的科学层次还有待提高。水权对水资源管理水平提出了很高要求，水权转让建立在水量科学分配的基础上，水资源的特性是动态的，它不同于土地和矿藏等相对静态的资源。水资源在流域和区域之间分配是一件非常复杂的问题。水权转让必须以水资源分配方案作为依据，在没有确定水资源分配方案；或者说虽有水资源分配方案，但争议比较大；或者说将实施的水权转让经可行性前期论证后，明显不符合水资源分配方案的，都不宜实施水权转让。

明晰的产权界定是水权交易的基础，水资源使用权在不同地区及用水者之间的合理分配，是建立水权交易市场的基础工作。水权的初始配置，直接影响到不同使用者、不同地区、不同社会阶层对水权的享有，以及水资源的经济循环和生态平衡。水权交易市场建立后，水权将同金银一样成为财富。因此，水权的初始分配不应造成相似区域间的先天不均。水权的分配应本着"社会效益优先、生态需水留足、公平与效率兼顾、适当留有余地"的原则，在摸清水资源总量、质量、结构以及各种用水需求及需求结构的基础上，由国家进行统筹配置。

目前，我国应先完成各级行政区域的水量分配方案，确定各自的水量，然后是各行政区域完成向各水权人的水权初始配置，这是水权转让的基础环节。水作为一种自然资源，是人类生活和生产的生命线。因此，首先考虑人的基本生活用水水权，这种水权不允许转让；其次是农业用水；再次是生态环境的基本需求用水；最后是工业等其他行业用水的水权。这是水权的一级市场，是政府以水资源所有者的身份将水资源的使用权转让给各个用水者的水权的一级市场。

（四）我国已积累了一些水权市场流动的实践经验

任何新生事物，任何改革行为都是在实践中产生，并由小而大，逐步发展起来的。有了实践，才会有理论，有了理论才能制定法规，所以，不能因为没有法律依据而轻易否定某种新生事物。在改革的问题上，实践创新是第一位的，检验改革的标准要看是否有利于生产力的发展。浙江省东阳市和义乌市有偿转让水权的改革实践，有四方面的现实意义可以借鉴：一是实现"双赢"，对两市的经济发展都有利；二是有利于运用市场优化配置水资源；三是为跨流域或跨区域调水探索了市场协调机制；四是为两地资源共享、基础设施共建和区域合作、共谋发展进行了有益探索。

可以说，东阳—义乌的水权转让，是我国利用市场机制对水资源进行优化配置的成功探索，将对我国的水权转让起到积极的示范作用，对我国进行水权制度的改革将产生深远意义。随着城市化进程的推进，农业灌溉水权转让、异地水权转让、跨流域水权转让，可能成为今后一定时期内水权转让的焦点。水权的转让，要求管理权限按流域规划进行论证、审批，要求有良好的基础条件。用水权转让价格要进行必要的评估，在水资源的有效量非常清晰的情况下进行转让，同时，转让前应当论证对周边地区、其他用水户及环境等方面的影响，合理分配和确认水权。要防止把国家所有的水资源变成地方或部门所有，以免妨碍水资源的统一管理和配置。

我国在建立水权制度方面尚处于探索阶段，有关的政策法规仍在研究讨论之中。在水权制度的改革问题上，尊重群众的首创精神，提倡大胆实践、大胆开展理论探索是十分必要的。目前，水权实践迫切需要水权理论的指导，一方面，在理论上要鼓励和推动广泛的探索和研究；另一方面，也要深入实际认真搞好调查研究，积极实践、总结和学习充满活力的新鲜经验，在实践中不断检验理论和发展理论。

四、水权转让的方式

长期以来，我国水管体制在具有水权性质的水资源分配上，一直以政府许可为主要方式。我国的法律明确了水资源的公有性质，具体表现为全民所有与农村集体所有两种形式。水资源所有权的这种规定是由水资源的重要性和特殊性决定的。水不仅是基本的生活资料、生产资料，还是生态系统不可缺少的控制要素之一，它关系到国民经济稳定发展和国计民生。只有坚持公有原则，才能更好地对水资源进行合理的开发利用，才可实现持续发展、体现当前与长远利益。

我国水资源使用权的获得，长期以来一直是采取以法定许可和政府许可这两种模式为主，政府许可是主要方式。取水许可证制度是实行计划用水的一项基本制度，有它的优点。通过取水许可证的颁布，使水的长期供求计划和水量分配方案得以落实到各个取水单位，而且，国家可以通过取水许可证制度，将全社会的取水用水切实结合起来，更有力地调节各方面的用水，并为合理用水、节约用水、提高水的利用效率提供保障。但取水许可证制度也有它的缺点，表现在通过政府许可方式获取水权的成本很低，导致用水者多申请和多占用水资源，从而用水粗放、水资源需求被放大、失真，开源工程上马多、节流不受重视；其他用水者、用水区的用水权被削弱，水资源地区配置不合理；水资源超采，以致形成超标排污，水环境恶化，生态破坏严重。

（一）市场产权交易一般形式

近几年，水利工程产权制度改革以及水利企业实行股份制改造等，均有了良好的开端。各地改革形式由原来的以租赁承包为主，转变为承包、租赁、转让、引资嫁接、股份合作、股份制、拍卖出售等多种形式；在改革内容上，由原来单一的搞活经营权，转变为明晰所有权、放开建设权、拍卖合作权、搞活经营权，使水利资产存量变活、总量扩大、质量提高、效益增大，进一步调动了农村集体、个人建设和经营小型水利工程的积极性。随着改革的不断深化，大中型水利工程也逐步进行产权制度改革，理顺产权关系。这是水利行业市场化发展的必然，是水市场产权交易的一般形式。

不完全产权是市场中产权转让、买卖必然出现的产权形态。产权的买卖、转让、租赁、拍卖、分拆与合作等等，通过合约的谈判、签署来进行，并把它置于法律的保护之下。产权交易表现出以下几种情况：

（1）产权主体转让所有权和收益权，而部分地保留使用权。例如，资金和财产捐赠者规定接受资金和财产者，运用其财产的特殊用途并保留监督审查的权利，接受者通常是基金会、社团法人和公司法人。

（2）产权主体转让其财产经营权而保留所有权和收益权，即委托代理人经营资产，这时，产权中的所有权与经营权是分离的，分离的程度通过租赁承包合同来规定。

（3）产权主体转让其财产所有权、支配权、使用权，而仅保留财产收益权和破产清偿的期待权，财产的出售、转移、抵押、典当、出租、交换或以其他方式处置全部或部分财产、资产的权利转让给了法人，这时，产权的原有主体成为股东。股东的股权由公司章程规定，其内容主要包括：红息分配和破产清偿的期待权；股权凭证的转让权；法人机关的选举权和重大问题的投票权。法人无权要求在公司正常状况下的投资回收，股东义务仅以出资额对公司债务承担有限责任。这是水市场产权交易一般形式下引起的交易内容。

水市场产权交易从形式到内容、发展到形成相对稳定的交易程序，都体现了市场经济的一般性质。作为水利行业的生产对象，水资源的市场交易即水权转让才成为呼之即出的历史选择。

（二）水权转让基本形式

2002年10月1日实施的新《中华人民共和国水法》（以下简称《水法》），较之原《水法》的水权规定已经有了很大的进步，其中，最为突出的是随着水权转让的实践及水市场的发育成熟，将允许水资源使用权依法有偿转让。水权转让将会呈现以下几种主要形式。

1.取水权转让

取水权转让是直接从地下、江河或者湖泊取水的取水权转让的形式。《水法》和《取水许可制度实施办法》规定，国家对直接从江河、湖泊或者地下取水，实行取水许可制度，申请取水许可证，并依照规定取水。依法拥有取水权者，可以依法有偿转让自己的取水权的全部或一部分。

2.开发利用权转让

开发利用权转让即水资源开发利用权转让。包括三个方面：一是开发性水权转让，指已经取得直接从地下或者江河、湖泊取水权，但是没有兴建水工程的，这时转让的取水权，或称水资源使用权。这实际上是一种水资源开发利用权，主要指兴建水电站、供水等工程，这种水资源使用权的转让可以采取招标、拍卖、议价等形式转让。二是工程性水权转让，包括已建水工程或正在建设的水工程取水权的转让。三是水商品使用权转让，这种转让，可选择取用水工程控制水域内的水使用者作为转让对象。这种形式的转让，是指从水工程控制的水域取水的，将自己全部的或部分的取用商品水的权利转让给另一方的行为，实质上是水商品的销售行为。

3.各行政区域的水量转让

水资源是一种动态的、运动的资源。要顺利实现水权转让，首先要调查评价各区域、流域的水资源量，然后由国家根据不同的水平年的水资源量，对各省、自治区、直辖市进行水量分配，这是一种省际水权初始分配。在此基础上再依次决定下一层次的水量分配，具有富余水资源的行政区域，可以将富余水权转让给其他行政区域。

（三）水权转让主要方式

水权转让，是以市场为基础的交易行为。其运作的方式、方法，应反映水市场主体和客体在时间和空间条件下发生的变化；其交易方式反映了市场行为的内涵和特征。

1.从交易形式划分的水权交易方式

（1）购买式，即一企业法人通过议价或竞价方式出资，买断另一企业或市场主体的全部或部分水权。

（2）承债式，即在被转让企业的资产与债务明确的情况下，一企业以承担被转让企业的债务为条件接收其资产。这种方式又叫"零收购"，即在净资产为零的情况下，接受目标企业的债权债务、资产以及附着的水权。

（3）吸收入股式，即被转让企业的资产所有者，将被转让企业的净资产以及依附的水权作为股金投入另一企业而成为股东。

（4）控股式，即一个企业通过购买其他企业一定数量的股权，达到控股，成为被控股企业的产权法人代表，为此达到控制其资产附着的水权。

（5）承担安排全部职工等其他条件式，即一个企业以承担安排被转让企业全部职工的生产与生活为条件，接收其全部资产以及资产依附的水权。

2.从交易主体划分的水权交易方式

（1）兼并与租赁。企业兼并是指一个企业购买其他一个或几个企业的产权，被兼并企业失去法人资格或改变法人实体，兼并者通常作为存续企业仍然保留原有企业的名称，而被兼并企业则不复存在，即甲+乙=甲。这时的乙水权转让为甲水权。

租赁是一方向另一方支付租金，以取得一定期间内对另一方资产的使用权。企业租赁是水权转让的一种特殊形式，其特点是在有限的租赁期限内，水权属非一次性的不完全转移，转移的对象是财产使用权、资产的经营权以及法定权。租赁大部分分为融资性、服务性和经营性租赁三大类。因此，租赁转让水权具有时间性和发展的历史性。

（2）拍卖或转让。水权拍卖，是水权拥有者和需要者双方通过竞卖方式，使水权从拥有者一方向出价最高的需要者一方转移的一种水权转让形式。水权拍卖可分为两种形式：一种是经营权的拍卖，使水权在不同经营者或使用者之间转移；另一种是所有权的拍卖，即在法律没有规定，但经过国家对拍卖收益作出明确规定后作出特许的一种情况。

第四节　水权市场构建

中国虽然还没有成熟的水权交易市场，但水权交易活动已经出现。构建水权交易市场是建立和完善适合中国国情的水市场经济体制要求的历史选择，是中国水市场经济能否建立并获得持续发展的关键。

一、建立水权交易二级市场

在完成水权的初始配置后，即一级市场的形式完成后，就需要建立水权二级市场，以实现水资源产权和水商品产权的有偿转让，达到优化配置水资源、实现水资源的高效利用之目的。由于中国各地区水资源分布不均匀，经济发展不平衡，建立适合全国范围的水权交易市场比较困难，加之对水资源的开发利用和管理受流域和大区域的约束比较明显，所以，水权交易二级市场应以流域为单元和在水资源比较紧缺且经济比较发达的北方大中城市先行试点，然后针对各地区实际情况加以推广。流域二级市场的建立，应以水资源所有权管理为中心，实行分级管理、监督到位、民主协商、和谐统一、运行有序的管理体制，这也是当前国际水资源政策的核心。在大区域上进行水资源统一规划、调配，弱化地方政府的行政干预，从而打破地方行政区划的界限，可以对整个流域的水利工程和环境治理进行统筹安排，从而达到净化水权二级市场运行环境的目的。

水权也是一种完整的权益体系，它是由水资源的所有权以及由所有权衍生的使用权、经营权、经营管理权、转让权、受益权、财产安全权等权益构成的有机体。从技术层面上看，除所有权不能转让外（跨国转让和国家特许转让除外），其他权益可单独或捆绑在一起转让。如仅仅出租经营权，与经营者共同受益；又如转让使用权以及与之相配套的其他权益等等。单项权利的有偿转让已在实践中取得了一些成功范例。

使用权有偿转让，可培育以下六种市场。

（一）流域间水权交易市场

流域水权交易是与市场经济相适应的一种资源转让机制。这一转让机制，既有流域经济属性，又反映了水权交易的一般特征。流域水权交易的定价方法通常有两种，即政府定价和市场主体定价。

1.政府定价

如果转让出的流域水资源不够多，以至于转出的水量不足以对流域的用水和水环境容量带来影响，或影响可忽略；并且流域是由多个省级行政区域组成，引水渠首处可按有关管理权限规定缴纳水资源费的，即可实行政府定价。由于我国没有实行流域水权，也没有流域水权的代表，售出流域者和买方流域者没有产权代表来行使有关权属事宜，中央政府便成为流域间水权转让的组织者，同时，国家就成为调水工程对调水流域造成的负面影响的外部性的经济补偿接收者和支出者，也是机会成本的接收者。

2.市场主体定价

如果售出流域基本处在一个省级行政区域内或流域水权归属较为明确，且调出的水量对流域水资源及水环境容量影响明显，受益区域就要对调水流域进行补偿。补偿标准应包括以下事项，即调出流域水资源费中的地租+级差地租+重新核订的因调水产生的消极外部性影响的补偿（包括消减水造成的各行业损失的等价补偿）+受益区水资源费中机会成本的平均值。这种情况下，取水口就不需再向售出流域缴纳水资源费，这时可实行市场主体定价。如果调水的受益地区水价过高，往往是由于过高的工程成本造成的。这需要由受益地区的公共财政进行明补，并且对不同用户采取不同的补贴政策，可达到节水和调整用水结构的双重目的。相反，公共财政通过参与调水工程投资和财政直接支付的暗补，导致水价太低，不利于节水。

（二）同一流域的省级行政区域间水权交易市场

同一流域间水权交易市场，也是市场经济条件下水资源转让机制的形式之一。这一区域水权转让的定价原则应遵循：水权售出方必须得到不低于该部分水权在本区域所获得的水资源费。水权转让通常有以下两种形式。

1.多余水量的转让

这一水权转让方式又可分为两种情况：一是不需要增加工程，仅依靠现有工程便可实现多余水量转让。转让价为相同水量在两区域所获得的水资源费中较大者；二是需要工程调节，在这种情况下就需要依靠工程措施建立"水银行"供水体系。售出方从"水银行"得到不低于（或等于）相同水量在本区域所获水资源费的价值，高出部分是"水银行"售出水的平均溢价收益，溢价包括工程调节成本＋支付给存水区域的溢价部分，而购水方的购水价格是：支付给存水区域的水资源费的平均值＋溢价／（1－损耗率）。

2.通过削减行业用水而节余水量的转让

这种水权转让也有两种情况：一是不需"水银行"调节，因为转让的水在买方地区产生效益，而且这种效益是建立在牺牲售方地区利益的基础上，是等价补偿。二是通过"水银行"调节，转让价为"多余水量转让方式"的第二种情况的价格＋售方消减水造成的行业损失的等价补偿。由于目前区域间水资源费标准各不相同，缺乏核算的基准，因此，在实际操作中，可根据上述原则协商定价，并适度考虑沿程水量损耗。

上述两种水权转让方式的交易主体都是省级地方人民政府。从发展来看，市场机制也要求利益主体在平等基础上通过协商来解决区域利益分配问题。因此，建立与市场机制相适应的协商机制，是省级行政区域水权交易的改革方向。

（三）同一省级行政区域取水许可后的水权交易市场

这是取水户间的交易，由于水资源还没有进入加工阶段，并且可调剂水量数额相对较大，这一层次的交易更有助于水资源在行业间的重新配置。定价原则是售出者必须收回不小于获取部分取水量的成本，可以通过协商定价、拍卖等多种方式来实现。定价可分为两种情况：一是多余水量的转让，定价为该部分取水量的原有成本+机会成本之差，因为在同一行政区域内，水资源费定价原则是一致的，所不同的就是机会成本；二是用水户消减用水的余出水量的转让，定价为第一种情况的价格+因消减水量导致的损失之补偿。

（四）商品水交易市场

商品水交易是发生在商品水使用者之间的交易，这一层次的交易，对用水户的节水有激励作用。定价原则是售出者必须收回不少于获得该部分水所付出的成本，这可通过协商定价和拍卖等方式实现。分两种情况进行定价：一是多余水量的转让，定价为售出者购买该部分水所付出的成本+机会成本之差；二是用水户消减用水余出水量的转让，定价为第一种情况的价格+因消减水量导致的损失之补偿。另外，在商品水交易中，由于涉及输水问题，这部分的投资应由购买者承担，所以，这一承担原则会成为商品水交易的障碍。在这个层次上的水市场因为有输水成本的存在，最终会形成以输水系统为单元的水市场，以供水区域特性形成的水市场会随着水商品市场的成熟而发展的。

（五）废水资源交易市场

废水资源交易是指经过处理后可回用的水的交易。在市场机制十分完善的条件下，废水交易机制可能伴生出具有较大污水处理能力的企业购买污水处理服务的市场。由于在公共事业甚至家庭用水中，部分用水资源的品质要求相对较低，购买和使用相对低廉的水更为经济，这就为废水资源的交易提供了可能。废水资源交易分两种情况：一是供水部门的废水资源交易，二是企业废水资源的交易。供水部门的废水由于在用水户购买水权时在水价中已支付了污水处理成本费，污水处理的成本已得到了平衡。因此，定价原则需从出售者和购买者双方的激励角度来考虑。污水资源"零"价格转让，供水部门则缺乏转让的激励；而污水资源价格太高，购买者也缺乏购买积极性，因此可通过协商定价和拍卖等方式来运作。对于企业废水资源，由于企业自身装备有废水回用循环系统，相当部分的废水将在内部循环使用。如果处理后的废水资源有剩余，也可以通过协商定价和拍卖方式，收回部分废水处理成本。收回的方式仍然是市场方式。

（六）排污权交易市场

水的排污，是水权体系的内容之一。排污权交易丰富了水权交易的内涵。排污权交易，是指根据水环境容量分配给排污者的排污权在特殊市场上的交易活动。通过市场机制，排污权交易市场将达到治理成本与排污权价格的平衡。但是，排污者会通过改进技术来降低治理成本，以求通过出售更多的排污权，获取更多的利益。当排污权可以在市场中交易时，排污者会在购买权和治污权间作出对自己有利的选择。当治理成本高于排污权市场价格时，排污者倾向于少治理而多购买排污权；反之，排污者会多治理，余出更多的排污权在市场出售。这样，通过市场能促进排污权的节约，相同的环境容量接纳了更多的排污者。排污者出于节约治污成本的考虑，有更新治污技术的激励。因此，排污权交易，客观上推动了治污技术的发展和治污成本的节约。

建立排污权交易市场，涉及相应的法律制度、管理方法和手段、污染排放的监测等方面问题。目前，我国在这些方面做了大量工作，进行了排污权交易的初步实践，但都是立足于行政管理基础之上的，不能适应市场机制。同时，管理体制问题及相关的技术问题，如排污权的定价、排污权的初始分配、排污权交易的激励等在理论和实践中都需要深入研究和探索。

二、实行水权交易合同化管理

水权交易市场是产权交易市场的组成部分，具有其固定的交易程序和交易规则，通过签订买卖水权交易合同来完成水权交易。

（一）水权市场交易合同

水权交易合同是指在水权交易市场内达成的、标准的、受法律约束的并规定在未来某一时间、某一地点内交割一定数量及质量的水资源商品的合同，它包括年度内水权交易合同和年际间的长期水权交易合同两种形式。水权交易合同的内容一般包括：交易单位、成本价格、交易价格、交易时间、交易日内价格波动限度、最后交易日、交割方式、合同到期日、交割地点等。其中，成交价格也叫敲定价格，它是水权供需双方在交易市场上通过公开讨价还价形成的。这种合同是一个标准化的合同，除了水权交易的成交价格是买卖双方协定的以外，水资源商品的水量、水质、成交方式、结算方式、对冲及交货期等，都在水权交易合同中有严格规定，而且一切都要以服从法律、法规为前提。在进行合同化的水权交易时，买卖双方要预付一定数量的保证金，以便在交易双方不能如期履约的情况下，由交易中心清算部门用保证金对受损方给予保障和补偿，这样可以实现对水权交易市场的风险管理。

（二）合同在水权交易中的作用

1.克服盲目性

在水权交易过程中，交易方式、交易程序、交易条例等都有明确的规定，不仅交易合同是标准的，而且对错误行为的界定、权益保护、仲裁、监督、入场资格，甚至连订单都是标准的，每个水权交易市场都有业务组织、管理、查处等多重系统。它可以及时使企业发现和纠正微观运行中的随机性行为，从而为保障企业行为规范化提供可能。同时，企业以水权交易合同中的价格为导向，安排下一阶段的生产经营计划。因此，水权交易合同化可使企业基于市场和自身经营进行有效的分析和预测，避免为追求短期利益而产生短期行为，有助于企业克服盲目性，也有助于规范企业的市场行为。

2.利于稳定价格

水权交易合同无论是短期的还是长期的，交易双方在敲定未来价格时，都要认真考虑未来供求变化。因为，水资源具有年内变化、年际变化周期性与随机性并存的特点。水权交易价格真正反映了买卖双方的意愿，能更真实地反映未来市场的状况，使买卖双方在一个完整的水资源再生产周期之前，就大体了解未来的供求平衡，不致于产生大的波动，使得价格水平也随之趋于稳定。从这一意义上说，水权交易合同化对于未来时期的价格变化起到自发调节的作用，尤其对于由周期性供求变动引起的价格波动，更有明显的抑制作用。

3.保持供求平衡

水权交易合同化的操作方式具有先期性，它既为预期的水资源配置奠定了基础，也有利于减少供求双方的盲目性，而且买卖双方都是按照合同对未来交割的水资源数量、质量的规定进行交易，不容易出现供求双方的缺口，有利于形成供求平衡机制。此外，由于水交易市场中的买卖都是公开的，供求交易市场上形成了供求之间、供给者之间、需求者之间的多重竞争，由于它们的存在，将会加速供求平衡的形成，从而促进水市场健康、有序发展。

三、构建水权市场制度

目前，中国适应于水权发挥作用的系列制度尚未健全或完善，如水权界定理论上探讨虽然十分活跃，但实际上这一理论又十分模糊；水权管理层次具有多样化的特点，水利、环保、城建、农业等部门都不同程度地行使水权，水权在资源优化配置中的排他性安排具有非惟一性。所以，为了发挥水权的作用，建立完善的水权制度是十分必要的，为此，必须对现有的管理体制进行改革。

（一）确定水权优先原则

用水的需求大体分为人的基本生活用水、农业用水、工业用水和生态用水。在水权分配形式上表现为流域分水、地域分水以及其他分水。作为一个流域，有上下游之间的分水问题；对于一个区域，即一个省、一个地区或一个县范围内的地表水、地下水、主水、客水，有什么水和分配给谁用的分水问题；还有水能、水域、水质也属于水权分配范畴。

当水资源供需发生矛盾时，如何安排城乡生活、工农业生产和其他用水的先后顺序，直接关系着人民生活的改善、经济的持续发展和生态环境的平衡。

首先，人的基本生活用水要得到保障。目前，中国北部地区差不多都缺水，每年缺水大约为700亿立方米；在全国成建制的668个城市中，有一半以上的城市长期缺水，水资源短缺已经不同程度地影响了人民的生活消费。众所周知，人的生活须臾离不开水，并随着人的生活水平不断提高，生活用水量也在不断加大，对水质的要求也更为严格。我国公民都有同等的基本生活用水的权利，就是人人都要喝上水，而且一定要是对人体健康有保障的洁净水。

其次，是确立水权优先权原则。一是水源地优先原则，在处理上下游关系时，水源地是优先的；主客水之间，主水是优先的。二是粮食安全优先原则，中国作为一个大国，粮食安全最重要。局部地区因干旱，可以先把农业用水停下来，这并不影响全国的粮食安全，但就全国范围而言，粮食安全又必须得到保障。三是用水效益优先原则，单位立方米水产生的经济效益，谁的最好，就优先将水配置给谁，这是社会进步的表现。四是投资能力优先原则，也就是要处理好水资源闲置与开发的关系。五是用水现状原则，即注意现实的水资源开发程度。以上这些，在水资源分配时都应作为优先权原则的影响因素加以考虑。

水权的优先原则，是水权制度的重要组成部分，是实现水权有序管理的基础。从法律渊源划分，水权优先原则主要分为河岸权原则和占有优先权原则。河岸权原则实际上起源于原始的上游优先权原则，通常适用于水资源相对丰富的地区，一般不允许将相应的水资源存蓄或提供给非毗邻河流的土地上的用户；占有优先权原则实际上是按水权取得时间而设立的原则，是伴随着水资源利用工程的建设而形成的现代水权原则。同时，水权优先组别确立还应满足"公众信任"原则，即为了履行政府对公众信赖所承担的义务，在特定条件下，可以对一些水权的优先权进行行政性的调整，以实现公众利益。

（二）制定水权市场交易规则

交易规则是对交易市场的一种制度设计。水权交易市场一经确立，其运转质量如何，以及是否产生健康有序的效益，在很大程度上依赖于良好的交易规则。交易规则的基本目标应当是维持交易市场的稳定，降低交易费用，促进水权在交易中效益的最大化，提高单位水权的产出。因此，良好的交易规则应当有利于水权向边际效益高的部门流动，同时充分考虑到中国的基本国情，在市场经济体系不够完善的情况下，既要充分发挥市场的作用，又要尽量消除由于市场失灵而造成的负面影响。

（三）建立水权市场交易构架

在中国这样一个降雨时空分布极为不均、年际丰枯变化大、南北水资源量差异明显及东、中、西部经济发展不平衡的国度里，建立水权和水市场制度是一个漫长的历史过程。但是，严峻的水资源供需矛盾又迫使我们要加快水权和水市场制度的建设步伐，深入研究水资源开发利用过程中产权所属、产权收益和产权经营问题，研究水权的初始界定、分配、交换和定价问题，研究水权取得的条件、原则和程序，研究水权转让的条件、原则和程序，研究水权交易的监督管理、水权的权利分离和分割以及水权期限等等。这是一项艰巨复杂的系统工程和制度创新工作，不可能一蹴而就，而要在有些河流或区域进行试点并借鉴国外的水权理论和一些成功经验，同时要在已有水权法律制度和水权交易实践的基础上，建立和完善适应中国特色的水权市场交易制度架构。

在现实的经济实践中，水权所具有的各种属性，需要一定制度的保障才能实现。在复杂的社会关系中，经济人所追求的目标是趋同的，即效益的最大化。经济人为了实现各自效益最大化，必然同其他的经济人发生摩擦甚至尖锐的社会冲突。为了社会的健康发展，采取必要的措施加强合作、解决冲突，是经济人实现生存发展双赢的必然抉择。这些措施的集合就是制度。水权制度就是以水权为中心，用来约束、鼓励、规范人们水权行为的系列制度，简单地说，就是允许人拥有多少水权以及拥有水权干什么的一种规则。

（四）营造水权市场供求结构

首先，供水部门的结构，要适应市场经济的需要，要按照市场规则，消除行业垄断，提高企业经济效益。为此，在国家对供水设施所有权不变的情况下，其经营权可分离出来实行有偿转让。这样，既解决了建设与管理脱节的问题，又能有效保证国有资产的保值增值，改变过去城市供水系统由政府包揽、国家财政又无力调控的局面，实现供水系统运行的市场化和供水系统投资主体的多元化。

其次，用水结构要进行科学匹配。近年来，随着水资源供需矛盾的日益突出，国家一再强调要开源节流、节约用水、提高用水效率，这涉及到用水观念、经济、技术、法规和公众参与等多个方面的问题，涉及到社会用水结构的重新配置。现代经济是货币经济，通过"效率优先、兼顾公平"的水权交易，在一定约束条件下，优化用水量在不同行业的配置份额，追求最佳的经济效益，从而促进用水科学化、用水结构合理化，是水利行业现代化的重要内容之一。

四、水权市场与政府调控

考虑到水资源商品比较特殊，"准市场"化运营特点明显，水权交易市场应以合同化为宜。但是，由于目前中国水市场结构失衡，对水资源管理一味强调市场的主导作用，与水资源产业的基础地位相悖。因此，建立国家宏观调控下的水权交易市场是十分必要的。

（一）水权市场的特殊性

水权是一种物权，权利人具有直接支配标的物，并享有其利益的排他性权利。可用于交易的水权，仅指水资源的使用权以及一定程度上的处分权，所以，可交易的水权是一种限制物权。与一般物权相比，由于水资源的特殊性，其不仅是经济要素，更是环境要素，水资源的循环流动、占有方式等都不同于一般的标的物。因此，水权具有不同于一般物权的特点。水权重视的是水权行使对社会、环境及他人是否产生不利影响，即行使水权不得侵犯他人的相邻权，不得以污染水源、加重洪涝、减少可用水量等任何形式损害上下游、左右岸或其他有联系的区域的正当权益和合理收益。

物权是直接地、排他地支配物，并享受物的利益的权利。特别物权具有依特别法规定的特许程序取得、受较强行政干预、优先适用特别法等特点。根据《水法》及有关法律法规，水权具有明确的特别权特征。其中，取水权是支配取水行为的权利，属准物权。中国实行生产资料公有制，重要的生产资料如土地等都由国家所有或集体所有，公民不享有所有权。为适应经济社会活动对资源使用的要求，创设了通过特许程序取得的用益物权性质的使用权（如国有土地使用权、采矿权、渔业以及国有自然资源使用权等），一些使用权还被创设了处分权能。水使用权中的一些权利就是创设了处分权能的用益物权。

水权市场的一般属性表现在，通过水资源有偿使用，实现水资源所有权和使用经营权的分离。也就是在国家作为资源所有者保留收益权、最终处置权的基础上，可以由有关单位或法人依照法定程序享有水资源的使用经营权。具体内容包括：①水资源所有权归属国家。国家享有对水资源的占有、使用和收益的权利，开发使用水资源必须依法取得许可。②国家行使水资源的资源收益权。在水资源稀缺条件下，取得水的使用权就意味着获得相应的利益，因此，获得水资源要通过许可并向资源所有者支付费用。国家通过实施水资源取水许可制度和有偿使用制度，以资源水价形式来实现水资源的经济价值。③水资源使用经营权可以流转。根据产权理论中所有权和经营使用权分离的原则，水资源使用经营权在使用年限内可以依法转让、出租、抵押或者用于其他经济活动，其合法权益受到法律保护。④国家拥有水资源最终处置权。由于水资源的资源特性，以及关系国计民生的重要性，国家将永久保留水资源的最终处置权。具体表现为，国家为实现水资源的优化配置和可持续开发利用的目标，各级政府将监督管理水资源开发利用的全过程；水市场的建立，包括水权的转让，要受到各级政府的监督管理和宏观调控。

（二）政府宏观调控主要内容

政府宏观调控其基本涵义是指，凡地区与跨地区影响环境与发展的重大的水资源配置问题，应由国家宏观控制，统筹规划和实施。政府职能应转变到宏观调控、公共服务和监督事业、企业单位的运行上来，对水事活动实施统一规划、统一调度、统一管理。针对水权交易市场，国家可行使其管理、协调的功能。在水权交易市场运行中，不仅要做到明确产权，还要采取多种形式进行权利制衡。水资源利用效率的进一步发挥，应按市场化的运营要求来进行，这样既可使水资源配置与国家经济建设和社会发展的目标一致，又克服了它的强制性与僵化性；既能客观调整各产权主体间的利益关系、实现公平竞争和发挥价格机制作用、提高水资源配置效率等，又能避免产权主体单纯追求自身利益、有悖于公平原则和约束人们对公共资源的不合理利用。

政府调控的效应包括以下几方面内容。

1.政策管理

水权交易涉及到水政治、水安全、水科学、水环境、水经济等多个方面，不单单是水资源调剂问题，同时，还包括权利和利益的再分配问题。因此，必须贯彻保护环境的基本国策，实施经济体制和经济增长方式的根本转变与实施科教兴国可持续发展战略方针同步发展，国家应在水问题上高度协调，完善组织、法规、经济各方面的配套措施。国家通过制定、颁布和实施各类水权交易、法律和行政法规，规范水权交易市场行为，调节水权交易市场的运行。同时，国家对水权交易市场行使管理权职责，对其职能机构进行定期检查，调查其是否履行职责，是否发生越权行为和违法行为。

2.价格调节

针对中国旱涝灾害多发、市场机制不健全、水市场容易波动等特点，国家应建立水权交易市场调节基金，并以指定代理人的形式积极参与水权交易，在市场里低买高卖；以市场运作的方式，来实现国家宏观调控的目的，起到市场"微调"的作用。受水资源年际、年内变化的影响，当水价达到价格下限、继续降低会造成水资源浪费时，通过水权交易市场设立的调节基金即可入市购买，引导水价回升，并可部分赢利，以补偿其在灾年时低价抛售所带来的资金亏损，最终起到平衡水价的作用，避免市场交易的盲目性导致的水价过低等水资源浪费现象，以及水价过高给人们带来的心理恐慌。水权交易市场调节基金的来源，一部分靠政府的财政支持，还有一部分则通过社会募集的方式筹措。另外，国家还可以通过对水权交易市场实际运行的状况进行统计和分析，使宏观调控更加科学、有效。

3.法律监督

由于水资源循环方式及占有方式的特殊性，水资源产权界定、水权维护、水权监管的难度很大。目前中国的市场经济体制不够完善，因而，水市场仅是"准市场"，只是辅助政府进行水资源管理的一种手段，仍有大量的水权问题难以依赖水市场加以解决。水权交易市场一经确立，政府的主要工作应是加强对水权交易市场的法律监管、维护用水者水权的实现、防止场外水权非法进入市场、确定新增水权的投放等。国家应通过立法保障水权交易，规范交易行为，进行投、融资政策导向，控制水的开发利用，促进水环境保护。

当前，最重要的是加快完善和建立水权和水市场制度的立法。我国的水权和水市场制度是社会主义市场经济条件下建立和运行的一种新制度。因为市场经济只有通过交易才能实现其功能，要交易就要有契约，有契约就要维系契约的稳定和正常运行，要维系契约就要有法制；只有法制，才能维护市场经济的自由。法律和制度反映了市场经济的内在要求，是调节市场经济关系的主要手段。因此，为了建立水权和水市场制度，就必须加快立法进程。

（三）政府宏观调控的主要方式

政府监管的内容主要有三个方面，一是对交易秩序的管理；二是防止高收益行业的过度用水需求和保障一些行业的基本用水；三是防止通过水权交易造成水权相对集中而形成垄断。对此，必须要建立相应的体制、机制和管理制度。具体表现在，首先要建立相应的法律制度，坚持水权民主协商的原则。对交易规则、水权份额以及相关权力、义务和责任进行规定；其次要建立区域和用户协商机制和公告机制，以保证民主协商、公平用水和交易公开；第三要进行管理体制的改革，包括行政管理职能的调整；第四是进行水利工程运行管理体制的改革，水资源的调配必然影响工程管理单位利益的再分配，如果水利工程管理单位以行业界线为壁垒，必然给交易带来困难。因此，理顺这些关系是建立水市场的前提之一，也是政府宏观调控的主要任务。

第五章 水市场价格运行

　　价格是市场机制的中心环节，是调节资源配置的有效杠杆。市场经济的运行，实际上就是价格与供求相互影响，使两者不断由平衡到不平衡、再由不平衡到平衡的不断循环往复的过程。分析水市场的运行方式，核心就是要研究水市场在市场经济体制下的价格运行方式。

第一节　水　价

　　任何对人类有价值的自然资源在市场经济中都应有价格，稀缺资源的价格应依短缺程度不断变化；不可再生的稀缺资源就应有更高的价格，以达到保护该资源的目的。水资源对人类生存与发展具有极高的价值，是生态环境的重要控制要素，在自然资源中属稀缺资源，在市场中就应该形成水资源价格。因此，研究水市场中的水价关系，对于促进水资源优化配置具有极其重要的现实意义。

一、水价内涵

（一）水价是水的商品价值的货币表现

　　水商品的价格是由水成本价格和盈利两部分构成的，水商品价格是水商品价值的货币表现。在市场经济条件下，水商品的价值是由物化劳动和活劳动的凝结所构成的。物化劳动的耗费是指转移到水商品之中的生产资料价值；活劳动的凝结包括劳动者的必要劳动或为自己的劳动所创造的价值，以及劳动者的剩余劳动或为社会的劳动所创造的价值。生产资料的耗费和劳动者必要劳动创造的新价值由货币表现出来，就构成了水商品的成本价格。劳动者的剩余劳动创造的新价值由货币表现出来就形成盈利。

水成本价格是水企业生产经营状况的综合反映，是企业出售水商品盈亏的界限，也是企业竞争能力的基础。在其他条件不变的情况下，产品成本越低，企业的盈利部分就越多。因此，降低水商品成本价格是提高水商品在市场中的竞争力的基本方法，也是提高企业经济效益的重要手段。

马克思的劳动价值学说，对价格质的规定性以及价格运动一般规律的科学论述，为水商品价格理论奠定了基础。无疑，水价格研究原理应以马克思主义的价值与价格理论为依据，即研究水价格的主要理论基础，应首先研究水的使用价值与价值。

1.水的使用价值

水的使用价值就是指水有满足人们生存、生活、发展等各种需要的效用。从水的"有用性"来看，水和空气一样重要。水利企业生产水商品的再生产过程与国民经济各个部门是相互依存的统一体，水商品价格与市场中各类商品价格彼此间有着必然的密切联系。在交换关系范畴中，水价格涉及的社会层面实在太广，如同空气一样，不仅关系到国家、地方、企业、个人的经济利益，而且关系到人类的生命、万物的生存、社会经济的可持续发展。

从水的功能用途方面看，水有多种别的任何物质代替不了的功能，如水力发电、水力冲填、水力筑坝、水力作坊、水上交通、水中养殖、水利灌溉、水利环境、水利文化等功能；水有多种用途，如农业、工业、科技、生活以及不同区域用水等。水的使用价值几乎涉及社会环境、经济环境和水文化环境的各个方面。

2.水的价值

水的价值是凝结在水商品中的抽象劳动，水价值量的大小决定于水商品生产所需的社会必要劳动时间。物化抽象劳动是价值的实体，形成价值实体的劳动是相同的人类劳动，是无差别的人类劳动力的耗费。价值只有在不同商品交换形式中才能表现出来，并且任何一种商品都得通过其他商品的一定数量来表现自己的价值。商品的这种交换比例，即为交换价值。可见水价格是水商品交换价值的内容。作为水利基础产业一部分的水企业部门，为生产各种功能各异的水商品，并及时、保质、保量地满足社会各部门的需要，而耗费了不同的物质资料与劳动量，并使用各种技术建造了相应的水利工程。显然，不同功能、不同用途的水商品的价值是不同的，必然使不同水商品有不同的价格，就是同一水商品也会因多种不同因素的影响而有不同的水价格。

水商品必须面向市场、面向需求，在市场中进行等价交换。因此，水利产业部门必须健全"水价格体系"，以确保水利产业及其产品在市场中的公正地位，从而促进国民经济的可持续发展。

（二）水价和水资源费既有联系，又有区别

1.水价和水资源费是两个有联系的概念

水价和水资源费都是以货币的形式表现出来的，都是水的一定价值的反映，都表现水资源短缺性特点。

2.水价和水资源费是两个有区别的概念

水资源费的性质属费的范畴，水利工程供水水价属于价的范畴，其主要区别有：①各自存在的依据不同。水资源费属财政分配范畴，水价是商品水价值的货币表现。②两者实现手段不同。

收缴水资源费是征纳关系，没有讲价的余地，具有准税收的特点，具有固定性，它是凭借政府实现职能的行政权力，通过强制性法律法规的确立而实现的。水价则是在商品水交易中借助市场平等竞争、等价交换实现的。③内在约束机制不同。水资源费的内在约束是单方面的，只有政府对受服务者单方面的约束；而水价的约束机制则应是供求双方相互制衡机制，其约束是对称、互动的，只有在供求失衡情况下，才会出现约束偏离。④补偿确定的根据不同。水资源费是依据国家税收及安排水利支出情况与水行政主管部门执行全部职能等方面的需要确定的。而水价则依据社会平均必要劳动耗费及供求状况决定，其补偿水平与社会平均必要劳动耗费水平相适应。

可见，水价并不等同水资源费。在水价市场运行过程中，这是一个需要首先明确的重要概念。按照马克思价格理论的基本原理，商品的价格就是凝结在商品中的社会必要劳动时间所决定的价值的货币表现。因此，水价的基本含义是水的价值的货币表现。水资源费是用水方按照法律规定或供水合同的约定，向供水方缴纳的费用。水价与水资源费的各自特点、特性是不同的。

首先，水是自然资源和特殊商品，水价体现水的商品属性。自然水一旦经过人们的投资和投劳，如采取拦、蓄、提、引等手段获得的水，就改变了它的时空分布，成为生产资料和生活资料，不仅具有使用价值，而且具有交换价值，是有价值的商品水。因此，水价反映了水利工程的劳动成本、投资及合理利润率。而水资源费只是衡量水的价值量的计量单位，并不反映水的商品属性。

其次，水价反映价值规律。水是一种商品，它具有价值，其价格在市场交换中遵循价值规律，并通过价值规律发生作用。水资源费则受国家宏观计划和政策的影响，与水价相比，其区别在于二者的市场竞争程度不同。与其他商品一样，水价也受到市场供求关系的影响。如果水价过高，一方面人们会用其他方式去获得水源，水利工程供水量减少；另一方面，用水户生产成本提高，产品价格上升，社会收入以再分配形式转移到水利行业。如果水价过低，一方面使水资源人为浪费增加，节水措施难以实施，从而导致用水量增加；另一方面，使水利工程的资产效益转移到用水户或间接转移到产品的消费者方面。水资源短缺会引起水价上涨，以致形成一定程度的垄断，这时，政府行为的调整仍以价值规律为基础。

再次，水价具有可定价性。由于自然水及水资源具有随机性和地域性、流动性、不均衡性等特点，给水价的制定带来了一定的难度，但正是商品水的特殊性，使得它与其他商品一样也具有可定价性。水价可以按水的用途、供水季节及年度气候的影响等，划分丰水期与枯水期、污染型用户与排污型用户、不同的保证率用户等，实行区别定价，从而体现效益与公平的原则，符合市场经济规律，这是水价具有可定价性的理论依据。

（三）水价的种类

1.按水的用途分类

一是农业用水价格。其中又分粮食作物用水价格，经济作物用水价格，花卉、草皮用水价格等。三者间的水价格既有比价关系，也有差价关系，价格比应与其收益比相适应，其中粮食作物用水价格相对于后两者的用水价格为较低。

二是工业用水价格。工业用水价格门类繁杂，从水被使用的方式可分为消耗水价格、贯流水价格、循环水价格。在这三类水价中，消耗水价格高于贯流水、循环水价格，三者间差价关系应体现工业用水属性以及对水资源的保护要求。工业用水价格除特别情况外，高于农业用水价格。

三是城镇生活用水价格。在一般情况下，城镇生活用水价格，略高于农业中粮食作物用水价格。

四是水力发电用水价格。水力发电用水价格在水电上网后，按售电价格的用水量与发电量比例分摊，并考虑贯流水与消耗水价格比例系数。

五是改善生态环境及公共卫生用水价格。这和农业粮食作物用水价格比较接近。

六是水产养殖用水价格。这和农业经济作物用水价格相一致。

2.按水的价格管理分类

一是"固定"水价格。指按照制定水价格原则确定的相对稳定的、固定性的水价格，是制定浮动水价格、季节性水价格、高峰水价格等水价格的基础，又称基本水价格。

二是两部制水价格。所谓两部制水价格是指供水单位将供水价格分解为基本水价和计量水价两部分，基本水价无论供水多少或是否供水，都按固定的基数（农业按受益面积计，工业、生活及其他用水按保证水量计）执行。计量水价则按实际供水量执行。两部制水价是一种特殊的供水价格形式。

三是累进制水价格。累进制水价格又称超计划用水的水价格，供水部门及用水部门根据水资源分布情况、区域经济与文明建设情况，研制科学的用水标准，规定用水量定额。对定额内用水价格实行正常基本水价格标准，而对超计划（超定额）用水量采用累进制水价格。

四是季节性水价格。指按季节来水不同而制定的水价格。

五是高峰水价格。指预测外自然水荒、非正常干旱时期、水库蓄水量下降而又适逢用水高峰时期等情况所制定的高峰用水价格。

六是浮动水价格。指非市场调节，而由物价管理机构依据制定水价格的原则，规定高于或低于某"固定"水价格的变化范围。

227

水价形式是不断变化的。随着市场经济日益完善、随着水商品进入市场、随着水价格体系的建立和不断完善，会不断涌现出新的水价格形式。

随着改革开放的深入和加入WTO新形势的出现，参与国际市场的国内价格自然地成为国际价格的形成基础。国际价格必然成为国内价格的延伸与发展，并且反过来影响国内价格的形成。可以预见，水会以崭新的面貌出现在国际市场中，水价会遵循国际惯例，有条件地实现与国际接轨。

二、水价构成

（一）水价的形式构成

水价的形式构成包括三个部分：一是资源水价，即水资源费或水权费；二是工程水价，即生产成本和产权收益；三是环境水价，即水污染处理费。资源水价卖的是使用水的权利，工程水价卖的是一定量和质的水体，环境水价卖的则是环境容量，三者构成完整意义上的水价。

1.资源水价

没有水资源就不可能产生水利工程供水，因此，水价中必须包括资源水价。既然水资源可以成为商品进行买卖，那么就要合理确定它的定价原则，才能保障水资源在水交易中达到合理配置的要求。也就是说，水资源的有关权益、责任、义务要通过水资源价格这一承载体得到反映。同时，对于不同环节的水资源，其价格要反映在这个层次上所承担的权利、责任和义务，承担过度或承担不足都会影响水资源的合理配置。目前，在我国水资源价格体系中，主要包括水资源费和水费两种形态。前者是获得水的使用权的成本，后者是商品水的终极价格。水资源价不能只从自然资源的所有权角度来确定（即资金化的地租），而且要考虑它的公共产品的特点（即政府监管和消除外部性的成本）。通过分解，水资源的定价必须包括水资源的租用费（绝对地租和级差地租Ⅰ）、管理成本、反映水资源稀缺程度的费用、反映用于不同行业所得收益的机会成本（相当于绝对地租Ⅱ）以及获取水资源后造成的消极外部性的补偿。根据这个指导原则，水资源价=绝对地租+级差地租（相当于级差地租Ⅰ）+管理成本+稀缺性+机会成本（相当于级差地租Ⅱ）+外部性补偿。

绝对地租，是指出租资源所有权的收益，它是从资源所有权的垄断转化而来的。对于水资源来说，它突出体现国家对水资源的所有权。从实际情况来看，征收水资源费，有利于理顺资源使用、管理等诸多环节中的利益关系，体现了市场公平与市场激励的水市场运行要求。

级差地租，是指水资源由于不同使用条件而存在的费的差别。不同品质的水资源体现不同的使用价值，而且不同的开采条件也造成使用者使用成本的不同。所有者通过级差地租来体现水资源使用价值的差异，并排除水资源使用上的不公平。相对来说，在自然状态下，上游地区水质好于下游地区，地下水的品质好于地表水，地表水使用相对地下水较容易，矿泉水的使用价值高于一般性的水资源。

管理成本，是指所有者保证使用者正常使用水资源而开展必要活动的成本。在一些私人资源的出租中，所有者也可以出租初始的自然资源，其他由使用者自己承担，这样，所有者也就不能收取该部分费用。但是，在现行条件下的水资源已不再是初始状态的资源，所有的地下水、地表水都已凝聚了人类劳动，如水资源调查评价、水资源管理等都凝结一定的成本费用，并且，水资源的保护不是某一个市场主体就能够做好的，水资源必须从整个流域，由代表全部所有者的政府来进行管理。因此，水资源的管理成本是使用权获得者必须缴纳的成本。它包括水资源勘察、调查评价、规划、管理等从事水资源管理有关活动的全部成本。

稀缺性，是指水资源由于短缺而从水价上体现出来的性价关系。水资源价格因稀缺程度不同而不同，稀缺程度越高，价格越高。这不仅是水资源本身对市场效应的体现，还是水资源费作为一种资源配置手段所必须体现的，这部分特性也可通过级差地租来体现。所不同的是，稀缺性影响价格的因素不是地理及开采条件，而是水的稀缺程度。

机会成本，是指由于水资源用于不同用途所带来的不同收益。由于水资源所有者有权对自己的资源被使用的状况提出要求，因此，可以通过不同的费率来体现这种"机会选择"。一般来说，水资源被用于高收益的行业和地区，所有者可按高效率收费，反之则相反。水价在市场机制的作用下，最能灵敏地反映这一成本现象。

外部性的补偿，是指取水也会对环境及他人用水带来消极外部性的影响。如降低下游用水保证率、流域水环境容量减小、地下水位下降等。由于这些消极外部性的影响要依赖于政府解决，取水者无能为力，所以，对取水者收取补偿费，可以弥补因这些"外部条件"所造成的负面影响。

资源水价是体现水资源价值的价格，它包括对水资源耗费的补偿，对水生态（如取水或调水引起的水生态变化）影响的补偿。为加强对短缺水资源的保护与高效利用，还应包括促进节水、保护水资源和海水淡化等技术、经济措施的投入。水资源耗费补偿能力的高低，直接影响水资源的可持续发展。

2.工程水价

工程水价以其形成早、运用广、研究深、市场成熟等特点而具有重要的地位。推进水利工程水价改革是水利改革和水利走向市场的突破口。所谓工程水价，就是通过具体的或抽象的物化劳动，把资源水变成产品水，进入市场成为商品水所花费的代价，包括工程费（勘测、设计和施工等）、服务费（运行、经营、管理、维护和修理等）和资本费（利息、折旧等）的代价，具体体现为水利工程供水价格。

工程水价属经济核算的行为决策，是由下而上逐层次形成的。它是根据各供水工程运行的单位成本、费用、利润、税金等成本项目逐级、逐项计算形成的。有关成本、费用等构成事项，在1994年12月财政部颁发的《水利工程管理单位财务制度》中已作详细规定，但作为工程水价的财产制度研究，有两点值得重视，一是这一制度早就规定了水利工程供水价格构成应包括资源水价即水资源费，规定水资源费属制造费用的构成之一；如果是多级供水，二级以上的原水（含水资源费）则在直接材料中核算。二是这个制度尚未考虑环境水价问题，对水资源作为生态环境的控制要素之一的水功能特点未以水价格制度予以规定。

3.环境水价

所谓环境水价，是指经使用的水体排出用户范围后，污染了他人或公共的水环境，为进行污染治理和环境保护所需要付出的代价。污染的治理也需要工程设施，其具体体现为污水处理费，表现为治污所支付的各种费用和代价。环境水价理论的提出，为污水资源化、污水处理市场化奠定了理论基础；为完整地研究水资源量和质的统一管理提供了研究空间；为充分利用WTO的"绿箱政策"，加大对水利基础设施的投入，尤其是农业供水、节约用水的投入提供了理想的研究发展空间。

（二）水价的内容构成

水价的内容构成，具有一般商品价格构成的属性，它由以下四个部分的内容组成。

1.成本

水价的成本，包括水利产业部门为供水而改变原江河自然水资源的时空分布和分配而需要支出的成本，包括综合利用和合理配置水资源而修建的水利工程（如水库枢纽工程、闸站枢纽工程、渠系输配水工程等）的制造成本（直接材料费、直接工资等）与期间费（管理费用、财务费用、销售费用）之和。依此计算出的水商品成本是水价格的下限，是水利基础产业部门维持简单再生产活动的必要条件。水价格的成本，是水利产业部门为生产水商品所修建的水利工程的总投资在工程使用年限内的等额摊还与多年平均年运行费之和。年运行费指水利工程运行管理人员的工资、福利费、材料费、燃料费、动力费、维护费等费用项目。成本是指水市场主体直接为生产水产品所发生的直接费用和制造费用。包括直接材料费、直接工资、其他直接支出和制造费用等支出项目。

直接材料费，是指生产运行过程中直接发生的并伴随产品数量的增减而发生正比例变动的有关材料费用，如原材料、辅助材料、备品配件、燃料动力及水资源费等。直接工资，是指生产过程中直接从事生产运行人员的工资、奖金、加班津贴及补贴等。这类人工工资可直接计入产品成本中，也是产品直接成本的主要组成部分。

其他直接支出，是指直接从事生产运行人员的职工福利费等。

制造费用，是指在生产中发生的，除直接材料费、直接人工费等直接支出之外的其他间接费用（又称间接成本）。包括生产运行所使用的房屋及建筑物、机器设备、固定资产折旧费等。

可见，水价成本是补偿水市场主体生产水商品耗费的重要标准。水市场主体是水商品的生产者与经营者，为了保证再生产的连续进行，必须对生产、经营中所耗费的资本进行补偿。水商品的成本就是衡量这一补偿份额大小的尺度，它应该在销售水商品取得的收入中，分离出相当于成本的份额，用以补偿生产经营中的资本耗费，以维持按原有零规模进行生产的资本需求。只有水市场主体的耗费得到补偿，水商品生产资本得以顺畅运动，生产或再生产才能在原规模上进行或扩展，水商品主体才能实现良性运行。

2.费用

水商品费用包括管理费用、财务费用、营业费用，它是水商品市场主体在一定时期内所发生的全部生产经营性支出。按经济用途分类有直接材料费、直接人工费、燃料和动力费、制造费用、期间费用等。按经济内容分类有外购材料、外购燃料、外购动力、工资、提取的职工福利费、折旧费、利息支出、税金、其他支出等。

水价成本和水商品费用的主要区别表现在：成本为对象化了的费用，而费用又部分地涵盖了成本。费用是指企业各种费用和损失。成本指企业取得资产的代价，取得固定资产的代价就是固定资产成本；购买原材料的代价就是原材料成本；生产产品花费的代价就是产品成本。凡与产品生产经营有关的各项支出，应计入生产成本。凡与产品生产经营无直接关系的各项支出，如为购置和建造固定资产、无形资产与其他资产有关的支出、支付的赔偿金、滞纳金、罚款等，均应列入费用。

水价成本，反映了水商品市场主体生产经营过程的实际耗费，确定了水产品补偿价值的标准，是综合反映水商品市场主体经济效果的衡量指标。因此，在制定水价格前，必须理清成本和费用的概念、成本与费用的关系、研究成本的意义、核算成本的依据等方面问题。

3.利润

水商品利润是水商品市场主体在一定期间内生产经营活动的最终成果。水商品项目在投产运行后获得销售收入与成本费用相抵后的差额，若收入小于成本费用时的差额即为亏损，当收入大于成本费用时的差额即为水商品市场主体的当期利润。根据利润的形成原因，一般划分为三个部分，即营业净利润、投资净收益和营业外收支净额。水商品营业净利润、投资净收益（含补贴收入）与营业外收支净额三者之和即称为水商品市场主体的当期利润总额，也称税前利润或毛利润。营业净利润是指营业收入扣除销售费用、管理费用、财务费用、营业成本、营业税金后的余额。营业利润又称营业毛利润，是营业收入扣除营业成本与营业税金后的余额。水商品利润总额，直接关系到水商品生产职工的切身利益，关系到水商品生产单位的积累，关系到水商品主体扩大再生产的规模以及国民经济的协调发展。利润是价格以价值为基础形成的经济分配关系，这一分配关系体现了水利产业持续发展的经济要求，合理确定水价格构成中的利润水平，正确处理利润分配，关系到积累与消费关系的协调。国家、企业、职工个人三方面利益的实现，是调动水商品市场主体的积极性，促进水利事业有序、健康发展的需要。

4.税金

税金即水商品税收，它是国家为满足社会公共需要，依据其社会职能，按照法律规定，参与国民收入分配的一种规范形式与取得财政收入的手段。任何社会经济形态下，税收总是社会再生产中的一种分配形式，总是以国民收入中剩余产品为分配对象。税收与财政收入形式的利润、利息、地租等经济概念相比，主要区别在于，税收是以国家为满足公共需要而执行的社会职能为依据；税收与摊派、募捐、收费等分配形式以及自由献纳等收入形式相比，主要区别在于，税收具有规范性。税收的本质，是国家为满足社会公共需要而对剩余产品进行的集中性分配。社会公共需要具有社会所有成员直接共享的性质，对每个人而言，不能定出各人享受其利益的标准，不可能由每个人直接付费，即使在市场经济条件下，也不可能使所有社会公共需要的费用都按市场方法解决。因此，国家只有凭借政治权力，按照法律规定的标准，无偿、强制、固定地取得这部分财政收入。

对于水商品销售行为来说，原水生产，即水利工程直接供水的商品生产，由于供水价格不足以补偿供水成本，其差额主要依靠公共财政实现成本补偿。因此，水利工程供水的原水税收都以零税率计算，或按免税政策执行。对于加工原水的水商品生产企业，其生产和销售过程具有较强的市场属性，水商品价格由市场供求关系加以调节，其承担的税负十分明确，税收在水商品价格中得到明确反映。

三、水价制定

水价制定是水价运行机制的关键，水价市场运行是否有效，很大程度上取决于水价制定的科学性、合理性。

（一）水价制定原则

由于水价格的历史环境、社会地位的差异，世界各国或同一国家的不同历史阶段，水价格形成各不相同。水价格的形成，是许多因素相互影响、相互作用的综合结果，是不因个人主观愿望而转移的客观产物。多年来，我国在水价格的反复实践与理论探索中，逐步认识了水价格的形成规律，总结出了一些水价制定的经验原则，为合理制定水价提供了理论依据。

1.可持续发展的原则

制定水价格时，必须遵循水资源开发利用中的优化配置原则；同时还应遵守促进水资源保护与节水、有利于水资源最佳综合利用与统一管理的原则，使水资源经济化、商品化。利用价格杠杆，控制水污染，防止水土流失，促进对耗水量大、节水技术水平低的产品进行结构调整和工艺改进，使可利用水资源总量不因人为的掠夺使用而减少，以水资源可持续利用支持经济社会可持续发展。

2.维护消费者权益的原则

水是人类必需的生活资料，是社会发展必不可少、无可替代

中国水市场管理学

235

的物质基础。水价格的合理与否，对国家经济建设、社会发展、人民生活具有全局性、长期性、决定性的影响，加之水商品固有的特性，使水消费者承受对水商品供给无可选择的不利条件。因此，制定水价格时，必须遵循水价格能使消费者可承受的原则，满足用水产业在正常生产条件下，不因过高的水价而影响扩大再生产。水价的制定必须使所有人（无论是低收入者，还是高收入者），都有能力承担支付生活必需用水的费用。因此，从维护消费者权益的角度出发，水价制度必须在保质、保量、及时供水的基础上，按质、按量定价，买卖公平定价，水商品分门别类定价，并结合经济、自然条件及社会稳定、人民生活改善等具体情况制定措施、政策，分别定价，分期实施。

3.投资回收原则

制定水价，必须保证水利基础产业具有扩大再生产的能力。水利基础产业部门生产水商品的成本是水价格的最低价位，以保证水利工程的建设投资、运行费用得到回收。水价格中除了核算水商品成本外，还必须考虑一定的盈利，以保证水利产业部门与其他产业部门有可比的社会贡献率与公平的分配，使水利基础产业职工的福利不低于社会其他产业职工平均福利水平，以稳定和壮大水利职工队伍。

投资回收原则是保证水商品生产主体不仅要有清偿债务的能力，而且还要有创造利润的能力，以融资（负债）和投资（参股）的形式筹措发展资本。只有水价收益能保证水资源项目的投资回收，维持经营单位的正常运行，才能调动水投资单位的积极性，同时，鼓励其他社会资本对水资源开发利用的投入，保证水资源的可持续开发利用。

按照投资回收原则，水资源商品的供给价格应等于水资源商品的成本。水资源商品供给价格测算的途径是，先盘点和估算所有新、旧资产价值，在这个基础上运用一定的折旧原则，推导出与供水量有关的年度成本，再估算各种运行成本和与供水有关的成本，并通过会计报表尽可能在水商品消费中公平地分摊这些成本。

4.水资源配置的高效原则

水资源（或供水）属于可分的非专有物品，"可分"是指可供水量在供给任何一个用户使用后，都将减少，而"非专有"是指水资源不为某个人或团体所拥有。非专有性将削弱财产权，导致低效率。没有专有权，就不可能获得使用代价。在这种情况下，价格不能在用户之间配置资源时发生作用，也不能为维护和保护资源提供收入。为了防止水资源非专有性的分配结果的发生，促进水资源的可持续开发利用和提供可靠的供水，水价的制定应遵循高效原则。因为，市场经济是稀缺资源高效配置的经济，水资源是稀缺资源，其定价必须把水资源的高效配置放在十分重要的位置上。只有水资源高效配置，才能更好地促进国民经济的发展。只有当水价真正反映生产水的经济成本时，水才能在不同用户之间有效分配，高效运行。

（二）水价制定方法

我国目前水价的制定，基本上都是由水行政主管部门核算，报经物价部门核定批准后执行。资源水价一般通过征收水资源费来体现，其标准也都是由各省、自治区、直辖市人民政府制定，并不反映市场的变化。对于工程水价和环境水价，人们习惯性地理解为根据实际成本进行核算，但在实际操作中，仅对工程水价和环境水价进行测算。一般实行容量和计量两部制水价、阶梯式水价等方法。定价的结果往往是水价过低，不能真实、准确地反映水资源的价值和水商品的实际成本，过低的水价必然导致水资源的巨大浪费和水环境的恶化，同时也导致水利工程难以实现正常运行。

水价制定的方法，通常采用成本核算法、长期边际成本法和政府指导定价法。

1.成本核算定价法

成本核算方法又称成本加利润法，这是一种最常见的垄断部门的定价方法，其定价的基础是平均成本的估计数，目的是为弥补运行费用而提供足够的收入，价格计算中所包含的利润率一般是社会平均利润率，为满足将来的资本需求预留了折旧，但对提高服务质量要求不足。

我国现行城市自来水价格、水利工程向城市供水水价等，大多是采用成本核算定价法定价。考虑到供水部门属于国民经济基础产业和具有竞争性、风险性小的特点，国务院1985年颁布的《水利工程水费核定、计收和管理办法》规定，水费标准应在核算供水成本的基础上，根据国家产业政策和水资源状况，对各类用水分别核定；对于工业水费，消耗水按供水部门平均投资（包括农民折劳投资）计算的供水成本加供水投资的4%~6%的盈余核定水费标准。水资源短缺地区的水费可略高于以上标准；对于农业和为改善环境和公共卫生等用水水费，一般按供水成本核定水费，即利润率为零。但由于水利工程水费一直是作为事业性收费进行管理的，供水价格不到位，水价外搭车收费现象普遍存在。1992年，国家物价主管部门明确了水利工程供水为商品生产，2000年，财政部和国家计委明确水利工程水费为经营性收费。近年来的水价改革，为成本定价法奠定了基础。

2.长期边际成本定价法

边际成本是指增加单位水量所引起的总供水成本的增加量。边际成本一般分为短期边际成本和长期边际成本。短期边际成本，是假定现存资金成本的机会成本是零，即如果不用于供水工程，在短期内现存资金将没有别的用途；同时又假定，供水工程存在额外容量的投入只是物品、劳动力和能源，没有其他的资本投入，额外生产每单位水增加的边际成本是劳动力、物品和能源的边际单位成本，通过单位水量的收入补偿边际单位成本。

长期边际成本定价法，其计算需要了解未来项目的年投资增加量和管网投资、年增加的运行和维护费用、年增加的消耗和成本、年增加的供水量；然后对增加的成本和利润两项进行折旧计算，选择的折旧率是资本的边际成本。若把折旧的增加成本总和除以增加的可供水量，就得到供给单位增加水量的平均增加成本。平均增加成本是长期边际成本的近似值，若水价等于平均增加成本，扩容的全部成本将回收。长期边际成本关注扩容增加的预期成本，相对于其他定价方法，提供了一个更为确切的未来资本需求的估计。在计算平均增加成本和长期边际成本时，折旧预期成本和利润是关键。若用平均增加成本作为制定水价的依据，管理者可能获得足够的收入去扩容和促进可持续发展。由于考虑了资本、劳动力和其他投入的机会成本，长期边际成本定价将同时推进水资源的高效配置。因此，边际成本定价是理论上较为成熟的方法。

3.政府指导性定价法

如果水价完全由水管理单位或政府部门强制制定，水价就有可能失去合理性和科学性。政府指导性定价往往仅靠有限范围内的价格听证，没有较全面地搜集和评估水项目的经济运行状况，定价很少是基于准确的成本数据。在这种方法指导下，水资源依靠价格杠杆形成的分配问题不是经济学问题，而是政治和行政问题，结果导致水的价格扭曲，水可能以很大的补助价格供给社会某一阶层或某一类型的用户，此方法没有市场概念，缺乏以市场为基础的导向。对水生产者来讲，这种计划定价方法，有可能使企业经营不能随市场的变化作出响应；对用户来讲，制定的价格很难传递适时的水商品的供需信息，价格的变化与需求的变化不相一致。

在政府指导性定价方法中，存在一个现行价格背后所隐藏的理论价格，这个理论价格就是影子价格。影子价格是指当社会处于某种优化状态，能够反映社会劳动消耗、资源稀缺程度和对最终产品需求状况的价格。也就是说，影子价格是人为确定的、比现时交换价格更具合理性的价格。合理的标志，从定价的原则看，能更好地反映水商品市场供求状况和水资源稀缺程度；从价格产出的效果看，能使水资源配置向优化的方向发展。从本质上讲，影子价格就是有限资源在最优分配、合理利用条件下对社会目标的边际贡献。

影子价格方法从理论上讲是可行的，但在实际工作中，由于涉及面广、工作量大、数据量要求系统化，模型参数选定较困难，故未得到广泛应用。目前，较广泛应用的是简化法求解水的影子价格。

根据我国现行的水影子价格测算方法，水影子价格测算分为投入物和产出物两种情况。入选建设项目的投入物，其影子价格的测算是为了准确计算建设项目的高效费用；作为产出物，影子价格的测算是为了准确计算供水工程的宏观经济效益。各类水商品或水资源影子价格的测算可分为直接法和间接法两种。直接法是以传统、经典的水影子价格为依据，编制涉及国民经济一切重要部门在内的、一个庞大的宏观经济线性规划数学模型，用对偶规划模型求解水资源或水商品的影子价格。

（三）借鉴国际市场定价法

国外，特别是美、英、法、德、日等发达国家，对水资源认识程度普遍较高，值得借鉴。参照世界上类似地区水价格标准、水费与收入比、水费支出与工农业产值比等资料，结合中国国情与生态环境，用类比法测定国内相应水商品的价格。

根据中国水利水电出版社2000年12月出版的，陈梦玉、徐明两位学者的著作《水价格学》介绍，国际市场定价主要有以下几种。

1.成本导向定价

此法的主要精神是：根据水商品的成本，再加上一定比例的成本加成（利税），来确定水商品的价格。此法又分四种情况：

（1）完全成本加成法。按定额利润和规定税率加成，即

$$定额利润 = \frac{目标利润总额}{目标总产销售额}$$

$$销售价格 = \frac{完全成本 + 定额利润}{1-税率}$$

或按成本利润率和规定税率加成，即

$$销售价格 = \frac{完全成本 \times (1+成本利润率)}{1-税率}$$

（2）部分成本加成法。按加工成本加成，即

$$加工成本利润 = \frac{目标利润总额}{目标产量新增成本总额} \times 100\%$$

$$销售价格 = \frac{加工新增成本 \times (1+加工成本利润)}{1-增值税率} + 外购成本$$

或按原材料成本加成，即

$$修理收费 = \frac{原材料成本 \times (1+加成率)}{1-营业税率}$$

（加成率指修理工资及管理费等占原材料成本的百分率）

或按工时成本加成，则修理费与材料费、工时工资、管理费定额及实耗工时等有关。

（3）目标成本加成法：

①出厂价格 $= \dfrac{\text{目标成本} \times (1 + \text{目标成本利润率})}{1 - \text{产品税率}}$

其中，目标成本 $= \dfrac{\text{总固定成本} + \text{目标产量} \times \text{变动成本}}{\text{目标产量}}$

目标成本利润率 $= \dfrac{\text{总目标利润}}{\text{总目标成本}} \times 100\%$

总目标利润 $=$ 投资总额 $\times$ 年平均利润率，或

$\qquad = $ 目标产量 $\times [$出厂价格 $\times (1 - $产品税率$) - $目标成本$]$

②出厂价格 $= \dfrac{\text{目标成本} + \text{单位产品目标利润额}}{1 - \text{产品税率}}$

其中，目标成本 $= \dfrac{\text{固定成本} + \text{目标产量} \times \text{变动成本}}{\text{目标产量}}$

单位产品目标利润额 $= \dfrac{\text{总目标利润}}{\text{总目标产量}}$

总目标利润 $=$ 投资总额 $\times$ 年均利润率

（4）目标贡献定价法：

①出厂价格 $= \dfrac{\dfrac{\text{总变动成本} + \text{目标贡献总额}}{1 - \text{产品税率}}}{\text{销售量}}$

其中，目标贡献总额 $=$ 总投资额 $\times$ 年均利润率 $+$ 总固定成本

②出厂价格=$\dfrac{\text{单位产品变动成本}+\text{单位产品占用限制因素额}\times\text{单位限制因素贡献额}}{1-\text{产品税率}}$

其中，单位限制因素贡献额=$\dfrac{\text{目标贡献总额}}{\text{限制因素总量}}$

目标贡献总额=总投资额×年平均利润率+总固定成本

2.需求导向定价

该定价方法实质是按照需求量的市场价格的变动和对企业获得最大利润的影响定价。可分为销价倒推定价法、市场可销价格测定法、需求差异定价法等几种情况。鉴于目前水商品的特殊地位，国内市场中水商品销售价并未完善，目前难以实行。

3.竞争导向定价

即参考竞争对手的价格来确定本企业产品的价格，这也有多种方法可供选用，如竞争模仿法、通行水平定价法、拍卖定价法等。竞争导向定价法可用于水利基础产业的企业部门，但目前尚不适应制定水商品的价格。

第二节　水价管理

改革水管理体制，建立合理的水价形成机制，核心是提高水的利用率，建立节水防污型社会。管理科学认为，管理就是生产力，因为管理可以出效果、管理可以出效能、管理可以出效益。在水价运行工作中，水价管理非常重要，它是水价工作的中心环节。水价格是国民经济价格体系的重要组成部分。在市场经济条件下，国民经济实现健康有序的发展，水市场作为国民经济的组成内容，其发展也必须适应国民经济的发展。国民经济及其水市场的发展，对于商品价格（包括水价格）水平有着重要影响，而水价格的调整和变化，将直接对国民经济价格体系产生影响，对水市场经济及整个国民经济再生产也会产生不同程度的影响。因此，对水价格实施有效管理，对于理顺社会经济生活中各种价格关系、促进国民经济各部门的协调发展、实现社会资源的有效配置，具有十分重要的意义。

一、水价管理的目标

水价格管理目标可分为宏观管理目标和微观管理目标。在市场经济条件下，水价格的两种管理方式各自具有不同的内容，并且都在一定程度上发挥着不同的作用。水价格管理的宗旨是为了规范水价格行为，发挥水价格合理配置水资源的作用，保护水消费者和水经营者的合法权益，促进水利产业经济健康发展。

（一）水价宏观管理目标

水价格宏观目标管理，是水价格经济杠杆发挥作用的经济环节，是保证众多水价格决策主体与国民经济宏观目标一致的必要条件，也是使水利产业经济乃至整个国民经济协调发展的必要条件。

虽然我国的水价制定和水费收取工作正在逐步完善，但是，水价格制定和管理仍然存在着许多问题，水费计收十分困难，严重影响着供水产业的发展。据统计资料分析，全国现行的水价格仅为供水成本的三分之一左右。从水利经济和社会经济发展的角度来看，这样的成本补偿水平已经很难实现水资源的可持续利用。全国成本测算结果表明，在农业用水部门成本构成中，年运行费约占38.7%，大修理费约占24.8%，而水价仅为成本的33.4%，可见收取的水费连年运行费都不够，供水产业在这种状况下运行，势必对水利经济乃至国民经济的发展带来不良影响。

从我国已经出台的水资源费征收办法来看，水资源费反映的内容还是比较完整的。但是，从宏观目标看，却存在急需解决的几个问题：一是没有细分类别，对经济内涵反映不充分，不利于逐项核算，不利于水资源费的评价和调整。二是水资源费没有体现流域性，水资源费的定价从区域角度看可能较为合理，但从流域角度看则存在较大的不合理性。水资源的评价要从全流域的角度来进行，如果只从本区域的水资源状况来理解级差、稀缺性，则可能导致区域利益与流域利益的矛盾，具体表现在黄河流域这一矛盾最为突出。如果仅从黄河上游地区理解，水资源稀缺程度绝对小于全流域平衡后的稀缺程度，因为黄河下游基本不产流，中上游的水资源应该平摊到全流域进行水资源稀缺评价，这类问题，应从水资源的流域属性来建立相应机制加以调整和完善。三是中央政府在水资源费上体现的权益和责任不对称。水资源费主要体现的是公共成本，即为保障全社会正常有序利用水资源所必须支付的管理成本，这就决定由中央政府在水资源管理中承担重要职责，然而水资源费反映的权益却由地方政府支配，这与目前水资源管理分工是不相适应的。因此，水价宏观调控要达到的目标表现在，水价格是经济活动的联结者、是经济政策和信息的传递者、是水利产业部门利益的体现者、是水资源合理开发利用的调节者。

（二）水价微观调控目标

水价微观目标管理，是在国家宏观目标管理的指导下，通过水商品的价格调节，实现供水经济效益和社会效益最优化。

中国地域广阔，各地的水资源时空分布及相应的经济与社会发展状况不尽一致，水资源的可利用程度、开发难度以及用户对水的需求程度各不相同，相应的水价应有所区别。水价应能够适应实际情况，因地、因时、因类、因量、因质而价，而不是低价大锅水。同时，由于供水往往是多级供水系统衔接进行，存在不同层次的买入和卖出价，将不同取水层次的水价（如原水价和终端用户价）混同，盲目定价或提价，是难以真正发挥水价的市场调控作用的。对于同一类用水，水价通常又可分为单一制（即水价与用水量无关）和分部制（即水价随用水量的变化而分级）。单一制水价通常适用于用水比较平均、难于单独计量的农村；而两部制和多部制水价则适用于用水状况比较复杂的情况。分部制中，基本水价部分的水量通常是用于保障生存和基本发展用水需求，而其浮动水价则根据实际供需情况，通过降价或加价来鼓励发展或限制产业发展模式以及惩罚不合理用水等。此外，在实际运用中，为了达到回收供水成本的目的，有时也将水价定义为容量水价（即无论是否用水或是否有足够的水量可用都须缴纳固定的水费）和计量水价两部分。但这里的容量水价实质上并不是一种水价，而是一种成本分摊的形式；计量水价则可进一步实施分层次的多元水价。诚然，通过容量水价和计量水价的合理定价组合，也可以达到鼓励或限制使用容量水量以外的水量的目的，但从定价理论角度看，却是不科学的。

　　在市场经济条件下，水利产业必须抓住有利时机，进行水利经营机制的改革，以科学的水价格理论指导水价格的实践，对水价格进行合理的调整，完善水价格体系及水费收取办法，使水价格标准符合客观经济规律。这些工作，无疑都是水价管理的主要内容。只有这样，才能理顺水利经济与其他产业的经济关系，有利于巩固和发展水利基础产业的地位，实现水价的微观调控目标，从而实现水利经济的良性运行，促进国民经济的协调发展。

二、水价管理的内容

（一）国家定价

　　国家定价，是指国家对商品水价格加以强制干预的价格形式，它通常表现为，政府通过行政手段，直接制定商品水的价格或规定最高及最低限价。国家定价，是县级以上（含县级）人民政府物价部门、业务主管部门按照国家规定权限制定的商品水价格和收费标准。它是国家直接控制价格的基本形式，它总是有计划地统一制定的，而且是必须执行的。所以，国家定价又称国家统一定价或指令性计划价格。国家定价主要用于关系国计民生的少数重要商品和劳务，这些商品在国计民生中具有特别重要的地位，生产经营具有高度的垄断性，市场供求具有长期稳定性。

改革开放以来，国家对于竞争性产业逐步下放了价格管理权限，形成了价格决策主体多元化的多层次的价格决策机制。而水资源则是国家垄断的自然资源之一，由于其固有的特性，导致我国目前水价格的管理权限，是由国务院统一制定水价办法、确定水价格核定原则。具体水价格标准则按分级管理的原则确定，其中跨省、自治区、直辖市的大型供水工程和中央直属水利工程的水价格标准，分别由各省、自治区、直辖市和主管的流域机构提出实施方案，报国务院物价主管部门核批。地方各级政府及其所属的有关部门，按照制定的实施细则，负责审核批准所属的水利工程或跨行政区域的水利工程供水价格，并监督其执行。

从各国水资源开发利用史来看，由于水具有明显的社会属性，且是可再生的自然资源，政府往往须通过供水实现其一定的政治及社会目标，所以水不可能完全商品化。这样，就必须将水的社会公益部分剥离出来，由政府承担。因此，水价制定也就很难完全市场化。无论是发展中国家，还是发达国家，政府往往都通过供水（特别是农业供水）补贴介入水价的制定，实现社会发展、体现公众信任和维护社会公平等政治目标。政府对供水的补贴实质上是进行社会再分配、实现利益调整的一种方式。对居民生活用水而言，水价补贴实质上体现着对居民基本生活需求的保障，特别是对低收入家庭的照顾；对工业用水的补贴，则通常是政府出于对地区投资环境的整体考虑，希望借此在降低工业成本方面增强吸引力；对农业供水而言，水成本补贴和水价格补贴实际上是对粮食价格的补贴，这一世界范围内（特别是发达国家）的水价补贴政策对粮食成本较高的发展中国家已形成一种价格压力。我国加入 WTO 后，农产品会面临极大的价格压力，保持农业用水水价补贴是必然的、长期的。如何合理利用水价政策进行有效调控，是一个值得研究的现实课题。

（二）国家指导价

水价制定是关系国计民生和经济与社会发展的复杂问题，水价往往是政府指导性价格或政府指令性价格相结合形成的。《中华人民共和国价格法》（以下简称《价格法》）第二十二条规定：政府价格主管部门和其他有关部门制定政府指导价。政府定价，应当开展价格、成本调查，听取消费者、经营者和与经营者有关方面的意见。《价格法》第二十三条规定：制定关系群众切身利益的公用事业价格、公益性服务价格、自然垄断经营的商品价格等政府指导价、政府定价，应当建立听证会制度，由政府价格主管部门主持，征求消费者、经营者和有关方面的意见，论证其必要性与可行性。

国家指导价由县级以上（含县级）人民政府物价部门、业务主管部门按照国家规定权限，通过规定基准价和浮动幅度、差率、利润率、最高限价和最低保护价等，指导供水企业制定商品水价格和收费标准。

国家指导价是随指导性计划的产生而产生的，是国家对价格进行指导性计划管理的形式，因此，又称之为指导性计划价格。从实质上讲，它是国家和企业共同决策的价格，是在国家价格决策导向下的企业定价。国家对企业导向作用主要表现为影响、约束、参考和调节，这已从国家指导价的具体实施形式上得到充分反映。

国家指导价是介于国家定价与市场调节价之间的一种价格形式，是计划和市场相结合的形式，因而，它兼有国家定价与市场调节价的一些特征，具体表现为一定的计划性、一定程度的约束力和一定程度的灵活性。

（三）市场调节价

市场调节价亦即市场价格，是指在商品水交换过程中由买卖双方自行制定的价格和收费标准，也就是在市场竞争中形成的价格。市场调节价不受国家的直接控制，而是由买卖双方自主决定，所以又称自由价格。

市场调节价受供求关系影响较大，往往随供求关系的变化而变化，价格反应灵敏，极具灵活性和波动性。灵活性、波动性和不稳定性是市场调节价的显著特点。

在市场经济条件下，为实现水资源的优化配置，实行市场调节定价原则十分重要。水价不能单纯理解为工程水价，因更为重要的是，水价是水资源优化配置的经济手段。依据市场确定的水权的多种定价形式，是调整与实现水资源优化配置的有效手段。从需求角度来看，生活用水、工农业用水、生态用水，具有不同的水权价格功能形式；居民、宾馆、洗车业、洗浴业等社会用水，具有不同的利润形式；大田作物、蔬菜、经济作物如何定价，具有不同的农业产业化结构形式；重工业、轻工业和其他工业之间如何定价，则具有城市化发展的导向形式。从供水水源角度来看，地表水（包括水库水、湖泊水和河道水）、地下水、主水、客水存在不同的水源配置问题。从资源总量的角度来看，当地的降水、流域的来水、水库的存水、地下水的水位等，存在水源的互补问题；不同的用水户，在不同的地区、不同的时间，使用不同水源的不同水量，其资源水价存在着差别问题。水权表现的这些结构形式和问题都需要通过市场供求机制来调节。市场是经济发展的神经中枢，依靠市场调节水价，是水利经济产业化发展的必然选择。

合理制定水价是价格管理的重要内容，也是关系到水利基础产业中供水经济持续发展的问题。水价格的制定必须符合供水经济的客观要求，符合市场经济的客观规律。从国家宏观调控的角度出发，水价格的核定是指以规范、法规及政策形式，规定水价格的制定原则、成本核算范围、核算方法、价格的确定模式以及政策调控等形式。由于水利是国民经济的基础产业，故而水商品的定价有其自身的特点，即水价格具有可控制性和市场经营的垄断性特点。水价格的核定应以国家宏观控制为主，坚持低税和含利的成本原则，同时也要适应市场经济规律的要求，根据国民经济发展的需要和供水经济的发展水平，遵循水价格的制定原则，适时地对水价格进行调整。

水价格的调整应满足如下目标：①促进高效率用水，达到节约用水和水资源的合理配置；②保持供水经济的持续与稳定的发展；③以水资源的可持续利用促进经济与社会的可持续发展。这是制度的要求，是时代的选择。

三、水价管理的方法、方式

对水价实现有效管理，需要一定的方式或方法。水价管理按手段划分，有经济、行政、法律、综合四种管理方法，按管理目标的实现形式，有直接管理与间接管理两种方式。

（一）水价管理的方法

1.经济管理方法

在市场经济条件下，国家对水价格管理的主要方法是经济方法。水价管理中的经济方法是国家管理国民经济的经济手段在水价格领域的具体体现，是国家通过调节水市场经济主体的利益关系，以诱导水企业的生产经营活动按照宏观经济发展目标的要求所表现的经济过程。经济方法的实施主体是国家，调节对象是水企业，实质在于利益诱导，即以经济利益为动力，通过调节利益关系来诱导水企业的经济活力，使其与国家的宏观经济目标协调发展。

经济方法管理水价有以下几个特点：

（1）间接性。经济方法对水价格的形成和运动是间接地发挥作用的，具体表现为国家通过对经济杠杆和经济变量的操作，借助于市场供求这个媒体，间接地影响商品水价格。其运作程序是，国家运作经济手段，经济手段改变市场供求关系，供求关系的变化影响水价格的形成和运动。

（2）滞后性。经济方法管理水价格的滞后性是指经济方法的实施效应具有时滞性，也就是说，实施一定的经济方法后，水价格作出反应要滞后一段时间。这是由经济方法管理水价格的间接性决定的。

（3）趋利性。经济方法管理水价格的实质是通过对被调节者进行利益诱导来控制和管理其价格行为。在市场经济条件下，供水企业是相对独立的经济实体，具有相互独立的经济利益，追求经济利益是企业生产经营活动的基本目标，这就使得利益诱导对企业行为具有不可低估的影响。经济方法的运用，正是抓住了这一特点，通过对企业切身利益的影响，促使企业的价格行为符合宏观价格目标的需要。

2.行政管理方法

市场经济条件下，经济方法是管理水价格的主要方法，但一定的行政手段仍然不可缺少，特别是对关系国民经济全局和长远利益的价格进行直接的行政干预，就更具有特殊意义了。为了对水价格进行必要的行政调节，国家往往通过行政命令或行政法规的方式，实行带强制性的措施，建立一定的行政管理制度等，这些都属于管理水价格的行政方法。

所谓行政方法，是国家行政机构凭借国家权力直接干预和管理社会经济活动的各项政策、规定和命令的总称。水价格管理中的行政手段是国家依靠行政组织机构，凭借国家政权力量直接干

中国水市场管理学

251

预和管理水价格的形成和运动的各种政策措施的总称。

行政方法管理水价格的特点包括：

（1）强制性。行政方法以行政法规或行政命令的形式，明确规定当事人的行为准则，它一经下达，就具有不可抗拒的约束力，当事人必须遵照执行，否则就会受到相应的处罚。行政手段的强制性，是国家政权的体现。

（2）直接性。有两层含义，一是行政方法不需要借助其他媒体，而直接作用于供水企业的价格行为；二是对价格水平直接作出规定。正是由于行政方法直接规定价格，直接作用于供水企业，因此，行政手段管理价格又具有简捷高效的特点。

（3）纵向性。行政方法管理价格是借助国家行政组织机构，凭借上下级之间的权威和服从关系，由上而下贯彻执行的，具有纵向性的特点。

由于行政方法管理水价格的上述特点，使得行政方法的运用具有特殊的不可替代的作用，从而决定了水权范围内行政干预水市场的必要性。

3. 法律管理方法

市场经济就是法制经济。法律是市场经济程序化、法制化的保障。在水价的制定与执行过程中，会形成一系列社会关系，这些社会关系，就是法律管理方法调整的对象。通过水价格法规的调整，这种社会关系就上升为水价格法律关系，从而形成一种水价格法律秩序。所以，用法律方法管理水价格，是建立健全水价格秩序不可缺少的管理手段。

所谓法律方法，是国家依靠政权的力量，通过经济立法和经济司法机构制定和运用经济法规来调节社会经济活动，以保证社会经济的正常运行。而水价格管理中的法律手段，则是指国家为规范水价格行为而制定的水价格法规；法律方法管理水价格，是指国家通过法律的形式来规范水价格决策主体的权力与义务，规范水价格制定与调整的程序，规范水价格管理的形式与办法，规范水价格的监督与检查，规范违法行为的处理与制裁。通过这一系列的规范管理，使水价格决策主体的行为具有法律的规范性和稳定性。

法律方法管理水价的特点有以下几方面：

（1）规范性。法律方法管理水价格，是以法律条文的形式将水价格决策主体的行为明确规定下来，并给水价格决策主体制定一个可以遵照执行的行为准则，使之有规可循，有法可依。通过规范的法律条文，促进水市场主体规范性的水价格行为，避免水商品经济运行中可能出现的价格混乱现象，进而使水价格形成和运动灵活而有序。

（2）稳定性。是指价格法规一经确定，就具有相对稳定性。法律方法所反映的是商品经济中价格运动的一般规则或原则，以及在价格管理中长期行之有效的、应用广泛的基本政策和方法，并通过严格的立法程序加以确定，一经确定，就不可随意变更。若由于客观情况的变化，需要修改、变更或废止，也必须通过司法机关，以严格的立法程序进行。

（3）严肃性。法律是国家意志的体现，水价格法规也是国家意志的体现。价格法一经确定，就具有严格的强制性和普遍的约束力，市场主体及自然人都必须遵照执行，一切违反水价格法规的行为，都将受到法律的制裁。

当前，我国水价格立法，还需要理论的创新与实践的推动。作为行政性手段推动的水资源规费已经通过不同层次的规范予以明确，即资源水价的核心部分已经通过立法予以规范。而工程水价、环境水价的原则与方法随着水价格实践行为的科学化，也必将为水价格立法提供借鉴。

4.综合方法

经济方法、行政方法及法律方法管理水价格，各有特色，它们不能相互替代，只能配合使用，配合使用才可以扬长避短。几种价格管理方法各有自己发挥作用的特点和范围，必须综合运用才能对水价格施之全面有效的管理和调控。

经济方法是通过对各种经济变量的调节去影响水商品的价格水平，它对水市场主体的具体价格行为一般难以进行有效的管理；法律方法则是通过法律准则去约束被调节者的价格行为，法律方法对价格水平的调整却不如经济方法灵活有效。经济方法是一种间接管理手段，它的作用效果具有时滞性；法律方法是直接管理方法，它的实施具有立竿见影的作用效果。法律方法和行政方法都属于直接管理方法，都需要借助国家政权力量强行实施，都具有直接性、强制性和见效快的特点。而且，它们两者甚至是相互渗透的，行政方法的某些规定和办法有时会表现为法律方法的一些具体内容，法律方法的某些条文往往是对长期以来行之有效的某些行政办法的总结。但是无论如何，两者的差异毕竟是客观存在的。经济方法强调利益诱导，被调节者有抉择自由；行政方法强调服从命令，被调节者必须无条件地执行。经济方法的合理运用可以从根本上消除各种影响因素对水价格的非正常干扰，是一种治本的办法；行政方法一般只能在行政命令的有效期内主张或禁止某种水事行为，往往偏重于治表，而难以治本。经济方法对水价格的管理具有间接性，收效慢，但作用面广；行政方法具有直接性，收益快，但作用的范围有限。因此，各种方法的综合运用，作用于水价格这个特殊领域，是有效发挥水价格管理的前提条件。

（二）水价管理的方式

在市场经济条件下，国家管理经济的方式，大体可以分为两类：直接管理和间接管理。直接管理主要是通过国家对企业的生产经营活动下达指令性计划和行政命令来实现的；间接管理则是国家通过自觉运用经济杠杆和经济参数，下达指导性指标来引导企业活动，使之适应国家计划的要求，保持经济协调发展。水价管理是国民经济管理的重要方面，与国民经济的管理方式相适应，水价格管理的方式也有直接管理和间接管理两种。

1.直接管理

国家对水价格的直接管理，主要表现为国家直接向水生产者、经营者下达指令性价格计划，并且直接规定商品水的价格，水价格计划一经下达或水价格一经确定，就具有行政约束力，水生产者和经营者必须遵照执行。

比如国家非常重视水价改革工作，在推动水价改革管理的同时，相应地出台了许多改革意见和方案，如《水利产业政策》、《关于取消农村税费改革试点地区有关涉及农民负担的收费项目的通知》、《中共中央关于制定国民经济和社会发展第十个五年计划的建议》，以及国家计委下发的《关于改革水价促进节约用水的指导意见》等，都对水价改革提出了明确要求。通过这些直接管理措施，全面推行工程水价改革，逐步培育水市场，以构筑与经济社会发展相适应的防洪减灾保障体系、水资源供给保障体系和水环境保障体系。

再比如，水价信息反馈与运用，也只有采取国家直接管理的方式，才能使其达到快速、高效服务于水利事业的目的。水价格信息是水利经济信息中最重要和最活跃的组成部分，它是对水商品价值和价格运动及其规律的一种客观描述，也是对水价格及其形成条件和变化发展特征的反映。水价格信息除了具有一般经济的共性之外，还具有时效性、客观性、共享性和实用性等自身固有的特征。对水价格信息的反馈和运用，在市场经济条件下，有着十分重要的作用，主要体现为以下几个方面：①水价格信息为国家的宏观经济决策提供依据；②水价格信息为供水企业作出经营决策提供依据；③水价格信息为供水企业的价格决策提供依据；④水价格信息为供水企业改善管理提供参考。对这些信息的管理，国家主要通过直接管理形式起主渠道的作用。

2.间接管理

国家对水价格的间接管理，主要表现为国家通过经济杠杆、经济参数的运用去影响水价格形成的相关条件，从而间接地影响商品水的价格水平和供水企业的价格行为，使之按照国家的价格目标的要求变动。

间接管理的关键在于用足用好现行水价政策。在新的水价政策还未出台之前应当正视问题，立足当前，脚踏实地地搞好现行水价政策的贯彻落实与实践总结工作，培育和完善间接管理方式。

一是认真执行现行水价标准。要严格按标准计收水费，不得随意提高或降低水价。凡水价标准未到位的，当地水利部门应做好政府和物价部门的工作，争取全额到位。

二是努力强化水费计收手段。继续推行签订有偿供（排）水收费合同制度，在合同中注明供、用水双方的权利和义务，增加水费计收透明度。同时，水管单位应不断提高服务质量，以优质服务促进收费。认真把握放水权，实行放水前预缴水费制度，做到当年水费，当年结清。各级水行政主管部门应充分利用水政监察队伍和乡镇水利站的力量，帮助水管单位代收好水费。对长期拖欠、拒缴水费的单位和个人，水管单位可以采取停止供（排）水的硬性措施促其交费，还可以通过法律手段强制收费。

三是切实加强计收基础工作。水利部门应加大排灌面积的核定和供水计量设施的建设力度，为农业用水真正实行两部制水价创造条件。同时，应搞好渠道的维修配套，提高渠道输水能力，减少输水损失，提高供水服务质量，以减轻农业用水的经济支出，减轻农民的不合理负担。

四是严格搞好水费使用管理。水利工程水费是水管单位的生产经营性收入，应由水管单位按照有关规定实行自管自用。凡目前仍将水利工程水费纳入财政预算外管理、用于平衡财政预算和进行调控的，水利部门应积极争取政府的支持，做好财政部门的工作，严格按照中央"三部委"的文件精神，改为经营性收费管理。任何部门和单位不得平调、截留和挪用水费。

直接管理和间接管理作为水价格管理的两种基本方式，二者可以单独使用，也可以结合使用。由于二者各有所长，又各有所短，如直接管理利于控制，见效迅速，但易于死板僵化；间接管理灵活，却又缺乏控制力度，且效果相对缓慢。因此，为了扬长避短，二者宜结合使用。事实上，直接管理和间接管理也是可能结合使用的，二者只是相对而言的，而非绝对的或相互排斥的。一方面，中国经济形式是商品经济形式，商品经济是社会经济活动的基础，为了发展商品经济和充分发挥市场的作用，作为供水商品属性的水价格管理需要更多的间接管理；另一方面，根据我国水资源的特点，为了保证商品经济的计划性，避免水价格的形成和运动盲目地接受市场的自发调节，又需要一定的直接管理。实践证明，直接管理和间接管理的有机结合，是水价管理的重要环节。

第三节　水价改革

中国现行水价严重偏低，背离价值规律，从而造成水资源的大量浪费，水利工程的投资无法回收，工程设施不能及时维修，许多水利工程管理单位亏损严重，每年需要国家大量补贴。对低水价政策的局限性和严重弊端已形成共识，但水价改革关系到国民经济、社会发展和人民生活诸多方面，其成败得失不仅关系到水利的改革与发展，而且关系到市场经济体制改革的进程。提高水价，不仅关系水利经济的发展，而且程度不同地影响着国民经济的发展。因此，加大水价改革力度需要有完善的政策措施和法制环境做保障。

一、构建新型的水价管理体制

水价格管理体制是水价格管理的基本制度及形式和方法的总称。国家在管理协调水价格的过程中，建立一些相互制衡的管理制度和形式方法，从而形成水价的管理体制。构建一个适应水市场运行的新型的水价管理体制，是实现水资源优化配置的关键。这种新型的水价管理体制应该包括以下几个方面。

（一）"统"、"分"结合的体制

水价格的统一管理与分级管理相结合，是贯彻执行合理水价的组织保证，这是十分重要的制度环节。根据水资源的特点，中国现行水利工程供水水价的管理权限是，国务院统一制定水价格管理办法、确定水价格核定原则，具体运行的水价格标准按分级管理的原则确定。在水价格管理上，统一管理与分级管理体制是对立统一的两个方面。只有统一管理而没有分级管理，就容易将水价格管得过死，不能适应市场经济运行规律的要求，还会损害供水部门的积极性。只有分级管理而没有统一管理，国家的方针政策就难以贯彻，同样也会破坏水市场经济的运行秩序，甚至会失去对水价格的控制。因此，水价格统一管理必须与分级管理同时运用，两者不可偏废。

"统"、"分"结合管理模式的特点表现在，在国家宏观调控下，由供水部门根据供水需求状况自主确定水价格。与此相联系，水资源分布以及水资源的供需状况，决定了水价格管理模式，主要表现为多种水价格形式并存，但突出表现为单一水价格、季节水价格和行政区域水价格。水价格管理方法则表现为直接管理和间接管理相结合使用。比如南水北调工程，其一，政府在南水北调工程建设中的作用是决定性的，不可替代的。国内外经验证明，像南水北调这样重大的基础设施建设项目，政府决策、协调、支持是关键，必须充分发挥国家宏观调控作用。其二，按照规划，南水北调工程的资本金应由中央和地方（含企业、用水户）共同出资组成。地方资本金的出资方式，将由各地根据需求水量，认购水使用权，并考虑调水距离等工程因素，确定资本金额度。地方根据出资额度在公司中占有股权，以股权享有所有者权益和承担有限责任，并拥有相应的水使用权。这样的资本金出资方式，要求工程建设管理应按照股份制运作。其三，为了最大限度地发挥工程效益，保证工程的良性运行，必须实行企业化管理。其四，在南水北调建设与运行中，广大用水户的参与以及建立协商机制是不可缺少的重要内容，国际上现在也在积极推行用水户参与管理制度。用水户是南水北调工程的直接受益者，用水户的选择和参与，最终将会影响调水工程建设与运行的效果。建立新的体制和机制，必须转变观念，转变方式和方法，按照经济规律办事，解决"用大锅水、喝福利水"的问题，促进工程效益的发挥和用水效率的提高，这是"统"、"分"结合管理体制建立与实施的基础。

259

（二）"政"、"市"混合的体制

在国民经济运行中，各种商品的价格相互联系、相互影响，从而形成了有机的价格体系。同时，商品价格与社会再生产的各个环节乃至国民经济的各个方面也存在着紧密联系。水价格与社会再生产之间的密切关系，要求国家以组织者、协调者和管理者的身份，对水价格的形成和运动进行必要的管理和调控，以保证水价格的合理性及其杠杆作用积极有效地发挥。

"政"是政府，政府是计划调节的总代表，"市"即市场。"政"、"市"混合体制，即计划与市场共同调节水价的体制。水价格管理体制是国民经济管理体制的有机组成部分，国民经济管理体制决定着水价格管理体制。经济体制的类型，决定了水价格管理体制的类型。一般而言，经济体制大体可分为三类，即计划型、市场型和混合型。相应地，水价格管理体制也可分为三类，即计划价格管理体制、市场价格管理体制和混合型价格管理体制。在市场经济条件下，中国水资源的现状，决定了水价格管理体制是计划与市场相结合的价格模式，即混合型的价格管理模式。通过市场与政府作用的互补，既可克服过度的政府干预造成的水资源配置不合理和市场运转不灵等问题，又可弥补市场调节价的功能缺陷，解决水市场机制不能解决的问题。中国水资源的特点，决定了水价格的形式应该是以政府定价为主、市场调节价为辅，两者相结合的价格形式，是与中国国情相适应的价格形式。

（三）充满活力的体制

现行的水价格管理体制已越来越不适应市场经济的需要，因此，水价格管理工作应以促进水价格管理体制改革为原则。长期以来，由于水价格理论上的失误导致水价格决策上的失误，水利建设完全依靠国家投入，同时无偿为国民经济各部门服务，这种状况导致经济关系扭曲，不但水利经济发展越来越困难，而且国家财政负担越来越重，严重阻碍了国民经济的协调发展。水利经过几十年的发展，已具有产业规模，并且在国民经济中发挥着巨大的作用。那种过去由国家宏观经济政策指导的水利经济与其他产业经济不合理的关系应及时加以调整，以适应国民经济发展的需要。要调整水利产业经济关系，就要调整水利产业生产领域的商品价格，让水商品价格的经济杠杆作用得到发挥。因此，无论从理论上还是从水价格管理实践上，水价格管理都必须符合促进水价格管理体制的原则，即市场经济的原则、统筹安排的原则、促进节水的原则、逐步到位的原则。

在市场经济条件下，市场主体追求利润最大化的目标，从原则上来说是无可非议的。如果没有这个目标，市场主体就失去市场竞争的动力和活力，但没有法律和制度的约束，市场主体就可能会采取不正当竞争手段牟取暴利，或者市场主体之间就会出现不利于国民经济发展的种种矛盾。市场主体在市场经营活动中，一方面要坚持等价有偿、平等交易的原则，另一方面又要遵循公平竞争的原则。竞争是市场经济的基本规律之一，竞争的一个重要手段就是价格竞争。但是，价格竞争作为一种市场行为，就必须有相应的法律法规来规范和保障，否则就会破坏正常的市场秩序。

长期以来，我国的水价格管理存在许多问题，突出表现在：①水价格理论研究缺乏，供水的商品属性得不到有关主管部门的认可；②政策手段代替经济手段，供水价格与水商品价值严重背离；③水价单一，缺乏弹性，水商品比价关系严重失调。上述问题的存在，阻碍了水利产业经济的良性运行，削弱了水利经济部门的市场竞争能力。从另一个角度来说，也是对市场经济秩序的破坏。建立具有充分活力的水市场价格体制，就要从根本改变水价格问题引发的负面影响，并从运行的质态上规范水市场运行秩序。

二、建立合理的水价形成机制

水价格管理的基本原则是国家支持和促进公平、公开、合法的市场竞争，维护正常的水价格秩序，并对水价格运动实行管理、监督和必要的调控。这一基本原则的核心内容就是依靠政府建立一个宏观调控的水市场价格机制。

（一）遵守法规政策机制

遵循国家相应的法规政策，要求政府宏观调控下的水市场价格机制，必须体现在国家制定的相关法规政策上，以法律手段加强政府对水价格的宏观调控。社会主义市场经济法律体系是建立在市场经济关系基础之上、服务于市场经济的上层建筑。它反映市场规律的客观要求，体现国家干预的政权性质。党的基本路线和关于实行市场经济的方针政策，贯穿于市场经济体制的全过程，起着引导市场经济向着健康方向发展的作用；同时，法规政策发挥着重要的规范作用，即在市场经济的运行中，规范着政府和市场主体的行为，保障市场主体的地位平等、意志自由和正当权益，目标是促进市场经济的健康发展，维护社会稳定。水价格管理的基本法规政策有《中华人民共和国水法》、《中华人民共和国防洪法》、《中华人民共和国价格法》、《反不正当竞争法》、《中华人民共和国消费者权益保护法》、《水利产业政策》等，这些法规政策是水价格管理工作必须首先遵循的。

贯彻和执行既定的水价格政策，是水价格管理的核心内容。在具体实施过程中，必须针对我国水资源的特点和用水户的不同情况，充分发挥水价格的经济杠杆作用，为此，对水价格的执行情况还要进行充分的监督。对水价格的监督，主要包括：①宣传国家的水价格法规和政策，保证其贯彻执行；②监督各项水价格调控措施的贯彻落实；③建立完善的水价格监督网络，有效地规范水价格行为；④完善水价格监督法制；⑤加强队伍内部建设，改进水价格管理工作。

（二）市场调节价格机制

市场经济体制，实质上是政府调控市场—市场形成价格—价格引导资源配置的一种经济运行机制。因此，要建立和完善统一的、开放的水市场体系，使水市场能起到水资源配置的基础性作用，提高水利经济效益及其社会效益，其核心是建立适应市场经济要求的水价格机制。这一水价格机制的基本要求，就是要使水价格能灵敏地反映市场供求变动和水资源稀缺状况，向社会传递正确的水资源导向信号，合理地调整各方面经济效益，给经营者以优化资源配置的压力和动力，并能在政府的宏观调控下，克服市场调节价格力度的不足和弱点。

过去，完全靠国家政策来制定水价的方式，已不能完全解决市场经济条件下在水利产业经济运行中所出现的许多问题。水价格的制定必须符合水利经济发展的客观要求，符合市场经济的客观规律。根据水利产业的特点，水价格的制定必须遵循低税原则和含利成本原则，在此原则指导下，水价格调整的目标应为：①促进高效率用水，达到节约用水和水资源合理配置的目的；②保持水利经济的持续稳定发展。水价格的制定，包括两个层次的内容，一是国家宏观控制价格的制定，它将以规范或法规及政策的形式，规定水价格定价的原则、成本核算范围、价格的确定模式以及政策调控形式；二是供水单位的定价，它是供水生产经营单位根据本单位及其市场供需的实际情况，遵照国家制定的法规，在国家政策的指导下而制定的供水价格。

水利产业是国民经济的基础产业，商品水是社会经济长期需求的产品。由于历史原因，水利未能被作为一门产业来对待，水的商品属性得不到社会的承认，结果导致经济关系扭曲，严重阻碍了国民经济的健康发展。因此，理顺不合理的水价格体系，是完善国民经济结构体系的关键，只有理顺水价格经济关系，国民经济发展的水资源"瓶颈"约束才有可能减缓。

在市场经济条件下，水价格的形成和调整，必须适应市场经济的基本运行规律。长期以来，不合理的水价格严重背离了价格规律，造成水资源紧缺、水资源浪费和水资源污染并存的现象，严重地影响到水资源合理配置及其效益的发挥，水价格从形式到内容未能得到有效的统一，经济杠杆的调节作用未能得到充分发挥，水资源短缺成为制约国民经济发展的首要约束因素。

（三）政府宏观调控机制

政府宏观调控，就是国家为影响水价格的形成和运动、控制水价格总水平，而采取的一系列配套的经济政策和措施。具体包括财政政策、收入政策、信贷政策以及建立必要的水资源储备制度等。

中国水市场管理学

263

　　新中国成立以来，水价格的形成大体经历了五个阶段：①新中国成立到1965年的无偿供水阶段，供水不收取水费，无水价格可言。②1965~1978年的福利供水阶段。1965年度，原水利电力部制定了《水利工程水费征收使用和管理试行办法》，对水价格的形成起到了积极作用。③1978~1985年的水费改革阶段。此阶段水价格工作进入了新的改革时期，在原有的基础上，对水价格的调整和水费的改革提出了新的意见。④1985~1997年的商品水阶段。1985年，国务院颁布了《水利工程水费核订、计取和管理办法》，对水价格的合理形成发挥了积极的作用。⑤1997年至今的水价格完善阶段。1997年，国家颁布了《水利产业政策》，随即水利部又提出了《水利产业政策实施细则》，对水价格、收费和管理问题作出了明确规定，使水价格管理工作更加适应市场经济的要求。1999年国家财政部、农业部、国家计委联合下文，将水利工程水费由事业性收费转变为经营性收费，至此，"水价标准"的提法被"供水价格"所代替，水费不再是行政事业性征收，而是价格运行格局下的商品交换，实现了供水价值的市场交换。从我国供水价格的形成过程可以看出国家对水价格进行宏观调控的作用。

　　对水价格进行必要的管理，是增强政府调控能力、加强和改善宏观调控的需要。我国的市场经济体制是社会主义市场经济与社会化大生产和社会主义基本制度相结合的现代市场经济。既要发挥市场经济的优势，又要体现社会主义制度的优越性。为克服和弥补水市场价格自发性、盲目性和滞后性的缺陷，政府必须按照社会整体利益和长远利益，兼顾效率与公平的原则，对市场价格进行有效的宏观调控和必要的适度干预，这是建立社会主义市场经济体制的基本要求。

　　水价作为一个经济杠杆，对用水有一定的调控作用，但并不是万能的。特别是由于用水类别的差异、用水户承受能力的不同以及传统水价偏低等因素的影响，使水价格调整对水资源配置、提高用水效率以及节水所起的作用而表现出一定的差别。此外，出于社会进步和公平的原则，必须利用水价杠杆调节节水时，就必须明确谁可能成为节水大户且节水效益最高、节水应达到什么程度、如何在节水中体现公平原则等。在此基础上才可能利用合理灵活的分部制水价，在提高水效、实现公平的前提下实现节水的目的，从而在宏观的供水价格机制作用下，实现水资源优化配置。可见政府的调控机制是水价形成的一个重要机制。

三、完善水价市场运行机制

传统的水价运行基本上是政府行为模式。在市场经济条件下，水价的市场运行，已逐渐成为水利工程供水的主要运行模式。

（一）按照市场规律调控水价

新中国成立以来，我国的水价属于行政事业性收费，水费按照行政事业性收费管理，水费的使用只是一种政策性成本补偿，并受到诸多因素的限制，缺乏灵活性，与市场条件下的经营性收费相去甚远，不利于供水产业政、事、企三者职责的明晰，降低了供水产业的发展机能，也不利于水价的合理化运作与发展。在市场经济条件下，为了特定的社会发展目标和社会保障目标，不同的地区、不同的时期，针对不同的水资源稀缺程度，不同级次的政府部门往往需要通过相应的价格补贴、投融资政策、财税信贷优惠等多种形式，对供水进行相应的合理补偿，或者强制实行供水垄断经营来调控水价。因此，水价运行必须充分考虑国家和政府的相应政治、社会目标，并将其融入市场运行机制。供水补偿通常又可以从阶段上划分为成本补贴和价格补贴两大类。水的成本补贴往往通过综合运用减免水资源费（税）、增加国家建设拨款、降低建设贷款利率、延长还贷期限以及减免税收等措施得以实现；水的价格补偿，则可以通过减免经营者的税收负担，或对一定范围的用水户直接进行社会福利价格补贴，或价格转移支付等方式加以实施。此外，从市场流通的角度看，一个供水者可能既是水的生产经营者，又是水的购买者，水价和其他商品价格一样，也存在买入和卖出价。各类型、各层次水价，实质上是与国家和各级政府的补贴、补偿紧密联系的，水的价格通常是水成本、供水利润以及成本补贴和价格补贴的函数。因此，水的合理定价，必须统筹考虑合理应用成本补贴和价格补贴方式，既保障用水者的利益，又保护水开发利用企业的经营利益。政府对水价的调控应坚持以市场规律为主，按市场规律办事，在效率、公平等社会价值实现的前提下，通过经济补偿、利益调整等方式，完善市场调控水价的实现方式。

市场经济条件下，政府对价格调控的关键是要理顺价格机制，而水管理体制建设是建立健全水价机制的基础，水价体系在一定程度上附属于相应的水管理体制。在水管组织上，我国当前大力推行的水务局水管体制，是水资源实行统一管理、在供水市场初期实行垄断经营的必然之路，它有利于统筹考虑各区域的各种水源，并采取综合定价的方式鼓励或限制某些水源的开发和利用。然而，从社会分工的角度看，政府不能既是供水者又是水价制定者，政府应通过实现水务局的政、事、企三权分开，明晰财权、事权关系，逐步超脱于供水者角色，真正成为水价机制的规范者。从取水制度看，我国的取水许可制度，行政色彩过于浓重，不利于供水市场运作。国际上的经验表明，推行水权体制是水价逐步走向市场化管理的基础和保障。水权的实质是水的用益权（水权同时也是一种财产权），是水资源所有权和使用权分离的结果，水权体制的核心是产权的明晰和确立（包括取水权利和条件、优先级别、旱期对策等）。我国经过多年取水许可制度的推行和发展，已基本具备了实施水权体制的基础。因此，政府可以通过水权体制的建立，推广水务局管理体制的政企分开等水管理改革，推动水价机制的进一步完善，为按市场经济规律调控水价提供优良的宏观环境。

（二）根据市场变化制定水价

政策水价，实质为行政定价，供水管理部门政、事、企职责不分，水的定价实际上是一种供水成本核算回收模式与方向。这一定价机制，政府既是供水行业的运动员，又是水价的裁判员，很难适应市场信息作用下对水价的要求，不但增加了水价制定、调整的难度，也降低了水价的公众信任度。

市场经济体制下，水价的成本回收定价只是定价的一种方式，是从经营者角度出发的定价，它不是惟一的定价方式。水成本是一个与建设开发相关的概念，是指单位水的开发（或购买）、储存、处理、输送的成本；水价则表现为一个综合性概念，通常是考虑成本、收益和社会效益的组合价格。由于水价制定中过分强调行政定价，忽视市场规律的作用，一味以政策手段代替经济手段，最终导致水价格背离水价值，供水产业畸形发展。

水价作为一种有效的经济调控杠杆，涉及经营者、用水户、政府等多个方面，用水户希望获得更多的低价用水，开发经营者希望通过供水获得利润，政府则希望实现其社会政治目标。但从综合角度看，水价制定的目的在于合理配置水资源，保障生态环境、水利文化等社会效益用水；以及在可持续发展的基础上，鼓励和引导合理、有效、最大限度地利用可供水，充分发挥水资源的间接经济、社会效益。用水通常可以分为生存用水、发展用水和不合理用水。生存用水是指人类生存所必须保证的用水；发展用水则取决于资源对经济社会的可支撑性及水资源的相对短缺性，需要通过合理配置加以确定；不合理用水的定义则是动态的，不同的地区、不同的时期、不同的水资源条件，其定义不同，通常是指与当地水资源支撑条件不相适应的、能够避免的低

同，通常是指与当地水资源支撑条件不相适应的、能够避免的低效高耗用水，水的污染也被认为是一种变相的不合理用水。在水价的制定中，必须保障生存用水和基本的发展用水，而不合理用水则必须利用水价杠杆加以避免、控制，并逐步消除其对水资源的破坏性影响，最终获得水资源对经济社会的可持续发展的支持，体现市场经济体制的发展要求。

（三）依据市场需求调整水价

水价是一种有效的经济调控杠杆，水价制定是关系到国计民生乃至经济社会发展的复杂问题，水价往往是政府指导性价格或政府指定性价格，需要政府、经营者和用水户等多方参与制定。定价方式的选择和最终价格的确定，实际是定价目的的体现，定价应在充分考虑供需平衡的基础上，达到经济效益和社会效益的平衡点，力求将水价控制在供需双方经济效益和水量的平衡点附近。水价应实行多层次、多元价格，因地、因时、因类、因量、因质而异，这样才有利于合理发挥水价经济杠杆的作用。

2000年，国家计委会同水利部和建设部制定了《关于改革水价促进节约用水的指导意见》；2001年，国家计委会同水利部和农业部制定了《关于改革农业用水价格有关问题的意见》。根据《意见》精神，从节水目的出发，各地进行了水价调整，如北京市在其制定的26项节水措施中，"调价"位居其首。人们已逐步认识到，通过水价改革，让水价真正、完全地反映水资源的稀缺程度，反映出水资源的供求关系，才能增强人们的节水意识，才能引导人们自觉调整水资源质态布局，促进社会产业结构的优化，把有限的水资源配置到最重要的地方和效率最高的环节和用途中去，实现水资源在全社会的优化配置和可持续利用，从而保障经济社会的可持续发展。

第六章 水域市场开发

水域市场开发战略，是水流域、水区域和跨水流域、跨水区域市场开发的总体战略，是水利市场化的战略部署在时空结构上的展开与延伸。实现水域市场开发的功能延伸，直接关系到水资源的有效供给和国民经济的可持续发展。

第一节 流域水市场开发

269

水流域是水域的主体部分，流域水市场开发，是水域市场开发的重要组成部分。因此，水流域开发管理市场化，是整个水域开发管理市场化的重要标志。

一、水流域管理战略

战略，就是管领全局、管领长远，在某一时期和某一阶段的路线、方针和政策。中国治水总体战略可以归纳为两条，一是从传统水利向现代水利转变；二是从水资源的可持续利用向支持社会经济的可持续发展转变。同以往相比，当前在水问题的研究和把握上，越来越带有前瞻性和战略性，更加重视水利与经济社会的紧密联系。水流域管理战略，就是国家经济和社会总体战略格局中的一个前瞻性问题。只有充分重视水流域所具备的战略价值，才能最终引发决策者的战略关注，并进而形成全社会的战略行为。

（一）流域是水资源的地理单元

1.流域是河口以上汇集地表水和地下水流的区域

河流的流域，是河川径流的补给源地，并与输水路径的分布和走向有关，因此，水流的态势与流域的几何特征和自然地理特征有非常密切的关系。流域几何特征，包括流域面积、流域形状和流域内的地形等内容；流域自然地理特征，包括流域的地理位置、流域内的地质与土壤、植被和水系状况等内容。无论是前者还是后者，都不同程度地影响流域内的水文特性。流域地表的周界称为分水线，它在河口处自行闭合；在山区，分水线是流域周围山脉的脊线；在平原，分水线是两个流域间的共同高地。降落在分水线两侧的雨水，各自沿地面坡度流向相邻的河流。流域分水线包围的面积称为流域面积。受地质构造的影响，地面分水线和地下分水线不一致的流域称为非闭合流域，反之称为闭合流域。流域内的水流，最终注入海洋的称为外流流域，不与海洋沟通的称为内流流域。全球外流流域面积占80%，内流流域面积占20%。中国是内外流流域兼有的国家，其中外流流域面积612万平方公里，占全国国土面积的63.76%；内流流域面积348万平方公里，占全国国土面积的36.24%。

2.流域是资源和生态系统的复合体

河流的流域，是由多种资源组成的复合体，也是流域内生物与其生存环境构成的生态系统。在这个生态系统中，人是主体。因此，流域管理战略的制定必须以人为本，从人民群众的根本利益出发，考虑国家需要，以利于经济发展、社会发展和环境质量的提高，并为区域、流域和流域内城市的可持续发展服务。

流域开发战略和管理原则，实质上是一个大的系统规划问题。因此，研究方案的取舍，要同时具有整体观念和经济观念，就是既要考虑经济效益、社会效益，也要考虑生态效益、环境效益；要从整体出发，全面控制整个流域的水土资源，使水土资源能够高效地、长期地维持稳定性的生产力，并提供优良的环境质量。所以，消灭洪、涝、旱、碱灾和防止水土流失，保护环境不受污染，以期维护自然环境和人类赖以生存发展的系统（如农业、森林等）、保护生物的多样性、保证人类持久地拥有并使用生物品种和生态系统，特别是鱼类和其他野生动物等。总之，流域战略的制定，就是要兴利除弊，合理地开发利用资源，给人类创造稳定的、优美的生产和生活条件，维持人类与自然的协调性与和谐性，创建人—水—自然有机统一的生态环境系统。

3.流域是以水系为特征的水环境

水系是具有同一归宿的水体所构成的水网系统，组成水系的主体是河流，此外，还有湖泊、水库、沼泽等，由单一河流所组成的网络系统称河系。以海洋为归宿的水系称外流水系；没有出海口的地表水体流入到内陆湖泊、沼泽或消失于沙漠中的水系称内陆水系。外流水系一般以注入海洋的名称来命名，如太平洋水系、大西洋水系、印度洋水系等。次一级水系即河系，则多以河流的干流名称来命名，如尼罗河水系、亚马逊河水系、长江水系、黄河水系等。内陆水系则多以地域、地区的名称来命名，如撒哈拉内陆河水系、塔里木内陆河水系等。

水系特征有水系形状、河网密度、河系级数、河系发育系数、河系不均匀系数、湖泊率、沼泽率等。中国水系可分为太平洋水系、印度洋水系、北冰洋水系和内陆水系。太平洋水系可细分为黑龙江水系、辽河水系、海河水系、黄河水系、淮河水系、长江水系、珠江水系、沿海诸河水系等。印度洋水系可细分为怒江水系、澜沧江水系、雅鲁藏布江及藏南诸河水系、森络藏布水系等。内陆水系又可分为塔里木内陆河水系、河西内陆河水系等。

水环境是传输、储存和提供水资源的水体，是水生生物生

中国水市场管理学

271

存、繁衍的栖息地，具有易破坏、易污染的特点。水环境是一个生态系统，《中国环境状况公报》将水环境与大气环境、声环境等并列，特指各种水体的水质及污染等问题。《中国水利百科全书》（第一版）在《环境水利》分支的环境水利条目中列出："水环境广义指水圈，而通常则指江、河、湖、海、地下水等自然环境，以及水库、运河、渠系等人工环境。"而在《环境科学大辞典》中则包含较广泛，指地球上分布的各种水体以及与其密切相连的诸环境要素，如河床、海岸、植被、土壤等。水环境主要由地表水环境和地下水环境两部分组成。地表水环境包括河流、湖泊、水库、海洋、池塘、沼泽、冰川等；地下水环境包括泉水、浅层地下水、深层地下水等。水环境是构成环境的基本要素之一，是人类社会赖以生存和发展的最重要场所，也是受人类影响和破坏最严重的地域，水环境污染和破坏已成为当今的主要环境问题之一。水环境问题是由于自然因素和人为影响，使水体的水文、资源与环境特征向不利于人类利用方向演变而产生的。中国面临的水环境问题，主要有洪涝灾害、干旱缺水、河流干涸、河口淤积、水体污染、水土流失、地下水位下降、海水入侵、湿地消失等。水环境同其他环境要素如土壤环境、生物环境、气候环境等构成了一个有机的综合体，它们之间彼此联系、相互影响、相互制约。当改变或破坏某一区域的水环境状况时，必然引起其他环境要素发生变化。如实施我国南水北调工程将极大地改变受影响地区的水环境特征，从而导致该地区的小气候和植被发生变化等问题。水环境不是一个单一的只与水有关的水体，从环境水利学观点看，它是一个与水、水生生物和污染等有关的综合体。

（二）流域化管理战略的原则

流域化管理战略，是根据国家经济、社会、环境开发计划提出的战略目标和任务以及流域的情况和特点，按需要与可能提出流域开发、管理的战略目标和任务以及近远期水利开发安排和土地利用计划。流域开发管理战略的原则主要有以下几个方面。

1.以人为本的原则

中共"十六"大提出了一个非常重要的发展思想，即"以人为本"。人类的生存和发展是第一位的问题，生活用水应首先考虑。我国《水法》中也将保证城乡居民生活用水放在用水优先顺序的首位。生态环境是人类赖以生存和发展的基础，生态用水的基本要求应予满足。在优先满足生活和生态基本用水需求的前提下，再考虑兼顾生产用水。从宏观研究战略程序看，先以流域内人民生活用水总体优化为目标，在流域内进行生活用水宏观布局之后再将水资源分配给下一个层次，即研究各个区域生活用水的可持续以及各个区域间生活用水的矛盾，最后再研究和安排各个区域的工、农业发展和城市布局。完成了这一轮从大系统到具体组成单元的宏观安排之后，再按反方向逐一具体研究人口与环境、资源的关系，然后根据研究结果对原拟定的发展规划进行反馈，以制定各个区域的工、农业及城市的可持续发展规划，最后制定流域的可持续发展总体战略。

2.防洪减灾的原则

我国江河多为雨洪河流，雨洪危害最大。制定流域开发管理决策时，往往把减免洪涝灾害作为第一位的问题，从系统的观点出发，研究防洪工程的合理组合，即通过防洪工程系统的协调运作，防御洪水，进而选择确定诸防洪主体工程的合理组合及相应的规模，最后选定实施的防洪方案，通过水利工程调节洪水，扩大下游河段的泄洪能力，以保证中下游河段达到防洪标准。

洪水是河流的天然属性，它不可能从河流的特性中完全消除。就今天的科学技术水平所采用的工程措施而言，虽然可以修建高坝、大库和宽厚的千里防洪大堤，但按稀遇洪水修建防洪工程的投资与增加的多年平均工程效益并不一定经济合理，这就是经济防洪标准的立论依据，也是流域非工程措施御洪的基本原因。

3.生态环境优先的原则

水生态环境，即水环境。水流域市场开发，首先是把流域作为一个生态系统，合理、持续地利用流域水土资源的生产能力，而不至于使环境功能退化，保持流域内人与自然能够协调发展。例如，在水量的供需平衡上，既要统一考虑土地的需水量和人类社会活动的用水要求，还要考虑自然安全用水；在开垦土地时，不能只顾及当年的种植而不考虑可能引起的水土流失，以及对下游河道、水库的影响；在开发森林资源时，不能只顾及开采，而不顾及更新；在捕捞生物资源时，不能只追求捕获量而采取"一网打尽、竭泽而鱼"的办法；在改善干旱地区的灌溉供水时，不能只顾及灌溉，不顾及排水，致使地下水位上升，这不仅不能增加农产量，甚至还有可能引起土地盐碱化。

水环境不仅可以提供水资源、生物资源、旅游资源等，还有发电、航运、排水等许多功能，但是，水环境又是人类活动一切废物的最终归宿。保护好水环境，一个重要前提是制定水环境质量标准、区域水污染物排放标准和研究河流的稀释自净能力及环境容量等问题。一般情况下，根据河段的用途，可以推求出水环境质量标准，据此设计出不同水文气象条件下河段的稀释自净能力，在推求出的环境质量标准条件下，求算出该河段下断面的允许负荷量，加上该河段的稀释自净能力，再与河段各排污口排放的污染浓度、总量进行平衡比较。如后者大于前者，根据经济比较的原则，找出最优的负荷分配方案，据此求出各排污口的排放量，从而确定地区水污染物的排放标准，为水资源开发创造条件。

生态保护的关键是维护生态用水的基本需求。在许多国家，生态用水的基本需求得到政府确认并受法律保护。近年来，我国对生态用水日渐重视，但生态用水作为一种合理的用水需求，并没有在法律上得到认可和被置于应有的用水优先地位。我国生态系统比较脆弱，承受的压力很大，生态环境遭受破坏的现象十分严重，其中无节制地挤占生态用水是其中一个十分重要的原因，如黑河下游和塔里木河干流下游绿色走廊的萎缩、黄河下游输沙用水得不到保证，就是典型的例子。因此，在规定流域水权时，应承认生态用水权力，并界定生态用水的范围和研究生态用水的需水量。这样，流域水权才能完整地反映流域化管理的战略要求。

4.保护土地的原则

我国是一个人多地少的国家，土地是宝贵的资源，应该尽最大可能保护它不被退化、沙化、盐碱化和污染毒化。一切建筑应该尽量少占用耕地，水利工程建设也应在满足要求的前提下，尽量节约土地，减少淹没损失。对流域而言，土地利用方式的选择，对经济、社会和环境的影响很大。仅就土地利用与流域水资源的关系看，流域的用地，与水量、水质的改变和水环境的污染是紧密相关的，如工业形成点污染，农业形成面污染。城市化一方面使用水量加大、排污量增加；另一方面由于城市覆盖面积的增加，汇流加快，使径流水量增大，洪峰提前，对下游水环境影响加剧。另外，土地耕作制度、种植作物品种的改变也影响到水质、水量，所以，流域的水土保护管理是互相影响、互相制约的。保护土地资源，使其发挥持久、稳定的生产力，首先，要从水利上减少洪、涝、旱、碱灾害，为稳定土地生产力创造条件；其次，要保护水环境，使土地发挥稳定的再生能力。因此，做好全流域的整体规划、流域的水资源规划、土地利用规划、环境保护规划，是以最少的投资获得土地最大效益的根本途径。

保护土壤的目的，在于建设良好的土壤生态系统。为此要坚持以下原则：

（1）合理利用土壤。根据土地区划，安排作物种植结构，在开发利用土壤资源的同时，要注意土壤资源的保护，禁止掠夺式开发，防止水土流失。

（2）建设良好土壤环境，消除土壤低产因素。根据区域自然环境特点，因地制宜改良土壤。要建设良好土壤环境，提高土壤肥力是重要环节。这就要求提高防洪、排涝标准，利用蓄、引、提等灌溉条件，结合平整土地，培养土壤肥力。

（3）土壤生态系统的控制。包括生物控制、物理控制和化学控制。生物控制包括合理利用土地、适宜的种植制度、施用有机肥和种植绿肥；物理控制包括平整土地、修筑梯田、灌溉和排水等；化学控制包括施用化肥、农药和结构改良剂等，充分发挥控制系统对优化土地生态系统的功能。

5.可持续利用的原则

水资源的可持续利用是经济社会可持续发展的重要支撑和保障。因此，流域分水和开发利用，要坚持可持续利用的原则，水资源使用权的分配要控制在环境可承受的范围之内，防止由于分水失控带来的水资源过度开发、承载能力下降，以维护当代人和后代人的生存和发展空间。因此，研究流域水文循环的规律及可再生水资源量与水质的分布情况，为可持续发展提供水资源保障体系，应首先研究流域的水资源情况，在此基础上根据供需分析，直接解决可持续发展所要求的农业、城乡、工业及生态的供水，以及开发可持续能源（水电、水运）等问题，以达到水资源的优化配置。

充分发挥流域水资源的存量优势和地区优势，是支撑经济社会可持续发展的重要保证。我国南方水多，北方水少，例如从长江调水到北方缺水地区和从长江治理开发上促进流域东、中、西部的协调发展是重要的战略措施，对流域内洪涝旱灾、毁林开荒、水土流失和水污染严重等问题进行有序治理，提高长江水资源环境发展能力，是提供可持续发展环境体系的保障。在流域可持续发展和可持续水利开发思想的指导下，流域资源开发、利用、保护和管理形成一个整体，是流域可持续发展的重要环节。

制定和实施流域可持续发展战略，应坚持以下原则：

（1）流域整体性原则。根据流域水资源的总体存量和结构状况，以流域可持续发展为目标，将流域作为一个生态系统，把社会发展对水土资源的需要、水土资源开发对生态环境的影响，以及由此产生的水资源后效应联系在一起，进行流域整体的、系统的管理，是流域实现可持续开发的关键。

（2）流域综合体原则。可持续发展是一个综合的、动态的概念，它是经济问题、社会问题、环境与生态问题以及资源问题四者互相影响、互相协调的有机整体。社会以可持续发展为目的，经济是推动力，环境与生态是保障，资源则是可持续发展的基础。经济、社会、环境与资源四者的有机结合，体现了流域综合的体制要求。

（3）行业选择原则。首先是重点行业的选择。例如，能源是工农业和城市可持续发展的基础，但若布局、构成和使用不合理，一方面会使原材料逐渐消耗而不能持续供应；另一方面又会污染环境，形成一系列社会经济问题。所以，对于能源供应应尽可能持续地使用可再生能源，并进行有效的管理。其次是行业优先的选择。流域的可持续发展是流域内各主要行业可持续发展的总和。流域实行工业可持续发展，是经济社会可持续发展的基本选择；而由国情特点决定的，实现农业可持续发展是其重要组成部分。城市是流域的窗口，是可持续发展战略制定的策源地，所以，流域可持续发展首先决定于该流域工农业发展和城市的环境保护和资源供应状况。由于工农业和城市都是位于一定区域的，其发展和环境保护又必须变为当地政府乃至每个人的具体行动，所以，制定区域可持续发展和环境保护战略，进行合理的行业选择，成为围绕流域可持续发展这一统领全局的目标并实现有序运转的关键。

（三）流域管理战略的重点

流域管理战略的重点，是由各国的国情环境决定的。美国在《恢复和保护水体的10项原则》中认为："流域管理的重点是加强水生态系统的正常循环功能和保护生物多样性，而不仅仅局限于减少化学污染物。流域管理还要能促使公众的积极参与，并在政府、公众、私有部门之间建立合作的基础。"流域管理战略必须以影响全局的问题和发展的要求为重点。减免自然灾害，促使流域生态系统良性循环，合理分配水资源并协调各部门、各地区的需水矛盾，保护水环境与水资源、保护土壤资源、兼顾远景发展等要求，应作为流域规划、水资源规划、土地利用规划和环境保护规划的战略性问题。一个流域洪、涝、旱、碱灾害发生的频度和水土资源污染、流失、利用的情况，是流域管理战略思想正确与否的标志。因此，研究流域上、中、下游管理战略的重点，确定水土资源控制、利用的方向，是整个流域依靠水市场实现水量平衡、合理配置与水质的保护的现实选择。

278

1999年，中央人口、资源、环境工作会议上提出：积极推进资源管理方式的转变，建立适应发展社会主义市场经济要求的集中统一、精干高效、依法行政、具有权威的资源管理新体制，以加强对全国资源的规划、管理、保护和合理利用。2001年，中央人口、资源、环境工作会议上再次强调：加强人口和资源管理，重视生态建设和环境保护是必须着重研究和解决的重大战略性问题。保护和合理利用资源，按照"有序有偿、供需平衡、结构优化、集约高效"的原则，增强资源对经济社会可持续发展的保障能力。对城乡防洪、排涝、蓄水、供水、用水、节水、污水处理及回用、生态系统良性循环、生物多样性保护及恢复等实行统一流域管理，共同构成流域管理战略的重点。

二、利用水市场配置流域水资源

市场的力量能够优化资源配置，水资源作为一种稀缺经济资源，同样能够通过市场机制实现优化配置。利用市场机制配置水资源，既包括微观上的提高水价以促进节水，也包括在流域上下游之间、不同地区之间、不同部门之间的市场交易。流域水市场能够促进微观上的水价改革，优化配置流域水资源。

（一）市场配置流域水资源的客观性

流域水资源配置的直接方法，是在流域及各分区水资源供需分析的基础上，根据预测未来的缺水程度，对缺水地区通过水资源工程措施，如建设水库或供水工程，按需求和水资源条件进行水资源配置，即通过工程措施实现配水。这是流域水资源配置的基本方法，也是最直接的方法。此外，还有利用节水、限制排污等促进流域水资源配置的间接方法。

流域水资源配置表现为三种行为，这三种行为都离不开市场。一是上下游如何配水。在一个河系的上下游都缺水的情况下，水库上游往往是山区，以农业为主，经济相对落后；水库下游是平原，城市众多，人口稠密，工业发达。上游地区往往认为当地水资源利用程度不高，水白白流出境外，经济社会发展需要进一步开发利用水资源；而下游则认为上游开发利用水资源是效益搬家，损害下游利益，要求保障来水量。在这种情况下，如何评价上游是否兴建水库和引水工程、加大水资源利用量，从现行水资源管理现状看，无法得出肯定与否定的结论。因为水权没有进行分配，上下游没有水权定额而失去评价的指标依据，明晰水权定额只有通过市场。二是城市挤占农村、生态用水问题如何补偿，区域间水资源如何调配。传统的分配办法基本上是依靠行政手段，排斥市场手段。行政手段配置往往降低了配置效率，还产生了一系列实质上属于水权争端的政府问题。因此，水资源的优化配置还应兼顾水市场手段。三是外调水与当地水如何合理配置。当前各调水工程普遍存在的问题是引水量低于设计规模，工程效益没有充分发挥。出于价格上的原因，受水地区总是首先使用当地水资源，甚至是超采地下水，然后才使用外调水。如果不解决好外调水与当地水的配置问题，很可能形成受水地区宁缺水而不用外调水，外调用水户不足，造成调水工程投资积压、浪费。

以黄河为例，黄河水量分配方案实施以前，黄河水资源实行流域上下游自由取水，各行其是，区域用水"以需定供"，水供给的约束条件主要是受制于取水能力。水资源利用的开放状态，隐含着水资源退化的高度风险，往往导致沿黄各省（区）"取水竞赛"，类似于"军备竞赛"，各个地区以"取水最大化"为目标，竞相在两岸兴建各种引水、取水设施，以满足日益膨胀的水需求，引黄水量迅速增加，从20世纪50年代到90年代初，引黄水量增长了近2倍。水资源作为"公共资源"，由于免费获取，过度耗用，使黄河不堪重负，黄河下游从70年代初的1972年开始断流到80年代末，平均每5年有4年断流，进入90年代后则是年年断流。鉴于黄河流域上下游用水矛盾日益突出，国务院1987年颁布了黄河可供水量分配方案，将370亿立方米的水量分配给沿黄八省（区），但实际用水量和分水方案相差甚远。根据黄河水利委员会公布的数据计算，1992~1995年期间，内蒙古和山东两省（区）平均年超标用水分别为13%和11.3%，而陕西和山西则没有用到分水标准，四年间平均每年的不足量为52%和75.8%。中国科学院地学部1998年报告指出，因缺乏权威性的流域统一管理机构和相应的法律法规，无法对实际引水量进行有效监督、控制和对个别超额用水地区和部门进行制裁，分水方案并未有效落实，一遇枯水年份或用水高峰季节，沿黄引水工程都争先引水，造成分水失控。黄河水量分配方案得不到有效实施，反映了指令配水模式的"体制失效"。"体制失效"又称为"财产权失效"。指令配置是利用计划指令按地域分配资源，其决策机制的特征是高度集权，其管理模式是通过流域管理机构进行集权决策与管理，其约束机制主要是行政手段和长官意志。在这种体制下，用户处于被动接受地位，既无参与权，亦无表达权。指令配置模式实际上是一种典型的计划经济模式，其资源配置效率很低，对利益主体的约束性也较差，直接后果就是流域水供求矛盾更加突出，水质水环境更趋恶化，断流状况愈演愈烈。可见，黄河水配置的市场选择是形势所迫。

流域水资源优化配置，从宏观上讲，就是要对流域洪涝灾害、干旱缺水、水环境恶化等问题的解决实行统筹规划、综合治理，坚持除害兴利结合、开源节流并重、防洪抗旱并举。并妥善处理好上下游、左右岸、干支流、城市与乡村、流域与区域、开发与保护、建设与管理、近期与远期等各方面的关系。

流域水资源优化配置，从微观上讲，包含三层含义，一是取水方面的优化配置，即地表水、地下水、大气水、土壤水，主水、客水、海水、污水回用等配置；二是用水方面的优化配置，即生态用水、环境用水、农业用水、工业用水、生活用水等配置；三是取用水综合体系的水资源优化配置，即各种水源、水源点和各地各类用水户形成了庞大复杂的取用水体系，所以存在时间、空间上的配置关系。市场方法是这三种类型优化配置的必然选择。

建立水市场思路，主要着眼于建立合理的水分配利益调节机制，以产权改革为突破口，建立合理的水权分配和市场交易模式。政府通过对交易市场的干预而不是通过行政命令的形式，来保证全流域水资源的合理分配和利用，建立起以价格制度、保障市场运作的法律制度为基础的水管理机制。这种思路是把水资源当作一种商品，通过界定清晰的产权，利用市场加以配置。从利益机制出发，建立流域"激励相容"的水管理机制，这是流域水

中国水市场管理学

281

市场观念的创新。

长期以来，我国水资源分配是一种指令性配置模式，主要通过行政手段来配置水资源，国家养水，福利供水，这种模式导致水资源价格严重扭曲，造成"市场失灵"和"政府失效"。所谓"市场失灵"，是指水价大大低于生产成本，价格不能起到调节供求的杠杆作用，致使用水粗放增长，浪费严重；所谓"政府失效"，是指即使水价提高到弥补供水成本的水平，还是低于水资源的社会成本，包括外部成本和机会成本，造成潜在的用水效率损失和生态环境的破坏。这种配置模式不可能促进水资源的合理分配和有效利用，既缺乏效率，又缺乏公平，不但代际之间缺乏公平，而且同一代内不同人群之间也存在不公平。在水资源日益稀缺、市场正在转型的新形势下，它不再能够有效协调地方利益矛盾，所以，必须进行机制创新。就当前水利改革的现实来看，微观上的水价改革已经付诸实施，宏观上的水资源统一管理也被日益重视，但水资源配置仍然是依靠政府行为，表现在思想上、实践中仍偏重于行政手段，侧重于强化"分水协议"的实施保障机制，而不重视对利益主体的经济激励，更没有积极引入更有效的市场手段。

（二）市场配置流域水资源的可行性

水资源的需求可以分为两部分，一部分是基本的生活需求，即为了维持生命、保障基本生活的日常生活用水，这部分用水的需求价格弹性很小；另一部分是非基本需求的多样化用水，需求价格弹性较大。基本用水的比例很小。以塔里木河流域（以下简称塔河流域）为例，按《21世纪议程》的要求，每人每天为40升淡水的用水标准，塔河全流域人口基本用水总量仅占水资源利用总量的0.5%，绝大多数用水是多样化用水。多样化用水又可分为农业用水和非农业用水，其中农业用水是总用水的主要组成部分。1996年，我国农业用水在总用水中的比重高达87%，近年来虽有所降低，但也都在70%左右摆动。塔河流域农业用水约占全流域用水的95.5%；黄河流域农业用水占总用水量的92%，上游比例则达98%以上，这是水资源需求的基本特点。

从流域整体来看，流域上下游不同地区之间存在潜在的"水市场"。以黄河为例，黄河多数灌区工程老化失修，灌溉方式简单落后，不少地方还是大水漫灌，管理粗放，水资源有效利用率仅为40%左右。所以，农业如果采取节水措施，就能转移出一部分水量满足非农业用水需求。研究表明，水资源越是易于获取的地区，大水漫灌越成为习惯，节水激励越弱，用水效率越低下。黄河上游的青海、甘肃、宁夏和内蒙古四省（区）的人均用水量和GDP万元用水量大大高于下游的陕西、山西、河南和山东四省，由于地理条件限制，最不易获取黄河径流水的山西省，人均用水量和GDP万元用水量却最低。农业用水效率的计算表明，下游河南、山东两省的灌溉面积产出效率大大高于上游，约是青海、宁夏和内蒙古三省（区）的2倍。就上游而言，由于水资源的易得性而超量采水，浪费严重，如果节约用水就可以提供潜在的水供给，而节水则是一种投资需求；就下游而言，由于水资源严重短缺，迫切要求增加水资源供给，事实上，工农业经济损失就是潜在的资金供给。市场之所以是有效率的，就是因为如果同时存在需求和供给，那么通过交换，供需双方都可以受益。仍以上例来说明，如果下游地区拿出一部分经济损失和上游潜在的水供给相交换，水短缺须支付上游水价会促使上下游都提高节水水平，从而使总受益增加；而上游收取下游的水价，以此对节水灌溉进行投资，虽然水量减少而产出却可以继续增加，其总收益也有增加。这说明水资源作为一种稀缺的经济资源，其配置可以不完全依赖于政府的指令性分配，而可以充分利用市场加以配置，因市场配置资源是有效率的，它既可以克服在流域管理中"政府失效"的缺陷，又可以纠正流域管理中"体制失灵"问题。

利用水市场进行流域水资源配置优于"指令配置"，这可以从不同角度来理解：①通过市场交换，双方的利益同时增加，交换必然优于没有市场交换，这是市场效率的体现。②市场交换具有动态性，能够反映总水量的变化和用水需求的变化，部分消除了指令分配各地区水量的不合理性，在一定程度上避免了"体制失灵"。③上下游的用水成本增加，上游多用水就意味着丧失潜在收益，即用水要付出机会成本；而下游多用水要付出直接成本，这就为上下游创造了节水激励。④地区总用水量通过市场得到强有力的约束，必然会带动其内部各区域的水资源配置的优化，区域又会拉动基层各部门用水优化，这样通过层层"制度效仿"，可以加快微观层次上的水价改革。微观层次上的水价改革和流域水市场相结合，提高流域水资源的配置效率，这正是政府传统的自上而下的行政管理方式难以实现的目标。

（三）市场配置流域水资源的特殊性

在体制处于转型期的现实条件下，中国各流域水资源完全依靠市场配置方式是很难进行的。因此，我国转型期条件下的水市场只能采取"准市场"的特殊形式。所谓"准市场"，是指流域水资源在兼顾上下游防洪、发电、航运、生态等其他方面需要的基础之上，兼顾各地区的基本用水需求，使部分多样化用水市场化，在上下游省份之间、地区之间和区域内部按市场化加以配置，这是一个完整的、宏观和微观相结合的供水水资源市场。

市场配置流域水资源的"准市场"特性，是由流域水资源的特殊性决定的。

1.流域水资源具有多重特性

水资源是一种具有多重特性的自然资源，包括自然特性、生产特性、消费特性和经济特性。从自然特性来看，它可以循环再生，但是储量有限；在空间和时间上分配不均，多则成涝、少则为旱，而且自然界需要大量的生态环境用水。从生产特性来看，它的长期供给有自然极限，短期供给依赖于水利设施，而水利设施往往投资大、周期长，具有公共物品的特点，使得水供给具有区域自然垄断性，通常由地方政府部门提供，而且地表水上游地区取水处于自然优先地位。从消费特性来看，水需求同时包含水量需求和水质需求，人类用水有一个弹性很小的基本用水，而大部分用水则为弹性相对较大的多样化用水，占用水很大比重的农业用水和降水呈逆向波动，农业节水依赖于用水管理和节水技术设施，需要较大的节水投资。从经济特性来看，水利设施提供的服务具有混合经济特征，既有私人物品的属性，又有公共物品的属性，这些多重特性决定了对流域的水配置在现实条件下不可能实行统一的、完全的水市场管理。

2.流域水资源具有非专有性

非专有性是相对专有性而言的。专有性是指在一定量的产品和服务供应条件下，供应者和消费者对产品和服务的权益得到界定和保护的能力。从成本的角度来说，也就是产品供应者阻止不符合消费条件的人享用产品所付出的成本的高低。自然资源处于被需求状态时，也可据此评价其专有性。由于技术条件的限制，有些产品或服务很难划定受益群体，难以杜绝一些人不交费而得益，这种产品服务的专有性就低；而受益界限明确的产品和服务的专有性就高。专有性的高低是划分公共产品的标准之一，传统福利经济学认为，具有专有性低和可分性低的产品或服务，如排涝、防洪等，被某一人享用消费后，并不影响他人享用消费，因为它们可分性低、专有性低，是典型的公共产品，不太可能通过市场机制来交换，因而不适合由市场提供。所谓的"市场失效"，就是指这种因专有性和可分性低导致的受益者界限和受益者责任不清，所以不适合于市场交易。因为由此可能出现消费者逃费，使产品和服务提供者无以为继；或者供应商利用占有资源的便利，形成自然垄断；或者因责任、义务不明，导致消费者在无义务和责任约束的情况下，肆意消费导致公害的情况，这就是所谓的消极外部性或外部不经济。但这只意味市场机制的失效，并不意味着不能变通地利用市场机制来解决相关问题。

专有性既与产品和服务的特性有关，同时也与划定受益群体的技术能力和权益关系的明确有关，因此，专有性的高低并不是不变的，许多原来被认为不适合由市场提供的产品和服务，因技术的进步和法制的健全而成为适合市场提供的可能，如电视服务从无线电视到有线电视的变化就是一例。20世纪80年代以来，西方国家在经营机制和管理机制变革的基础上，开展公共产品和服务提供的私有化也是很好的例子。一些水利设施提供的服务主要具有私人物品特征，比如水电和供水，竞争性很强，而且具有独占性，这种属性决定供水通过水市场配置最有效率；有些水服务则主要具有公共物品特征，比如防洪、河道治理、水文监测、水质保护等都属于公共物品的范畴，具有非竞争性和非独占性，需要由政府来提供这些公共服务。因此，水市场只能在供水、水电、灌溉等这些具有私人物品特征的有限领域内发挥作用，水市场不可能是一个完全市场，而只能是一个"准市场"。

3.流域水资源具有地域性

水资源还有独特的地域特征，以流域或水文地质单元构成一个统一体，每个流域的水资源是一个完整的水系，各种类型的水不断运动、相互转化。例如，水可以从上游向下游流动，地表水和地下水可以相互转化。水资源以流域为整体的特征，客观上要求流域统一管理，水量统一调度。目前世界上许多国家，都强调对水资源实行统一管理，我国在这方面已从高度重视到开始实践。以黄河为例，黄河的水量调度要综合协调解决好防洪防凌和发电、发电与灌溉及上下游用水、非汛期下游引水与防凌、汛期水库蓄水与河道调沙冲淤、工农业供水和生态用水、地表水和地下水等各方面的矛盾，这是一项复杂的系统工程，如果没有统一管理、统一调度，要解决这些矛盾是根本不可能的。因此，供水、灌溉和水能等水需求必然受制于防洪、防凌、调沙、生态保护等其他水需求，这使得水市场即使在水资源私人物品属性的领域内，也要受制于水资源利用的多目标性，这一多目标性与水资源的地域性表现的综合需求是相关的。

三、水权分配与流域水资源合理配置

（一）水权是流域经济社会联系的纽带

水资源具有自然属性和社会属性，正是这些属性，决定了水权的来源和水权问题在现代社会中突出而鲜明的表现。水权的社会意义，在于使人们生活生产中用水的社会地位实现机会均等、公平对待；水权的经济意义，在于使人们生活生产中用水的经济效率实现平等竞争、效益优先。因而，水权是联系流域内经济社会平等发展的基本纽带。长期以来，水资源管理，特别是流域水资源管理缺乏标准和依据，使得管理工作几乎无从下手。在制定流域水资源开发利用规划中，往往因为水权未分配，工程规划存在较大的随意性，导致流域规划缺少权威性。

国家所有，意味着自然降水所形成的径流的使用权并非都是区域拥有。运用水权理论，在查清区域水资源、经济社会发展现状及未来发展状况的前提下，按照水源地优先、基本生活用水优先、粮食安全优先、用水效益优先、投资者优先、用水现状优先等原则，进行水权分配。这样分配的水权，上游的开发利用程度有可能要比现状标准高；下游分配的水量有可能要比所要求的水量小。上下游制定水资源开发利用规划时，都应在自己所拥有的水权范围内进行。这样，流域水资源规划和取水许可管理就有了标准和依据。

流域水资源合理配置，必须建立起水商品市场以及相应的水管理市场机制，必须对水资源的产权进行界定。我国《水法》明

确规定"水资源属国家所有",但对水资源的使用权没有作出过具体的规定和分配,因而使用权是模糊的。例如,目前塔河流域的水资源是产权比较模糊的国有资产,直接代表国家的新疆自治区政府(水利厅),实际上对塔河流域水资源拥有所有权,然而真正决定水资源使用的则是各地(州)水管部门。在现有利益机制驱动下,各地(州)必将追求本地区效益最大化和短期局部效益,引起流域内不同地区水资源的分配和利用方面的冲突,进而导致水资源使用和管理方面的混乱,这是模糊的水资源产权带来的必然结果。为改变这种混乱局面,需要对水资源的产权进行明确的定义。现代产权理论中,产权是一个复数的概念,具有可分性,与所有权和使用权的概念有明显的区别。完整意义上的产权是所有权、使用权、收益权、转让权等一组权利的集合,而这些不同的权利可以在市场不同主体之间进行分割和界定。如上例阐述的塔河流域的水资源,同样可以根据现代产权理论中的产权概念,建立起明确的水产权概念,它既不同于所有权,也不同于经营权,而是应当在所有权已明确界定的前提下,规定人们使用水资源进行经济活动的行为权或者责任、权力、利益关系。水权界定后水权交易就成为可能。水权分配和水权交易的水管理运行机制的可行性告诉我们,水权是流域水市场开发的基本纽带。

(二)水权分配是用市场配置流域水资源的重要手段

水权分配即水资源的分配权,它是沟通水的所有权和水的使用权的桥梁。在中国现行的法律制度下,水的所有权在字面上是明确的,但从市场经济观点来看,却显得模糊。《中华人民共和国水法》规定,"水资源属于国家所有,即全民所有","农业集体经济组织所有的水塘、水库中的水,属于集体所有"。这种规定,与计划经济体制下生产资料和企业的单一所有制形式比较,并没有任何区别。就中国目前经济社会的实际情况而言,即使是可进行实际市场交易的普通产权,其形式也早已逾越了单一的全民所有制，如股份制、个人所有制等。鉴于水资源存在和运动的自然属性及社会属性的特殊性、复杂性，其产权制度远不是仅凭全民所有制和集体所有制就能够阐述明白的。在模糊和抽象的所有权之后，又缺乏任何意义与形式的承接，就直接引入使用权，这对在现实生活中，占有主体不确定、享用机会不均等、利害主体可转变的水资源客体来说，将会直接导致水资源使用权的滥用和水资源配置利用的巨大浪费和低效率，水资源管理体制无法向市场化改进。

在中国现有水资源所有权的法律规定不改变的情况下，要取得水资源管理的市场化改革成功和高效率配置，就必须引入一个介于所有权和使用权之间的权力机制，这就是分配权。所谓分配权，从管理的角度来说，是公共机构或公共代表通过组织协商和签订协议的形式，把具有一定数量和质量的水资源，从公共领域中确定给特定的用水集团或用水个人的权力。从用水集团和用水个人的角度来说，分配权是该用水户在一定的水资源流域或区域中，根据自身拥有的人口数量、资源状况、经济发展潜力和水生态环境状况等因素，对具有一定数量和质量的水的获得和消费权力。在这里，分配权是连接所有权和使用权的桥梁，是以市场机制进行水资源优化配置的重要条件。

根据水权分配原则，由各责任方所签订的具有法律意义和法律地位的水资源分配协议，是形成水资源市场的理念和框架，是对水资源稀缺性和获得权直接而明确的反映和描述，在此协议所形成的市场框架下，用水方式节约、经济效率和效益比较高的用水户，就可能将其节约出来或因自身用水计划调整而多余出来的用水额度，拿出来到市场上转让。

水资源的分配权，不仅可以优化水资源缺乏情况下的合理使用和高效率配置，而且可以优化在水资源超量情况出现乃至形成水灾的情况下，有关各方为应对总体灾情所建立的自身减灾方案和彼此间利害关系转换的方法与措施。

水权分配完成后，就出现了水权交易问题，要通过建立水市场来完成。水市场是水资源优化配置的经济手段，或者说是由制度决定的经济手段。现行在部分河流实行的分水方案，实际上还是行政管理手段对水权进行的初始分配，没有建立起水权转让的机制，因而也就没有可能通过市场进行水资源优化配置。即使在处理部分河段的上下游关系时，现行的做法仍是下游地区对上游地区进行一定经济补偿，这种补偿不是通过水权交易进行的，既缺乏法律依据，随意性也很大，往往引起用水矛盾。水权分配是一项十分复杂、十分困难的工作，涉及到各地区的切实利益，涉及到水资源存量、经济社会发展、历史、人文、法律等多方面的问题，还涉及到水资源本身的功能特点，如水质、防洪、水电等方面的管理，以及特定的监测手段等。运用"优先原则"进行水权分配时，需要针对不同的经济要素，建立市场量化体系，合理建立体系指标的参数系统及其各项指标之间的约束关系，这是十分困难的，其不仅表现为经济管理问题，还表现为复杂的区域与政治特征问题，以及其他方面的影响，这是阻碍利用水市场进行水权交易的症结所在。

（三）水权交易是开发流域水资源的基本方式

建立流域水权制度和水市场是一项开创性的工作，它将使中国流域水资源的管理水平升到一个新的高度，促进水资源的可持续利用，为流域经济社会的可持续发展提供有力的支撑和保障。但由于水权制度和水市场的建立不仅涉及流域内各行政区利益分配，而且涉及各行各业和千家万户的切身利益，在没有成熟经验可供借鉴的条件下，理论研究仍处于探索阶段。近十多年来，受人类活动的影响，我国水资源的数量和质量都发生了较大变化，需要重新进行水资源的调查评价，以提供可靠的分水依据；建立水权制度，实施水市场交易，将对现有的水管理制度带来直接的改革冲突。因此，进行水权交易，应在试点的基础上，取得经验后，再逐步推开。当前最为紧迫的任务是加强水权理论的研究，完善法律法规，同时加强基础性研究，尽快制定大江大河操作性强的水量分配方案以及外流域调入水量的水权分配等。水权的初始分配，是建立整个利益调节机制的第一步，在此基础上才能建立水权交易制度，以及与水权交易相配套的价格制度，如水权交易价格体系、水价制度、非价格制度等。

1.水权价格体系

水权交易的实施，要同时考虑作为供水成本的水价与水交易市场中水权转让价格之间的差别，因此，不仅需要对现行水价制度进行改革，建立起合理的供水水价形成机制和实行合理的水价分类制度，而且还应当建立起一套水权交易价格体系。这样，流域管理机构才可以通过改变各种价格（供水水价、水权交易价格）间的差距和直接参与水权交易，来调控水资源区域的利益分配，从而改变行政命令式的用水分配模式。

2.水权初始分配

水权分配是一个有多层结构的分权行为，在水权分配过程中，首先要力求水权分配思路和准则被流域用水各方所接受，从而使水权的具体分配方案得到认同和接受。水产权初始分配原则是，兼顾效率与公平、协调经济发展和生态环境目标，最终实现可持续发展。对水权的初始分配，首先要对所分配水权的流域和生态环境目标等准则进行具体分析，提出并建立一个以实现可持续水资源管理为目标的水权分配模型，然后根据这个模型，按照"尊重历史、重视现实、权利均等、确保生态"的原则进行分配，从而得出初始水权分配方案，为水权走向市场创造前提条件。

3.水权交易制度

在实现水权初始分配之后，各区域和各类型用户在占有初始水权的同时，必然出现一些供需不平衡现象，水权市场交易将有利于实现水资源的优化配置。因此，应当建立交易市场，制定水权交易制度和体系，为买卖双方提供交易的行为准则。水权交易制度与一般的市场交易制度相比，更注重交易规则的设计和交易行为的规范，这是由交易商品——水的特殊性决定的。

4.水管企业化

流域水权交易的一个重要条件，是区域水管部门实行企业化管理。各区域水管部门在行政上直接受当地政府部门领导，而业务上又归上级水管理部门领导，这种行政与业务上的双重领导，常常造成管理上的冲突，不利于实现全流域的协调。由于水管部门在行政上受地方政府的领导，用水时不可避免地以区域经济效益为目标，淡化全流域用水的合理配置。因此，只有实行行业管理，让水管部门都变成企业性质，与当地政府脱钩，才能克服政经不分的弊病，使水权交易的市场化运作成为可能。

5.水权交易保障制度

当水资源成为商品，并且规定了用户的用水权利之后，必然会出现侵权行为。侵权的特征是行为成本低于交易成本，而侵权行为往往又难以进行合理定价。因此，法律保证就成为一个必然选择，通过法律对侵权代价作出明文规定。此外，为确保水权分配和交易制度实施的有效性，还需要从法律角度对水管理改革方案加以规范，即用法律、法规、条例等形式对水权分配和交易制度、价格制度加以保证。

水权交易市场的建立，还需要对流域有关管理机构及其职能进行调整和重新设计，尤其是行政事业型水管理模式应向企业化经营转变，这是与市场交易机制相配套的体系建设。水管理体系建设应当以水管理机制的需求为目标，从职能上对现有机构进行新的制度安排，以保证水权交易的高效运作。流域机构在水权转让中的主要制度职责是，制定流域水权转让的实施办法，提出年度水权转让的额度，对跨流域的水权转让进行审查，报国务院水行政主管部门审批；对跨省（区）和所管辖的水权转让进行审批和水权变更登记；对省（区）管辖的水权转让进行监督和总量控制。市（县）基层用水建立社会化管理制度，为解决基层用户利用水资源的公平合理和效率的提高问题，应当逐步建立基层社区水管组织和允许用户的直接参与，以改善水资源在终端用户层的合理分配和实现水权交易合理的秩序化。在水权交易具体实施过程中，水权的测量和计量是关键，利用流域现有水量监测体系基本可以满足市级区域水权交易。从长远看，必须建立起一套从流域到区域再到用户的完整水测量体系和分水设施。这些基础设施的建设需要大量的投资，以及日常运行和维修费用。因此，建立水利投资及补偿机制，间接地关系到水权制度的实施和流域内依靠水市场进行水分配目标的实现。

第二节　区域水市场开发

293

　　水区域是两个乃至多个流域之间、以行政区划为特征的地带，它介于流域与流域之间，兼有各流域边际特点，是水域市场开发的重要组成部分。

一、区域水市场特征

　　区域水市场有着和流域等其他水市场的共同特征，但也有不同于流域等其他水市场的个性特征。

（一）区域水市场是整个水市场的子系统

　　区域，就是指一定的地区。以行政特征来描述，形成行政区域；以水系统的控制措施来描述，形成功能区域，或称水工程区域，如灌区；以水系的自然形态来划分，形成流域或子流域；以用水对象来描述，形成工业用水、农业用水、环境与生态用水等区域。由此可见，水区域随研究对象的不同而可以作出不同的界定。本章主要研究水市场流域特性，作为水市场子系统的延伸，主要以一定地区或一定范围内水资源构置、分布与社会经济发展匹配运行所体现的水市场联系，而灵活界定水区域。

水区域是指一定地区、一定范围的水资源与经济社会发展的空间环境。水区域市场是指商品经济关系的水经济区域范围的市场，它是水的地域分工的表现。水的地域分工是社会分工的一种类型，它与水的地理自然条件相联系。

区域水市场的产生是在地区水市场形成的基础上，为了发展水商品经济，满足各地因资金、资源、技术、信息、人才等市场要素短缺的要求，以经济互补和社会分工为基础，依赖于跨行业、跨地区之间的横向经济联合与经济协作，从而形成的扩大了的地方水市场。

区域水市场不同于行政区划，它是水商品经济运行的一种横向经济联系载体。水市场经济区域是水商品经济发展到一定历史阶段后的地域分工的表现形式，是一种客观存在的自然、社会经济系统。水区域市场属于国家整个水市场的子系统。这个子系统表现在功能、层次、结构、形成因素等方面都有其分支系统。如根据空间地域内生产力发展水平，产业结构不同，地域范围的广度、位置不同，水区域中心辐射力不同，而呈现不同的层次。

区域水市场不是孤立的、封闭的、自给自足的经济单元，而是社会生产的地域单位，是有水文边界特性的区域范围。区域水市场形成后，表现出一定的阶段稳定性，并且会随着生产力发展而发展。可见，区域水市场，是指一定区域范围内各具特点和发展水平、内部密切联系的水市场综合体。它的形成和发展是由中国经济社会发展的历史和现状、地理条件和自然资源状况等因素所决定的。

从大的方面看，中国水市场可分为东北、华东、华北、西南、西北、中南等区域水市场；也可分为沿海、内地、东部、中部、西部等区域水市场。从小的方面看，可分为长江三角州、珠江三角州等区域地带水市场。这些区域水市场、地带水市场，强调发挥地区优势，加强水经济横向联系，逐步建立以大城市供水为主要特征的层次不同、规格不等、各具特色的水市场经济区网络。

从现实情况看，中国的区域水市场正呈现广阔的发展空间。但是，由于区域水市场发展仍处于起步阶段，不同的水区域发展水平、自然资源条件、技术水平等环境因素表现出很大的差异性，这种差异性规定了水区域之间用水产业关联及由此产生的市场导向。另外，中国各级地方政府过分参与经济活动的政经合一的行为，仍然渗透于经济生活的各个层面，直接作用于窄小的、相对独立的行政性市场，控制着市场的各个方面。受这些经济、行政等因素的制约，区域水市场表现出以下特点：

第一，区域性，即一定的区域时空范围。形成水市场区域性的依据是水资源的客观经济状况。这种区域水市场的边界不是以行政区域划分的，而是以水资源经济联系的程度来确定的，不同性质的水商品，形成不同的边界，并且在稳定的前提下呈现变化特征。区域特性随着水商品经济的发展而变化的这种特性，用经济学术语可表达为"区域边界弹性"。

第二，开放性，即水市场运行是开放的。这一开放性特点决定水市场区域受水资源自然区域的辐射影响较大，表现为总是与邻近水市场区域联系较紧。此外，水市场表现的开放性运行格局，使得区域水市场关系的调整变成可能，当相邻市场中运行的价格反差太大时，会出现相对的水市场渗透。

第三，效益性，即水市场的目标指向主要是经济效益。水市场效益是经济效益的最大化。区域水市场的这一特性，是由水商品需求程度和交换相对成本来确定其边界的。所以，区域水市场对经济效益的追求，是在一定的需求强度下进行的，在交换相对成本的临界点内水商品的流通才能获益，才有可能遵循效益去合理地配置水资源，效益性体现了区域水市场的内在要求。

因此，发展区域水市场，就是协调区域水经济，顺应水资源的自然属性和自然规律去开发和利用水资源。

（二）区域水市场"流通"的水是特殊商品

水区域，往往以行政区划为特征，区域间水的"流通"表现的使用关系，实质上是水权关系和商品关系，尤为明显的是灌区水区域。灌区水凝结着人类的一般劳动，具有价值和使用价值，是一种商品。即使是以国家扶持的农业而言，水也是特殊商品。这一特殊性的阐述，区别于政治经济学中关于劳动力作为商品的特殊性阐述。水是特殊商品，主要是针对这一商品的物质形态和实现交换的方式、方法而言的。用市场经济理论来分析，问题便很明白了，水具有一般商品的属性，作为水区域的一种市场形式，灌区水市场是水商品生产交换的完整形态。国有大中型灌区要走出困境，灌区就必须改革，要建立与市场经济相适应的运行机制，体现区域水市场的要求。

1995年，中国在世界银行贷款农业灌溉项目区内实行"农业供水公司+用水户"的灌溉管理体制改革试点。即在收费方面，由原来的县、乡（镇）、村、组代收水费改由农民用水者协会向农户直接收取；在渠系管理方面，支渠以下主要由用水者协会进行管理。渠系的维护费用，从用水者协会收取的水费中按比例提取使用。目前，水利部正在进行国有大中型灌区综合改革的试点，推行"两改一提高"，一是推动以用水户参与灌溉管理为主要内容的制度改革，二是加快以续建配套和节水技术改造为主要内容的资产改革，从而发展节水农业，提高水的利用效率。这是以灌区为经济特征的区域水市场的发展方向。

二、区域水市场开发的侧重点

区域水市场开发与其他市场开发一样，都必须遵循市场规律，按市场规则运行。区域水市场开发的显著特征是空间结构多元化，主要侧重灌区、城市、农村三大水市场的开发。

（一）城市水市场开发

城市是政治、经济、文化和科技中心，又是人口流、工业流、能量流、物资流和信息流最密集的地方。随着时代的进步，经济发展使人口的局部密度越来越集中，形成各种类型的城市。城市化成为人口迁移的主要标志和显著方向。20世纪90年代初，中国城市人口约占全国人口的26%，2000年已达到35%。预测2010年前后，中国人口城市化率将达到50%以上，也就是说，将有7亿以上的人生活在城市区域。

人口的集中、城市经济的发展，对城市水资源的需求提出新的更高要求。中国是一个缺水国家，人均水资源占有量居世界第110位后，中国成建制的670余座城市中，有300多座城市缺水，日缺水量近2000万立方米。到2050年左右，中国人均水资源量将从20世纪80年代的人均2700立方米减至1700立方米左右。据统计，1990年中国城市供水量约700亿立方米，到2000年供水量已达1200亿立方米，实际缺水约450亿立方米，特别是在水污染严重的城市，水资源更加匮乏。协调好水资源与城市发展之间的矛盾、节约用水、维持城市可持续发展，是城市发展亟待解决的重要问题。近年来，城市水务改革的实践表明，做好城市水市场开发是解决这些问题的有效途径之一。

城市节水是城市水市场开发的主要内容之一。市场经济条件下，经济杠杆和市场规律是促进城市节水持续发展的有效手段，粗放型经济增长模式是城市水资源缺乏的主要原因，过度强调工业发展的数量，忽视单位产品的耗水量，造成水资源严重浪费。正常水文条件下，我国工业需水量占全国水利设施总供水量的14%左右，占城市总供水量的70%左右。我国生产一吨钢需耗水50立方米，生产一吨啤酒需耗水8~20立方米，耗水量是国外先进水平的8~10倍。实行城市节水可持续管理，首先是使城市节水由传统的以需定供模式转向可持续发展模式。传统模式片面追求经济发展的速度，以高消耗、高投入、低产出为特征。可持续发展模式则强调经济、社会、人口、资源环境协调发展，以优化资源配置和产业集约化、规模化、高效益为特征。现阶段城市区域条块分割的水管理体制，割断了水系的自然联系，节水难以实现"统一规划、合理布局"。城市节水在突破传统的、狭义上的以局部或在节点上缩减清洁水源的使用，转为以保障水资源的正常循环、实现总量控制的广义上的节水行为。有效利用水环境容量，提高水的利用效能比，才是完全意义上的城市节水。通过可持续管理，达到节水不减效、节水不贫水的目的。经济发展与城市节水是相辅相成的矛盾统一体，片面追求经济发展必然导致水环境的恶化，最终影响城市经济的可持续增长。片面强调城市节水必然导致节水的低效投入，最终影响水资源的可持续供给。

经济发展推动城市节水进步，扩展城市节水内涵；有效的城市节水管理，可以促进城市经济的均衡发展，实现节水投入与产出的良性循环。

城市节水可持续管理，应理顺水价政策。由于受福利制供水观念的影响，忽视了价值规律在水资源开发、利用和保护中的作用，致使城市供水价格低于实际成本，严重背离价值。在市场经济条件下，水资源走向市场、调整和完善水价政策、建立合理的水价体系，既可促进节约用水，又有利于减轻国家财政负担，充分体现了水作为特殊资源的性质和价值，城市节水市场的开发，为灌区、农村水市场发展提供了借鉴。

城市化及城市用水的发展趋势预测显示：到2010、2030年和2050年，中国人口城市化率将分别达到50%、55%和65%以上；城市新增需水量分别为280亿立方米、590亿立方米和910亿立方米；全国城市污水排放量将增加到640亿立方米、850亿立方米和

1080亿立方米。为了满足城市用水的合理需求，遏制并逐步改善城市及其周边地区的水环境，2050年以后，平均每年需投入城市供水、污水处理和节水的资金分别约为190亿元、230亿元和70亿元。其中节水投入是至关重要的，如果不通过适当的节水投入将过于膨胀的用水需求降下来，则可能额外增加供水和污水处理设施投资13340亿元，年均约250亿元。可以推算出，节水的投入产出比为1:3.7。可见，节水是城市水市场开发的重点，居于城市供水的主导地位。同时，水商品消费的特殊性，注定未来城市的最大危害是"污水"，污水的直接排放不仅污染水环境，还破坏水资源，加剧水危机。为此，应把"节流优先，治污为本，多渠道开源"作为中国城市水资源市场开发利用的新战略，以此来指导城市供水、用水、节水、污水处理和水资源保护规划及相关政策的制定，促进城市水市场开发和城市水系统的良性循环。

（二）农村水市场开发

中国既是人口大国，又是农业大国，水资源短缺导致的干旱缺水已成为制约中国农业和农村经济发展的主要因素。改革开放以来，我国经济持续高速增长在世界经济史上是少有的，但审视我国经济的发展历程，其基本特点仍然是粗放的、外延性的，其中相当部分的增长是以牺牲生态环境和大量消耗资源为代价取得的。比如，1998年乡镇工业企业生产总值占全国生产总值的27.9%，乡镇工业企业完成增加值15530亿元，占全国工业企业增加值的46.3%，而乡镇工业污水处理率不到10%，90%以上是未经处理就直接排放，资源掠夺式生产对我国农村生态环境造成了巨大压力，特别是对水环境与生态的破坏更加突出，其结果必然会影响资源的可持续利用和经济的可持续发展。

1.农村水环境市场开发

农村水环境，是指分布在广大农村的河流、湖泊、沟渠、池塘、水库等地表水、土壤水和地下水的总称。水环境既是农村大地的脉管系统，对雨洪旱涝起着调节作用，又是农业生产的生命之源。因此，保护好水环境是保障农业生产发展的基础。然而，农村水污染严重、水环境恶化、污染事故时有发生，不仅造成粮食减产、水利渔业减产或绝收，而且直接威胁居住在广大农村的农民的身体健康。

目前，我国主要河流有机污染普遍，面源污染日益严重。在几大流域中，黄河流域面临着水资源短缺和水体污染的双重压力，V类和劣V类水质断面比例为63.1%；主要支流汾河、渭河、伊洛河、小清河污染严重。珠江流域IV类水质断面占50.6%，干流广州段污染较重。松花江流域干流17个水质监测断面中，IV类水质断面占70.6%。淮河流域的79个水质监测断面中，V类和劣V类水质断面比例达56.2%，符合IV类的水质达43.8%。海河流域171个水质监测断面中，V类及劣V类比例为49.7%。辽河流域52个水质监测断面中，劣V类占69.3%（干流15个断面中劣V类比例高达86.7%），浑河沈阳段、大辽河铁岭段和太子河鞍山段污染尤为突出。靠近城镇等人口密集区的很多湖泊已退化成为流域中的污水库。太湖流域全湖处于中富营养状态；101个水质监测点中，V类和劣V类水质断面比例为65.4%。滇池流域富营养化也很严重，13个水质监测点均属劣V类，氮、磷污染十分突出。巢湖流域湖体11个水质监测点中，7个属V类和劣V类水质。许多水库也开始进入富营养化状态，城郊水库的富营养化问题最为严重。由于水污染严重，城乡居民饮水受到威胁。

由于大量生产和生活废弃物未经处理就直接排入水体，加之公共卫生设施跟不上发展的需要，农村饮用水源大多受到污染，水污染事故不断发生，1998年发生788起，平均每天发生2.16起；造成的经济损失在所有环境污染事故中占居首位。事故发生影响着社会的安定，1998年全国信访办收到水环境污染纠纷群众来信

19901封，平均每天收到54.5封；来访8378人次，平均每天30人次。近20年来，虽然我国污水的处理规模在不断扩大，但由于各类污水排放量大幅增加，污水处理率提高有限。1998年，全国工业和城市生活废水排放总量为395亿吨，其中工业废水排放量201亿吨，生活污水排放量194亿吨。1999年，全国工业废水排放总量为197亿吨，生活污水排放量204亿吨，生活污水排放量首次超过工业废水排放量。1998~2000年废污水处理能力虽然提高了30%，但废污水处理化率一直在20%左右徘徊。农村废污水处理化率仅为5%左右。可见，农村水环境恶化趋势也十分明显，理性选择只能是市场化。通过合理的水市场价格有效而灵敏地调整水的供求及治理关系，最终实现持续开发、合理利用的目的。

2.农村节水市场开发

近年来，中国农业节水得到了较快发展，在一定程度上缓解了农业水资源的供需矛盾。但与中国水资源短缺的形势和社会发展的要求相比，农业节水的发展速度和规模仍然严重滞后。究其原因，关键是没有建立适应现行农业经济体制和市场经济条件下发展农业节水的保障体系。发展农业节水不仅是技术问题，更主要的是管理体制和政策措施的落实，涉及到用水管理体制、投资机制、水价政策、法律法规、技术创新以及观念更新等诸多方面。从农业和国民经济可持续发展、水资源可持续利用以及促进农业产业结构调整、加快农业现代化的高度来认识农村节水，依靠建立农村节水市场来解决农村水问题是关键措施之一。

在中国全面推进农业节水快速发展的关键，是建立适应市场经济发展的农业节水保障体系。针对制约中国农业节水发展的主要问题，农业节水市场开发应立足以下创新：

1）管理体制创新

目前，我国农业灌区管理体制基本上是以事业型为主，与市场经济发展的体制要求相差甚远，主要问题表现在，一是产权不清。主管部门与灌区及用水者的职责模糊，灌区及用水者只管用不管修，致使国家和各级政府投资建设的工程不能发挥持续效益，体制障碍影响水利工程的保值增值。二是经营不能自主，自主难以自给。灌区管理单位对灌区工程建设和水量调度缺乏自主权，行政干预较多。目前灌区的主要经济收入是水费，由于水价普遍低于成本，多数灌区入不敷出，不能维持简单再生产。对已经实行经济自立管理的灌区，由于水价定得太低，成本补偿难以实现自给。三是灌区用水计量设施不配套，灌区用水定额与节水指标缺乏考核根据。农业水费的经营性改革要求实施按方计量，推行终端渠系水价难以落实，甚至出现一些灌区为了增加水费收入而设法鼓励农民多用水的现象。四是灌区管理机构臃肿，增加了灌区负担。五是用水户参与管理的机制尚未普遍建立起来。六是尚未形成统一的管理机制，造成河流的上下游、左右岸、地表水与地下水、取水与排水、原水资源与污水管理上的矛盾，使得有限的水资源不能得到合理、高效的开发利用。处于上游或靠近河流的地区无节制地引水，不仅浪费了水资源，而且引发土壤次生盐碱化，甚至造成下游河道断流。在下游或距河流较远的地区，由于河水供不应求而大量开采地下水，造成地下水位持续下降，形成一系列生态环境问题。

在许多灌区，由于地表水与地下水没能实行统一管理，不同水源的水价政策不协调，致使能有效提高灌区水资源利用效率的井渠结合方式长期难以推开。解决这些问题的关键，首先是依靠管理体制的创新。江苏省淮安市经济自立灌区改革的实践提供了一些范例，他们的主要做法是：

（1）分析灌区现状，确定改革模式。根据灌区性质、规模的不同，淮安市灌区改革模式大致可归纳为四种：一是"专管机构+供水公司+供水分公司+用水者协会+用水农户"模式。主要适用于规模较大、跨行政区域、层次较高、机构健全的大中型自流

中国水市场管理学

灌区，专管机构一般按水文边界成立供水分公司，再按水文条件划分出若干个协会单位，协会人员由用水户代表选举产生，用水户代表由用水户选举产生。二是"专管机构+供水公司+用水者协会+用水农户"模式。主要用于一个行政区域范围内的大中型自流、提水和半自流灌区。三是"供水公司+用水者协会+用水农户"模式。主要用于规模较小的中小型灌区，尤其是提水灌区，把专管机构直接改为供水公司，一步到位，推向市场。四是"用水者协会+用水农户"模式。主要用于一些固定泵站、水库、塘坝组成的小型灌区，这类小型灌区主要是由乡镇或村组管理。因其面广量大，不易管理，一般直接交由用水者协会和农户去经营管理，与当前农村税费改革推行的"一事一议"管理方法直接衔接。

（2）坚持典型引路，规范运作。在认真贯彻农村税费改革政策、学习外地成功经验的基础上，结合灌区现状，坚持先试点、后推广，选择工程状况好、水费自收程度高、群众交费意识强的灌区，先行试点，循序渐进，逐步推广，让事实来体现改革的益处。主要抓住四个方面的关键工作，一是合理划分单元。灌排系统具有特殊性，按水文边界条件划分供水公司、用水者协会的管理范围，避免了同一水系水源配置与管理分割带来的矛盾。二是确定法人资格。专管机构、供水公司、用水者协会都是独立的法人机构，由工商部门核准登记，按法律程序取得法人资格。三是明确规章制度。供水公司、用水者协会必须有自己的规章制度，明确责、权、利关系。四是合理确定水价。推行渠系终端水价，实施供水到户。为了抓住这四个方面的关键，又必须理顺四个方面关系，一是水管单位与地方政府的关系，这是农民用水协会发挥作用的基础。二是水利部门与涉农部门的关系，这是取得政府政策支持的基础。三是专管机构、供水公司、用水者协会之间的关系，这是供水按市场化运行的基础。四是供水公司、用水者协会与地方政府的关系，这是实现水费由水利部门自收的基础。

（3）搞好改后服务，强化监督管理。灌区改制后，实现了水利工程管理权、经营权的转移，主管局的供排水职能部门，相应地延伸出四项权能，一是加强技术跟踪服务；二是帮助基层供水分公司、用水者协会培训懂技术、会管理、善经营的业务骨干；三是加强对合同执行情况的监督管理；四是对供水资产实行动态监控。通过改革，实现了四个方面的转变，一是观念在变。过去群众认为工程是国家的，依赖思想比较严重，对工程管理漠不关心。现在灌区群众都意识到工程是自己的，用水户是工程的主人，损坏侵占工程的事件减少了，管理和维护工程的责任心和自觉性提高了；水商品的意识增强了，灌区管理、收费人员的服务意识增强了，过去那种"管闸的开开门、放放水，收费的跑断腿、磨破嘴"的现象不见了。二是机制在变。过去灌区管理人员捧的是"铁饭碗"，吃的是"大锅饭"，不管能否拿到工资，总认为自己是个国家正式职工。通过灌区改革，实行事企分开、定岗定员、竞争上岗、减员分流、工效挂钩，彻底改变了过去那种"宁愿捆在一起死、不愿脱胎换骨生"的状况。三是工程在变。过去的工程有人用、没人修，有人建、没人管，改革后，这种情况得到了初步改变；"有水就放、不问去向，淹死上游、干死下游，破堤提水、打坝拦水"的情况大为减少，计划用水、节约用水的观念大为增强。同时，经济自立、灌区改革，促进了灌区的立项改造，自1999年以来，各级政府安排投资8750万元，省级财政补助达5250万元，许多急难工程得以迅速解决，灌区续建配套与节水改造步伐明显加快。四是效益在变。灌区原来管理体制不顺，运行机制不活，服务不到位，水费收不齐，水费收缴率仅在70%左右，虽然采取了种种制约措施，但效果仍不显著。灌区实施改革后，水费实收率达到90%以上。以前灌区管理人员，每年只能拿三四个月工资，现在拿到了全额工资。由于服务意识增强、服务范围明确、工程配套率提高、管理责任落实、用水计划执行到位，灌区用水效率大幅提高，平均节水率达到15%以上。

2）运行机制创新

首先，在规划上实行科学规划。全面规划、合理布局是农业节水健康快速发展的基础。由于以往对农业节水发展战略和客观规律研究不够，在指导和推动农业节水工作中存在着主观性、盲目性。有些地方不考虑当地自然和社会经济条件的改善，片面强调单项技术，盲目追求"先进技术"，造成节水工程高投入、低效益。有些地方对水资源状况不清，对上下游的关系研究不够，没有考虑生态环境用水，盲目扩大灌溉面积及种植高耗水作物，造成过量引用地表水，超量开采地下水。已经制定的一些农业节水发展规划，由于没能很好地与当地的水资源规划、农业发展规划、生态环境建设规划及国民经济总体规划相协调，往往难以得到落实。

农业节水中长期发展规划是国民经济和社会发展规划的组成部分，制定农业节水规划要与各地的农业发展规划、水资源规划及生态环境建设相协调，并充分考虑我国加入WTO后农业种植结构调整对农业节水的需求，以水资源的优化配置和高效利用、有效保护为前提，统筹考虑地表水、地下水、土壤水、雨水、灌溉回归水及城市污水等水源的开发利用，实行以供定需的产业方针、以水定产业结构、以水定经济布局、以水定发展速度和建设规模，统筹协调生产、生活和生态用水，做到量水而行，根据不同地区的自然经济条件、水资源状况、气候条件、农业生产经营方式、作物种类、经济发展水平等，确定不同地区、不同阶段的农业节水发展模式。

其次，在投资上要做到政策合理，投入到位。目前，国家水利投资项目，只有电站、大坝和堤防工程能立上项，节水灌溉工程立项较少。1997年，国务院发布的《水利建设基金筹集和使用管理暂行办法》规定：中央水利建设基金主要用于关系国民经济和社会发展全局的大江大河重点工程的维护和建设。由于国家投资与地方配套及农民投劳没有形成一体化管理，地方配套资金和农民投劳往往不落实，致使许多灌区形成了"半拉子工程"，灌区存量资产不能发挥应有的效益。此外，由于国家和地方政府对农用机井投资很少，主要靠农民投资，致使一些可以实行井渠结合的灌区也难以立项、建设、运行。在农业节水灌溉工程建设总投资中，国家和地方政府投资占30%，农民自筹和贷款占70%。由于农业是弱质产业，农业产出很低，难以承担全面推进农业节水的投资需求。农业节水实行市场开发，建立水市场运行机制，实现有序运行已成必然趋势。

　　建立运行机制的方向应坚持多元化、多层次、多渠道的农业节水投入原则，核心是增加投资渠道，改革和完善投资政策。第一，国家应将农业节水工程作为水利基础设施建设，纳入各级政府基本建设计划，大中型灌区骨干工程和贫困地区农业节水工程建设应以国家和各级政府投资为主。第二，应建立国家和省级农业节水发展专项资金，从各级政府的基本建设资金、财政支农资金、小农水事业费、中央收缴的水利建设基金中提取一定的比例，从水资源费和水费收入、农业综合开发资金、扶贫资金、占用农业灌溉水源的补偿资金中拿出一部分，设立农业节水发展专项资金，用于节水关键性工程建设。第三，随着加入WTO后国家对农副产品的市场补贴大幅度减少，国家可将这种补贴转为农田水利设施投入，改善农业生产条件。第四，各级政府财政预算中应明确用于农业节水的投资比例，并逐年有所增加，国家可采取税收、贴息贷款等优惠政策吸引和鼓励企业及社会力量投资农业节水。第五，国家农贷资金要优先安排农业节水工程投资，提高贴息标准，延长还款年限，研究制定适合不同贷款类型的担保、抵押及还贷办法。第六，农业节水工程可采取"以奖代补"

和"先干后补"等方式，调动乡村组织和农民投资、投劳的积极性，并利用农村税费改革的有利时机和新《水法》中关于集体所有制水权关系的确认的原则，多方面筹措农村节水资金，通过运行机制的创新，实现农村节水市场开发的秩序化、规范化。

3）水价制度创新

中国农业水价政策主要存在三个方面问题，一是水价过低。我国现行的供水成本计算只包括供水工程的基本折旧费和运行管理费，没有考虑利润、水资源费等，定价明显偏低。而且目前大部分灌区实际水价普遍低于供水成本，每亩次多灌水500立方米也不过1~3元人民币，而相应的节水投资要大大超过多缴水费，这样的水价标准对于调动农民节水投资的积极性是十分不利的。二是地表水和地下水收费政策不统一，不利于区域水资源的高效利用。三是喝"大锅水"的问题普遍存在。由于灌区渠系控制及量水设施不配套，不能实行按方收费，普遍实行按亩分类计收水费。多级提水灌区还存在层层搭车收费，加重了农民负担，农民节水积极性无从谈起。

水价制度创新，主要包括科学核定农业用水成本，扣除因管理单位机构臃肿导致的成本增加，逐步实施成本加微利的定价原则；科学核定农业用水定额，在定额范围内实行基本水价，超额部分实行累进加价制度；对一些经济收入低或供水成本过高、暂时难以按成本收费的地区，可以采取财政补贴的办法，解决供水成本与价格倒挂问题，并逐步把水费补贴转移到对节水灌溉技术推广应用的补贴上；建立并完善农业用水计量体系和社会监督体系，充分利用信息技术等先进手段，加快实行按方计量、按户收费。

（三）灌区水市场开发

中国农业用水量，多年平均约占全国总水用量的65%，这决定了我国用水结构的调整，关键在于农业用水的大幅度下降。而在占耕地总面积约40%的灌溉面积中，灌溉用水又是农业用水的主体，灌区用水效益的提高，直接决定了农业用水的效率。目前多数灌区存在设施老化失修、效益衰减、用水浪费严重、维修等费用缺口越来越大等现象。可以预见，农业灌区供水体制改革，将成为下一步水利改革的重点，如何运用"水权、水价、水市场"启发治水新思路，推进灌区体制改革，促进灌区减水增效，是一个迫切需要面对的理论和实践问题。

1.引入"准市场"思路

在市场经济条件下，灌区引入"准市场"思路，就是对灌区重新进行定性和定权。对于定性而言，灌区向用户提供具有商品性质的灌排服务，这种服务可以产生效益，应当得到合理报酬和补偿。灌区性质应明确为企业管理的事业单位，即灌区应成为有别于党政群机关及企业，受国家管理，具备独立法人资格；灌区是主要以服务的方式进行专业性供水劳动、创造出水商品、服务于社会、讲究经济效益、所需经费靠财政差额拨款或全部依靠供水服务来解决的实体单位。对定权而言，包括工程产权、工程的使用权、管理权和经营权。灌区的产权应按照"谁投资，谁所有"的原则界定。国家可以利用不同方式转让所属产权，如股份制、股份合作制、拍卖、租赁、出让、承包、兼并和资产重组等，使其归属到灌区管理单位、用水户协会或其他具有独立经营性质的主体。灌区工程和水资源的使用权、管理权和经营权既可以归属产权所有者，也可通过不同方式转让给具有经营管理和使用能力的主体。

水资源的分配是一种利益分配问题，既可以通过市场也可以通过非市场来解决，但单独哪一种方式都不能有效解决，因为水资源的配置方案不仅仅需要技术上、经济上的可行性，更重要的是政治上的可行性。通过对流域水资源配置的经济机制和利益机制分析，灌区水资源配置的新思路是引入准市场的思路，要积极引入既不同于传统"指令配置",也不同于"完全市场"的"准市场"。准市场的实施,由"政治民主协商制度"和"利益补偿机制"等辅助机制来保障,以协调地方利益分配,达到同时兼顾优化流域水资源配置的效率目标和缩小地区差距、保障农民利益的公平目标。流域统一管理应和"准市场"、"地方政治民主协商"有机结合,通过不断地进行制度创新和制度变迁,形成比较成熟的、有效的、新的流域水分配和水管理模式,并逐步以法律法规的形式加以固定。

2.引入股份制

水资源是一种非常复杂、具有多重特性的自然资源,对其实物资产进行直接界定,所需成本很高,这是水资源主要采用共有产权形式的主要原因。但是,货币和金融技术的出现,使得实物形态的资产,可以通过货币和其他有价证券在价值形态上体现,从而大大降低共有产权的属性。因此,不仅对于灌区的水利工程和设施可以通过股份制的形式引入私有产权,而且对于水资源本身,也可以通过货币化和股份化引入私有产权。在部分有条件的灌区,只要能够保障用水公平、有利于资源的优化配置,不仅可以采用股份公司的形式形成多元化的水利工程投资主体,也可以因地制宜地探索各种灵活的"股份水"制度形式,并创设出与之相适应的新体制。

3.坚持水费改革

水管单位的各项经济利益如何,主要取决于收取水费,而收取水费的多少,有赖于水价格的实施程度。通过水费改革,提高水价标准,是灌区改革工作中的一个艰巨而又迫切的任务。提高人们对"水是商品"的认识,是水费改革的重要一环。长期以来,在人们的思想中存在着"黄河之水天上来"的传统观念,而不明白自然水和商品水之间的区别,即天上下的雨,只有使用价值而无价值,是自然水,不是商品水。人们通过投入活劳动和物

中国水市场管理学

309

化劳动，兴建了水库和渠道等水利设施，不仅可以把自然水拦蓄起来，而且还可随时卖给他人使用，这样即形成商品水，商品水具有价值和使用价值这两个因素。既然水利工程供卖水属于商品水，那么人们使用它，就必须以等价交换的方式才可以获得。在理清水是商品的思路的同时，还必须认识到水利工程的作用，如使用灌区水的地区每年农业增产了多少，工业产值达到了多少，解决了多少人员就业；如果没有灌区水，灌区内的社会是否能够安定；等等。实行计量收费，是水管单位从"喝大锅水"过渡到按供水成本收费的转折点，当前正在开展的水利工程供水的经营性改革，正是理顺这一思路的现实选择。

4.理顺水权关系

长期以来，灌区水权转让存在的主要问题是水权模糊。灌区水权模糊，就是灌区没有形成完整的产权形式，产权主体不明。灌区水权模糊阻碍了资本的投入、新技术的引进和制度创新，是造成灌区困境的重要约束因素。

水权模糊带来的第一个问题是资源利用处于半开放状态，浪费严重，效益低下。一方面，灌区外部约束较弱，用水数量主要受制于自然因素，多来多用，少来少用，特别是处在上游的地区，往往超量引水，这使灌区用水开放利用的风险较高；另一方面，灌区的一些制度安排，如收费、定额分水、外部投资改造等，虽然不同程度地避免了灌区用水完全处于开放状态，但从总体上看，灌区用水的外部性还是很强的，灌区用水行为不能反映生产成本、稀缺成本和外部成本。水权模糊引发的第二个问题是资源利用和资源保护的投资激励缺乏。产权中的收益权，规定了产权主体获取与其努力相适应的收益权利，但由于水资源的收益权不能明确界定和有效实施，行为主体就缺乏对水资源的更有效利用和保护的投资激励，这就从根本上导致灌区主要靠国家投资，财政补贴包袱沉重而无法实现可持续，这是灌区设施普遍老化失修、欠债累累的根源。水权模糊导致的第三个问题是资源利用的配置效益不高，降低了社会收益水平。由于产权主体不明，水权不能转让，水资源不能由低价值领域流向高价值领域，降低了全社会总收益的提高份额，这实际上就是资源配置失衡。

明晰水权，实行灌区企业化管理，根据"谁投资，谁所有"的原则明确产权。拥有产权的政府部门将灌区改造成国家控股公司，聘请企业法人，是用企业管理方式经营管理大中型灌区的理性选择。

5.建立灌区管理新体制

灌区作为水资源管理和利用的集中区域，对水资源进行优化配置，实现水资源的合理开发、节约、保护和高效利用，具有客观必要性和现实紧迫性。灌区是既具有事业性质，又可按照企业办法进行经营管理的法人实体，可采用"管理局＋用水单位＋用水户"、"管理局＋公司＋协会"、"专业管理单位＋民主管理单位"、"公司＋协会"等不同模式建立新的管理体制。根据建立的管理体制的运作方式不同，理性选择以下运行机制和经营机制，是建立灌区管理新体制的方向性改革。

（1）水经营机制：依靠专业管理队伍，实行岗位目标责任制和经济目标责任制，建立起竞争与发展、目标与利益相互融洽的导向机制。对干渠以下所有工程全部实行产权制度改革，由经营者管理或由农民用水者协会自主管理。

（2）水商品价格机制：坚持水资源统一管理，按产业运作方式经营，支持成本补偿和合理收益，坚持小步快调，逐步实现按成本收费，并实现按效益和市场物价指数调节水价；坚持执行以预付水费为主的多种收费方式，坚持争取政府支持和政策法律保障的原则。

（3）投融资机制：在积极争取国家投资的同时，充分利用市场机制扩大灌区水利建设资金来源，利用收费权质押，向银行直接融资,实行"谁投资,谁所有"的办法,形成多渠道、多层次、多元化投入格局。

（4）人事管理机制：按照机构能设能撤、管理能上能下、人员能进能出、收入能高能低的原则，加强人事管理。通过建立健全人才选择、使用、培养、考核、激励、约束、淘汰和保障机制，鼓励敬业忠诚和创新奉献精神，建立高素质的干部和职工队伍。

6.构建灌区决策支持系统

现代灌区水资源决策支持系统，一般具有数据库、模型库、方法库和人机界面。数据库负责数据维护、各模型间的数据交换以及数据的图形表格显示。模型库包括各类有关数学模型及修改模型的管理系统。方法库提供预测、模拟、优化、管理等基本方法以及由上述基本方法组合而成的综合分析功能。 人机界面由计算机显示屏上的窗口、菜单、表格、图形、文字说明以及各类打印机输出文件等组成，负责与决策者及专家进行对话。由于水资源问题涉及到很多结构化的专家经验，不能或不易用数字模型来表达，而要依赖专家的判断与选择，把专家系统的知识库放入水资源决策支持系统，建立人机交互系统，提供背景情况、协助明确问题、修改完善模型、列举可行方案、进行定量分析比较等。

区域水资源开发利用和保护管理方面的决策问题有：①决策对象与决策环境相互作用、相互制约的程度较强。即区域社会与经济发展导致竞争性用水量不断增加，而扩大供水能力又需要更多的投资，投资又来源于区域经济的积累，积累水平是决策环境的重要因素。②水资源开发利用具有明显的多目标决策性质。在宏观上应促进区域经济、环境和社会的协调发展，在微观上应促进水利工程一水多用和综合利用。③无论是水资源开发利用还是保护治理，均是资金密集型的基础产业。对水资源开发利用方案进行一定程度的优化可带来可观的经济和社会效益，因而表现在决策手段上，尽可能在定量基础上实现优化。④水资源决策影响周期较长，不仅要统一考虑近期和远期决策的一致性，而且要考虑在长期发展过程中需水增长和投资来源的不确定性，以及自然来水随机性导致的供水风险。因而，仅靠单纯的优化技术是不够的，还需要对决策进行大量的模拟。⑤由于在水资源决策中必然要涉及到上下游、左右岸、部门间和地区间的分水及投资分摊等利益调节，因而决策要有不同层次的多个决策者参与，表现为群决策过程。⑥由于城市化进程以及人类活动对水资源天然分布的不断改变，影响水资源决策的各种因素不断变化，因而要进行滚动决策。水资源决策支持系统，就是针对上述决策特点，以宏观经济为基础，以可持续发展为目标，模拟与优化相结合的系统运作方式。

三、缺水区域水市场管理

水资源分布特点和季节性原因，形成我国部分地区属水量型缺水地区，西部地区是较为典型的水量型缺水地区。实现缺水区域水市场管理，是缩小地区经济差距的首要手段。这里以西部大开发中的水市场管理为目标模本，分析其主要因果关系，为不同类型区域的水市场管理提供佐证。

西部大开发是国家在现实社会主义市场经济框架下整体发展战略推进的一大主题，水市场开发对西部这一重要缺水区域，具有非常重要的意义。西部水市场开发的立论点表现在以下几个方面。

（一）以水资源市场配置为基础

水资源短缺状况是影响西部大开发的一项重要因素。西部地区，特别是西北地区，地域辽阔，水资源稀缺，水土流失严重，生态系统极为脆弱。因此，水资源是该地区最具有战略意义的资

中国水市场管理学

313

源，水资源的合理开发利用，在实施西部大开发战略中具有极为重要的地位。要合理开发西部水资源，必须改变传统的思路和做法，坚持改革创新，按市场化原则，坚定地走市场化开发之路，以"大西部、大市场、大开发"理念引领全局。在充分认识西部地区水资源特点的基础上，正确把握人口、资源、环境与经济社会发展的关系，处理好局部与整体、近期与长远等各种关系，以实现西部地区水资源可持续利用和经济社会的可持续发展。

（二）以环境生态建设为重点

西部大开发中，水市场的运行、环境生态建设是头等大事，在进行水市场设计时，首先要调查研究适应本地区社会经济发展水平的环境和生态可承受能力，自觉地控制人口和畜牧数量，尽量消除自然资源，特别是水、土资源的限制因素。对城市、工业、农业进行合理布局，调整农、林、牧、草、渔和农业内部粮、经、饲结构，在保护自然资源、环境和生态的前提下，防治污染，发展经济。中国人口众多，特别是近400年来，人口从大约8000万增加到14亿，因此，开垦山林、草原、围湖、围河等人类活动愈演愈烈。国务院在1998年长江大水后，已决定大规模保护天然林，退耕还林还草，退田还湖，这是中国历史上保护宏观环境与生态方面的历史性选择。近几年来，已还林、还草约150万公顷，这对改变丘陵山区生态环境和提高人类生存条件起到了重要作用。坚持不懈发展生态水利、加强水土保持，是进一步营造西部生存条件的首要措施。

其次，西部大开发要转变传统的水利开发观念，重点抓好生态、节水、管理、调水四个方面的工作，一是以改善生态系统为切入点，制定水利规划；二是以节水为重点进行水资源的合理开发利用；三是以水资源优化配置为目标，加强流域和区域的水资源统一管理；四是从长远和全局出发，实施必要的跨地区、跨流域调水。这四个方面的核心是要实现水资源的优化配置，提高水资源科学、有效的利用水平。做好水环境与水生态建设，就成为设计水市场管理的起点。

（三）以治理水土流失为前提

根据水利部2000年公布的全国第二次水土流失遥感调查结果，全国水土流失面积已由1990年第一次遥感时的367万平方公里，减少为目前的356万平方公里，其中，水蚀面积165万平方公里，风蚀面积191万平方公里。10年来全国水土流失总面积减少11万平方公里。局部地区水土流失状况明显好转，但是整体形势仍然令人担忧。

西部地区是我国乃至世界上水土流失最为严重的地区之一，其特点是水土流失面广、治理难度大，是西部地区生态环境的首要问题。水土保持生态系统建设质量如何，关系到西部大开发战略的顺利实施，也关系到长江、黄河等大江大河的长治久安。

治理水土流失，既要借鉴我国水土保持工作的成功经验，又要根据当前国民经济和社会发展的客观形势，以市场为导向，加快防治步伐。第一，以节约保护、综合治理、合理开发、有效利用水土资源为主线。节约保护，就是通过市场机制，激励人们珍惜水土资源，增强全民的水土保持意识，认真贯彻执行水土保持法规，依法行政，强化水土保持监督管理责任，防止在大规模的开发建设过程中形成新的水土流失；综合治理，就是用市场手段对山水、田林、道路实施统一规划，因地制宜，工程措施、林草生物措施与保土耕作措施优化配置，形成综合防治体系；合理开发，就是用市场的办法，坚持把水土资源保护与开发结合起来，把治理水土流失与群众脱贫致富结合起来，实现经济效益、生态效益和社会效益的统一；有效利用，就是用市场的高效原则，大力加强蓄灌排兼备的小型、微型水保工程建设，充分利用水土资源，改善农业生产条件。第二，通过市场化选择，认真落实退耕还林（草）政策，加快退耕还林还草步伐，恢复和建设良好生态系统。第三，通过市场化道路，以小流域综合治理为基础，优化水土保持措施，建设水土保持生态系统，完善水土保持生态结构。

（四）以可持续发展为指导

中国不但水资源短缺，而且水资源分布失衡。

首先，北方地区缺水形势严峻。长江流域以北广大地区，人口占全国的44.4%，耕地占全国的59.2%，GDP占全国的43.4%，但水资源仅占全国的18%，人均水资源量747立方米，亩均水资源量471立方米，属于人多、地多、经济相对发达、水资源短缺地区。上述地区以黄河、淮河、海滦河三流域尤为突出。黄、淮、海流域耕地占全国的39.1%，人口占全国的34.8%，GDP占全国的32.1%，而水资源只占全国的7.7%，人均水资源量500立方米，亩均水资源量少于400立方米，是中国水资源最为短缺的地区。2000年，北方地区的年用水量2422亿立方米，占全国总用水量的42%，人均年用水量404立方米，占人均水资源量的53.7%。该地区水资源的开发利用程度以黄淮海三流域为最高，水资源利用率已经达到70%，可见该地区水资源的开发已接近极限，进一步开发成本加大。部分地区，如海滦河流域，由于地下水超采严重，地下水位大幅度持续下降，已形成了大面积下降漏斗，河道断流，湖泊干涸，生态环境已日趋恶化。黄河进入20世纪90年代，下游断流的频次、历时和河长也在不断增加。1997年特旱，黄河下游利津站断流历时长达226天。黄河断流的事实说明，中华民族的生存、发展条件已面临严峻挑战。

其次，西北内陆地区缺水形势严峻。西北内陆地区，除额尔齐斯河属于外流河，其他河流都属于内陆河流域。来自流域四周高山地区由冰雪和雨水补给的多年平均年径流量约1164亿立方米，地下水的补给量约826亿立方米，扣除相互转化的重复量，该地区水资源总量达到1300亿立方米，占全国的4.8%。由于西北地区地广人稀，耕地面积占全国的5.6%，人口占全国的2.1%，因此，人均水资源量达到4870立方米，为全国人均值的2.2倍；亩均水资源量约1590立方米，低于全国平均水平。西北内陆地区土地资源丰富，进一步开发潜力大，但干旱地区绿洲生态农业的耗水量很大。除青海内陆河和新疆外流的国际河流水资源的开发利用程度较低外，其他河流开发利用程度已相当高，并且已引发了下游天然绿洲萎缩和终端湖泊消亡等生态问题。由于干旱区沙漠绿洲生态需要大量水分维系其脆弱的生态环境，水资源开发利用受到生态环境需水的制约。因此，水土资源可供进一步开发的空间不大。

西北地区水资源紧缺已成一个严峻的战略性问题。从解决问题的角度，一些专家认为管理不善造成了西北水资源的不足。事实上，我国西北水资源的不足，首先是由地理、气候等多方面自然因素造成的。至于调水还是退人争论很多，可以说至今还没有结果。但已经明确的是，调水到西北不等于解决了西北地区的水资源紧缺，还需要建设大量的水利配套设施；调水到西北泡出大量的良田来，也不一定能改变西北地区的落后面貌。惟一可选择的对策就是运用市场机制，扎扎实实地选一条可持续发展的路子。

1.用市场方法实施对水资源保护

从源头抓水环境保护，使用清洁生产技术，减少废水的排放。通过各种措施使工业排放的废水达到一定的标准后再排入公共水体；加强城市下水道及生活污水处理设施的建设，防止生活污水污染河流和湖泊中的水体；科学使用农药、化肥等化学物品，提高化肥的使用效率，减少农业面污染源对个体的污染，防止湖泊等水体的富营养化；建立水源地保护区，在保护区内严禁上污染型的项目；通过采取各种措施，以保护水资源，还山清水秀的本来面貌。以上这些水资源保护措施和方法，有的属于行政规制，有的属于法律规制，还有的直接表现为经济手段。行政、法律规制在市场经济环境下最终体现为经济手段，表现为市场方法。

2.用市场方法提高节水意识

一是加强宣传，提高公众意识。比如，德国从20世纪70年代开始宣传节水，城市居民的平均用水量只与我国缺水的西安市相当，说明生活节水潜力巨大。首先是规划者要有节水意识，应当研究诸如不增加用水量能不能增加产量、居民生活一天的最少用水量是多少等问题，不能向浪费型的消费目标看齐。在发达国家已经开始改变不可持续消费方式的今天，理顺思想走势，改变思维模式，对于节约水资源至关重要。二是利用经济杠杆约束水资源消费，节水者奖励，浪费者惩罚。同时进行水价改革，城市供水按全成本核算，减少过去用水的计划分配和福利供水，促进生产单位节约用水。三是加强执法力度，我国已经出台了《水法》、《水污染防治法》等多部与水有关的法律法规，各地应制定相应的实施细则，使水资源管理纳入法制化轨道。

3.用市场的方法使污水资源化

水污染产生的根本原因是用水者将污染过的水资源以错误的数量、在错误的时间排放到了不该排放的地方。水污染主要包括面污染和点污染。面污染主要是农业污染、服务业污染和上游污水下排；点污染主要是工业污染。控制污染源的措施有节约用水少污、清洁生产减污、垃圾治理免污，以及污水利用转污等。对已经形成的水污染，可以采取多种措施来治理，通常有工程措施，即建厂治污、调水冲污、雨污分流、清污分流等；行政措施，主要有发放排污许可证，达标排放等；经济措施，主要有排污权交易，污水资源化补偿等措施。

排污权交易，是指政府部门通过行政措施制定总排污量上限，按此上限发放许可证，排污许可表现的排污权，可以在市场上买卖。如果市场上排污权交易价格大于治污成本，污染主体就会积极治污，节约排污权去到市场上交易，换取差价；如果排污权交易价格小于治污成本，污染主体就会放弃治污，去市场上购买排污权，从而实现水污染的社会化、市场化管理。

用市场方法使污水资源化，就是政府以交易价格形式直接购买达标后的污水资源，直接用于农业灌溉，或经过再处理后用于城市公共用水，如以工业冷却水用于洒路、绿地用水、冲厕等。用市场方法使污水资源化，实际上，是建立了水资源取水与排放的成本转移机制，污水达标后排放，实际上是生产了水资源，"资源再造者"应享受利益分配，国家作为水资源的购买者，要支付成本，为此构筑起了取水与排水之间利益分配和成本补偿机制。

第三节　跨流域和区域水市场调节

淡水资源是基础性自然资源，是生态环境建设的控制性要素之一，同时又是战略性经济资源，是综合国力的有机组成部分。我国水资源人均占有量少，时空分布变异性大，与土地资源的匹配状况不理想，生态环境相对脆弱。北方缺水已成为制约这一区域经济社会发展的"瓶颈"。跨流域区域调水是解决中国水问题的重要手段。依据市场调节跨流域和区域的水资源经济关系，就是用市场机制调水，以改变水的消费布局。调水实质上就是通过工程措施改变水资源的天然分布，以满足人类生存和发展对水资源的需求。新中国成立50多年，已建成了众多的跨流域调水工程，对于发展灌溉、满足城市发展需要、解决人民生活用水、保护生态环境，发挥了巨大作用。

在市场经济体制下，已建调水工程如何管理，市场调节的突破在哪里，等等，这是水市场管理必须回答的问题。

一、水权是跨流域和区域管水的基础

中国水资源的现状，决定了建立健全水权制度成为一种迫切需要。水权制度是一种规范的水资源法制化管理模式，是一种与市场经济体制相适应的水管理机制，其核心是产权的明晰。比如，用水权理论分析南水北调工程，当地水权的明晰将是确定调水需求量的关键；明确调水水权是工程建设和管理的前提；水权是解决水源地补偿的必要手段；加强水权管理是用好外调水的关键。水权制度的建立必将推动大型水资源配置工程的实施。

（一）跨域水权管理的重要性

中国水资源短缺，特别是北方黄淮海地区的水资源严重短缺，成为水权制度调节的首要选择。水权制度的调节目标是实现水资源的优化配置，以体现公平、效益、协调的原则。公平是指保障国民用水的权利；效益是指提高用水效率，充分发挥水资源功能；协调是指保护水资源和生态系统，使人与自然协调共处。水资源属于全民所有，每个人都有用水的权利。权利和义务是共生的；任何个人或单位、地区的用水都不能妨害其他人合法的用水权。公民、单位、地区之间用水权利的相互交织，产生了用水顺序、用水量、取用水地点等问题，客观上要求政府进行水权管理，提高用水效益，保障用水公平。

如果水资源在管理和开发利用中，权、责、利不明确，就会造成部门之间、地区之间以及中央与地方之间相互掣肘、各自为政，水资源的管理和开发利用名义上是统一的，实际上陷入盲目混乱的状态之中。地方政府在没有相应的经济利益驱动和约束机制的条件下并不考虑本地区的水资源条件，对水资源开发、经济结构调整缺乏责任心。比如，每遇缺水就考虑调水，而不考虑经济结构调整和特色经济的发展。如果考虑到调入与调出地区经济利益的相对独立性，承认地方的水资源使用权，就会很自然地立足于本地区的水资源条件，合理发展区域经济。

调水水权的确立，实际上是调水利益的划分或利益的分配，利益的划分必将与建设期的权责和供水期管理的责、权、利相关联。因此，合理控制水权分配以及根据分配条件确定用水量便显得尤为重要，特别是水权和基于水权而演绎的供水经营权关系的明确。在此基础上，合理界定建设期中央和地方的责、权、利，正确划分建设期与管理期的事权，明晰供水管理公司与供水沿线各用水户的责、权、利关系才可能成为现实。比如，浙江东部宁波、台州、温州等沿海平原水资源紧缺，毗邻的山区水资源充沛，还有一批可供开发建设的水库。现在这些水库在规划上要跨市县供水，过去建设水库没有考虑跨市县供水，而且往往是水库所在市县需水量少，跨县市需水量多。对这类型的水库建设，如果完全由中央或省级出资建设，采用计划行政手段，协调有关市县用水关系是可行的。但是，这类水利建设项目，中央或省级只是补偿性投资，在这种背景下就应当充分发挥市县合资办水利的积极性，采用股份合作，利用水权关系，多用水的多出资，水资源使用权用以折股，这样比较容易处理双方的经济利益关系，体现现代市场制度条件下资产运作方向。

水权是政府管理跨域水资源的重要手段。按照中国水许可制度，各级地方可享有的用水权责是模糊的，各级水权管理部门所管辖的以及各用水户可利用的水资源总量虽有限制，但并无约束机制；而相应的水质、用水过程乃至保证率等反映取水质量以及对其他用水户影响的约束几乎都是不确定的。用水权责的不明晰必然导致多要水、多浪费水的现象发生。

水权制度的建立，水权的明晰，增强了各级政府、企业、团体乃至个人对水资源有限性和水权财产性的认识。一方面，每个水权拥有者出于对自身利益的维护，会自觉监督相关的水权，必然在一定程度上强化水权管理。另一方面，随着环境、生态等基于公众利益的用水产权的明晰，会有利于逐步杜绝对公有水权的侵占，更有利于缺水流域内水资源的节约与保护，提高用水效率。例如，目前黄河流域的干流分水量中，有200亿立方米水资源属于冲沙水量，实质上是属于无具体所有者和管理者的。因此，对这部分水权的侵占常常被漠然视之，这也在一定程度上默许一些用水户对水资源的滥用。同时，水权制度的建立和用水财产权的明晰，也是水价真正走向市场，实现用水权与责、利相统一的基础。

（二）跨域水权问题

由于我国不同流域、不同地区之间水资源差异较大，经济社会快速发展引致的排污量大幅增加，污水处理化率低，遏制水质污染还有一个过程；城市化进程不断推进，城市人口急增，城镇缺水问题突出，所引发的水权问题也较多。主要表现在以下几方面。

1.水权管理制度不够完善

目前水权管理和实践中存在的问题主要有：一是曾以《水法》规范确定的"国家对水资源实行统一管理与分级、分部门管理相结合的制度"仍较深地影响水权制度运作，不利于地表水与地下水、城市与乡村水资源的优化配置。二是水资源宏观调控机制不健全，流域内按行政区域分割管理问题突出，流域管理缺乏力度和必要的手段，取水许可制度的水行政主管职能呈不断弱化趋势。三是取水许可监督管理制度不够完善，计划用水、节约用水、取水许可等年检考核制度与水资源保护、水生态系统维护等过程性控制不相一致。四是取水权属及其水资源使用权的有关规定与利用市场机制优化水资源配置不相适应。五是在取水总量控制的指导思想上，往往是"以需定供"、"竭泽而渔"，生态用水和环境用水难以保证，致使水源枯竭、污染严重、生态系统破坏。

2.水行政主管部门特别是跨域管理机构水权流失

1998年，国务院机构改革"三定"方案中，进一步明确了水利部统一管理水资源；原地矿部承担的地下水行政管理职能，以及原建设部承担的城市规划区地下水资源的管理保护职能，交给水利部承担；取水许可证由水利部实施统一管理，不再授权其他部门颁发。"三定"方案对于进一步理顺水资源权属管理体制，加强计划用水、节约用水和水资源保护，促进水资源可持续利用，为国民经济和社会发展提供可靠、安全、清洁的水源保障，为改善生态环境等，提供了重要的法规保障。但由于水权关系不明晰，行政区域分割，致使跨域管理机构管理权威弱化或丧失，造成水权流失。

3.水权"双轨制"仍在起作用

水权的初始分配，在传统的计划经济体制下，一般是无偿的，即使到今天，这个问题也没有从根本上得以解决。于是，水权分配"双轨制"便约定俗成，一方面，水权无偿或低偿获得；另一方面，有的地方已经开始启动水市场，进行水权转让交易。这种水权"双轨制"相应地导致水价"双轨制"。水权、水价"双轨制"问题的解决，根本出路在于"并轨"措施的出台。在我国社会主义市场经济框架下，应建立和遵循新增水权有偿取得的原则和已有水权合理补偿的原则，以及以容量水价调节和资源水价调节为原则，逐步实现"并轨"。

（三）跨域水权管理的方法

1.明晰水权

进入水权市场，进行水权交易，是获得水权后产生的市场行为。这一市场行为遵循水权源头管理的原则。"源头管理"最主要的实施形式就是明晰产权。水的所有权属于国家，国家通过某种方式对某个地区、某个部门、某个单位赋予水权，赋予的水权主要是水的使用权。一般而言，水的使用权是按流域来划分的。

比如黄河，580亿立方米水资源中，赋予生态水权、冲沙水权后，赋予各省的水权，如宁夏40亿立方米，甘肃30亿立方米，就是指国家赋予的水资源使用权。明晰水权是水权管理的第一步，建立指标体系实施水权控制是第二步。从指标体系的运作范围来划分，一套是水资源的宏观控制体系，另一套是水资源的微观定额体系。前者用来明确各地区、各行业、各部门，乃至各企业、各灌区可以使用的水资源量。以黑河为例，分水方案规定，当上游莺落峡来水达到15.8亿立方米时向下游分水9.5亿立方米，这也就确定了上下游各自的水权。像中游张掖地区就可以将所属的水权进行二次分配，明细到各部门、各单位，每个县、乡、村、组及农户。第二套体系用来规定社会的每一项产品或工作的具体用水量要求，如炼1吨钢的定额是多少，种1亩小麦的定额是多少，等等。有了这两套指标的约束，各个地区、各个行业、每一项工作都明确了自己的用水和节水指标，就可以层层落实节水责任。这样，经济社会发展的总量需求就能控制在水资源承载能力之内，可持续发展才能真正得到保障。这是跨域河道范围内水权分配问题。对于跨域调容水库水权分配而言，明晰水权，首先要明晰水库产权。历史上建设水库推行公办民助，政府出钱，农民出工出力，当时政府对水库建设的补助是无偿的。改革开放以来，我国逐步改革国有资产管理体制，20世纪90年代全国水利系统开展资产评估，对水库资产涉及两个问题，即对政府投资权属主体问题和农民出工出力的产权问题进行了明确界定。经过清产核资，产权已经得到初步确认，并依法进行了登记，对哪些资产由谁行使产权主体的问题已经妥善处理。产权主体可以依此匹配行使水资源使用权转让。对产权仍不明晰的水库，要实事求是地按有关政策进行界定。

跨域水权需要明晰的问题有四个方面：

一是水权转让的论证和审批问题。水库水权转让涉及原有功能的调整，必须专项论证。论证不单纯从单个水库考虑，应当从流域和区域的水资源优化配置来论证。水库水权转让对原用水权的权益必须保障，水库水权转让不能侵犯原始出资者的用水权。水权转让不是完全意义上的市场交易，可以由买卖双方协议决定，水权转让必须经过政府审批，审批权限视具体情况而确定，审批内容包括径流分配方案、水库水源论证、取水项目论证、城乡用水协调、新老用水户的权益调整、水权转让、收益用途等方面，审批坚持合理、合规、合法的原则。

二是异地建设水库引供水的水权问题。少数市县经济社会发展快，本地可开发水资源少且成本高，而邻市县水资源多，异地建设水库是解决本地水资源短缺问题的有利途径，但邻县并不急于建设水库。在这种情况下，用行政手段来协调两市县建设水库是困难的。用水资源有偿转让的办法，使拥有水资源的一方利益得到一定程度的实现，另一方异地出资建设水库，换取水权。这类似于企业异地设立工厂，异地组织生产的运作模式。

三是跨域河道引供水的水权问题。缺水的市县需要向邻近市县跨域引水，利用水权关系可以得到较好解决。但是，有的跨市县引水工程，已经规划了数十年，仍未取得实质性进展，归根到底是水权所体现的经济利益的障碍。随着水权意识的觉醒，利用行政手段与水权办法协调处理双方利益，计划管理与市场管理双管齐下，跨域河道引供水的水权问题才能得到顺利解决。如浙江舟山缺水，需要从宁波跨海引水至舟山，海底管道37公里，由舟山出资建设。该项目当时采用计划配置水资源手段，宁波向舟山无偿提供水资源。

四是水力资源开发的水权问题。一些地方，一些技术经济指标较理想的电站，备受投资者的青睐。比如浙江，由于用电持续增长，水电上网电价较高，利用市场机制，实行股份制开发水电资源，取得较好的社会经济效益。水力资源的水权问题将会依据市场，率先得以明晰。

水权转让，是水市场的一个重要组成部分。由于传统习惯、市场意识、经济水平、水资源特性等因素的综合作用，水权转让的实践还需要一个过程，水权转让所占水资源配置的比重还有待进一步提高，但水权转让对水市场孕育的作用不可低估。研究水权转让的形式、探索水权转让的途径、推进水权转让的实践；是利用市场机制配置水资源的历史选择，水权理论也将在实践中得到进一步完善、进一步规范。

2.完善体制

一是科学设置机构。中国目前在七大流域设立了流域管理机构。流域管理机构，在流域规划、防汛调度以及水资源管理等方面发挥了重要作用。但是，对于协调各部门之间的利益分配，效率仍十分低下，解决水权管理问题的能力亟待提高。设置流域机构，实施流域管理，其主要职能是维护生态水权、环境水权以及保证生态用水和环境用水的合理流量，使自然水权免受社会水权的侵害。

二是理顺权能关系。水资源权属管理是水资源统一管理的必然要求，流域管理与区域管理相结合的水权管理模式是理顺各种关系，逐步实现地表水与地下水、水量与水质、城市与乡村水资源统一管理与水权统一管理的必然结果。理顺水权分配顺序与水权形成顺序之间的关系，保证居民生活用水，合理维护生态系统等基本水量需求，统筹兼顾其他社会用水需求，是理顺权能关系的基本前提。

三是创新权能管理模式。经济社会的可持续发展，水资源的可持续利用和实现生态系统的有序循环，要求注重取水、用水与退水的协调。为此，需要创新权能管理模式，内容包括：加强取水许可制度实施过程中对生态系统的保护；强化取水许可统一管理，发挥流域机构在取水许可组织实施与监督管理中的作用，有效利用流域管理委员会在部门和地区之间的协调功能；加强取水总量控制与用水定额管理，提高取水效率；发挥市场在水资源配置中的作用，建立水资源使用权转让制度；加强计划取水、计划用水与水资源保护，厉行节约；建立水资源论证制度、听证制度、定额管理和总量控制相结合制度、取水许可证年度审验制度等水权管理制度；适应依法行政与依法取水的要求，细化与量化法律责任，强化取水许可行政执法。权能管理模式的创新，是理顺跨域水权管理体制的关键环节。

3.实行经济节水

用水按指标管理，指标体现定额要求。用水超过了指标，定额外用水要受到惩罚，这就是节水的强制性。从人与自然的关系来讲，河水断流，水资源枯竭，进而引起生态恶化、环境破坏、危及人类生存，这是大自然对人类无节制索取的惩罚，这种惩罚不以人的意志为转移，带有必然性、强制性。人类要避免这一切，当然也要用强制性措施，如行政措施、工程措施、科技措施、经济措施。某单位需要供水，安上管道、装上阀门，叫工程措施；达到指标，立即关阀，叫行政措施；达到指标，通过电脑自动关阀，叫科技措施；达到指标，超用加价，节约指标，有价转让，叫经济措施。2001年黄河、黑河、塔里木河分水，主要采用的是政府的行政措施，这在一定时期内是必要的，但从长远看，应该不断加大经济措施的力度，充分发挥水价对用水的调节作用，逐步建立水权交易市场，促进全社会的自觉节水。

在市场机制下，水权可以有偿转让，超用、占用了他人的水权，就要付费；反之，出让水权，就应受益。制定用水指标、实施定额管理、规范水权交易市场规则，这是实施水权管理的市场选择。水权交易市场建立起来了，买卖双方都会考虑节水，节水的积极性被调动起来，就会以市场方式按高效率、高效益原则消费水资源。

水资源的不均衡性，要求一个流域、一个地区的经济发展必须充分考虑水资源条件，按照水资源状况筹划经济社会发展布局。缺水地区要限制高耗水的工业、农业，鼓励发展高科技的产业；水资源丰沛地区，在处理好排污的基础上，则可以多上一些高耗水产业。这样，各地区各流域之间由于水资源的自然差别带来产业的多样化，从而形成各展所长、优势互补的区域特色经济，充分满足社会的各种需求，达到社会生产的总效益最高。要真正达到社会生产的高效发展，充分满足社会各方面对水的需求，除跨域调水外，还必须通过市场机制科学用水、大力节水。

二、水价是跨流域和区域管水的杠杆

跨流域和区域管水，计划经济体制下靠政府，市场经济体制下主要靠市场，市场主要靠水价，水价是调节水管理的杠杆。

（一）水价在跨域管水中存在的问题

跨流域调水工程，作为国民经济的基础设施，发挥着巨大的社会经济效益，但其建设和运行也面临着持续发展的问题。其中，供水价格问题是跨流域调水工程建设决策和运行管理的核心问题之一。供水价格是否反映供水成本的变化，不仅关系到供水企业的生存发展，而且关系到水资源合理利用和经济社会的持续发展。现行的水价制度，已经成为社会主义市场经济条件下水市场建设的"瓶颈"约束，直接影响跨流域调水工程的实施。在市场经济条件下，如何结合跨流域调水工程规模大、投资多、输水距离长、供水地域广、环节级次多、运行管理机制复杂等特点，深入研究供水价格形成机制，提出跨流域调水工程供水价格制定原则和计算方法，为国家制定水价政策和规范水价运行提供科学依据，成为跨流域调水要研究的现实课题。

长期以来，跨流域和跨区域配置水资源存在的主要问题是"大锅水"。以国有大中型灌区为例，数十年不变的"大锅水"，使国有大中型灌区负担沉重，负债缺口越来越大，决策者、管理者长叹"巧妇难为无米之炊"。造成这种尴尬局面的原因，主要来自两个方面，一是供水价格太低，远离成本线；二是水费被截留挪用，"搭车"收费现象严重。供水价格低，原因很多，但根本原因是农业政策的影响，农业灌溉水价没有按成本定价。目前，全国大中型灌区农业灌溉综合水价每立方米仅为0.03元，实收率为50%左右，成本补偿率只有10%左右，水价格长期与水价值严重背离，较深地影响农业供水产业的发展。例如，山西省大禹渡泵站，不计大修、折旧，成本是每立方米0.5元，而实收水费是每立方米0.17元，占成本水价的34%。湖南省铁山灌区按成本计收水费为每立方米0.14元，而实收水费为每立方米0.032元，只及成本水价的23%，以至于灌区供水越多，背的包袱越重。由于水价偏低，各类节水措施形同虚设，"喝大锅水，水资源浪费"现象严重。

由于对灌区水费的使用和管理政策约束弱化，加上地方政府财政困难，甚至以加强行政事业性收费管理为名，视农业供水经营性改革政策于不顾，仍实行财政专户存储，不考虑水利供水工程运行维护所必需的资金，将水管单位水费长期占用、平调或挪作他用。另处，行政干预随意豁免收费、水费代收单位层层截留或以水费名义"搭车"加价。更有少数收费主体将平时难以征收的教育附加费、农业税、"一事一议"费等加在水费里，实行税费混征管理方式，既加重了农民负担，又影响了农村的稳定和农业、供水经济的发展。

（二）跨域水价的基本构成

完整的水价，由资源水价、工程水价和环境水价三个部分组成。资源水价是国家所有者收益权的体现，国家作为水资源的所有者，其收益权以税或费的形式出现均可，不同之处在于税更体现国家的意志，并且有利于规范管理；而费是补偿性质的，强调的是水资源开发利用过程中必须投入的管理成本。不管是以税还是以费所征收的资金，都应首先用在水资源管理成本上。在工程水价上，投资者应能获得相应的资金回报，取得合理的产权收益。在具体实践中，完善容量水价和计量水价，特别是容量水价的核定，不仅要考虑固定资产的折旧、大修等，还应考虑包含部分资源水价和环境水价。

水价运行的核心是工程水价，对于水利工程管理和设计部门来说，重点是合理核算原水（区别于自来水厂供应的商品水）工程水价，如何合理制定工程水价，经过近几年来的实践已经取得基本一致的认识。比如，水利工程要实行有偿供水，按满足运行成本费用缴纳税金、归还贷款和获得利润的原则制定水价，逐步实行两部制水价等。有些认识还不尽一致，如调水工程性质及投资政策，供水成本的项目组成，特别是要不要包括水资源费，要不要财产保险等。两部制水价模式，是容量水价与计量水价相结合的模式，与基本水价和计量水价存在不相一致性，甚至存在差别和矛盾。

跨流域调水工程供水价格计算，目前存有不同看法。一种意见认为只应测算输水总干渠分水口门水价，另一种意见认为应测算到最终用户水价。因此，制定跨流域调水工程供水价格，首先需要研究和确定水价的测算层次和重点。众所周知，商品价格有出厂价、批发价、零售价之分，水价亦应有不同层次的价格。例如，引滦入津工程向天津市供水价格就有三个层次的水价：一是潘家口水库向引滦局的售水价，二是引滦局向天津市自来水厂的售水价，三是自来水厂向居民和厂矿、商业等用水户的售水价。

根据中国目前的管理体制，大型跨流域调水工程建成后，运行与管理不可能由一个管理单位从水源一直管到最终用户，必须实行分级管理，一般可能有三个层次的管理，即输水总干渠由供水总公司代表国家管理；总干渠分水口以下至自来水厂交水点的输水工程由省、市水利部门管理；自来水厂至用户的输、配水工程由地方水务部门管理。与此相应，供水价格也可分为三个层次的水价：第一个层次，是总干渠至受水区各省、市分水口门的水价；第二个层次，是受水区各省、市支干渠到自来水厂或斗渠口的水价；第三个层次，是用户水价（自来水厂向用户的售水价格和农户承担的灌溉水价）。供水总公司作为中央一级的管理单位，重点是核定总干渠至各省、市分水口的水价，即调水工程供水口门水价，其余二级水价应由省、市的相应职能部门核定。

终端用户水价的实施，主要考虑用水户的承受力。形成的基础应考虑两方面因素的影响：一是水利工程的水价格与城市供水价格制定的原则不尽相同，例如对城市居民生活用水，为照顾用户承受能力，对用水量少的居民实行低价，对用水量大的居民则实行高价；对工业、商业、宾馆及特种行业等用水均应有不同的价格，而水利工程供水价格则不可能分得这么细；同时，国家对水利工程供水和城市供水的税收政策也不相同。二是从目前国内已建、在建水利工程供水价格计算惯例看，一般是测算水利工程向自来水厂的供水价格，例如东深水库向香港供水水价为东深水库输水到香港交水点的水价；引黄济青工程向青岛市供水水价为棘洪滩水库放水口处的水价等。

充分发挥水价改革的效应，最理想的条件是水费直接结算到户。这就要求在末端渠系安装计量设备。但由于我国农户大多经营规模很小，一户一表在经济上很不合算。因此，从长期看，农业节水问题的根本解决，有待于扩大农户的经营规模。近期内的解决办法，可考虑组建"用水协会"一类的农民自助组织代替村、乡政权管水。买多少水、费用如何分摊，由协会成员民主决策。在我国部分灌区，经过近年来的改革试点，已经成立了类似的经济组织，效果较好。合理确定水价构成，理顺水价体系，应该说，不仅仅是测算技术问题，还涉及到管理的实施主体、水价

中国水市场管理学

331

运作的经济环境等，这些都直接影响跨域供水的实施。

三、统一管理是跨流域和区域管水的保证

新中国成立初期，我国的行政管理以区域职能管理为主线，分设管理部门，由此实行水资源分部门管理的体制，形成城市与农村、地表水与地下水、水量与水质分割管理的格局。随着生产力的发展，水资源管理环境的改变，分割管理的弊端日益显现，以城乡水资源实行统一管理为突破口，进行水资源管理体制改革已成为时代的历史选择。

（一）统一管水是政府调控与市场调节的结合

政府配置水资源，是以市场规律为基础，以明晰所有权与使用权为前提，水资源优化配置的出发点和归宿是节水、提高水的利用率，保护水资源和生态系统，促进经济社会的可持续发展。实现这些目标取向的手段，仍然是政府的宏观调控与市场调节相结合。

首先，政府有权代表人民行使水资源配置的权力。我国的权力机关是全国人民代表大会和地方各级人民代表大会，执行机关是中央和地方各级人民政府。水资源是国有财产，政府作为国有水资源的管理者，有权以强制性行政手段分配水资源。在政府对水资源的配置中，客体是特定区域的水资源，主体是政府与申请取（用）水者。政府与取水者之间是管理与被管理的关系，即行政法律关系，适用行政方法来调整。水资源实施政府配置，应当全面贯彻"依法行政"的原则，做到主体合法，即由水行政主管部门或流域管理机构进行水资源配置；程序合法，即遵循法定程序，保障申请用水者的合法权益；内容合法，即体现合理配置水资源，兼顾公平与效益。被管理者为了保障自己合法的用水权，对政府配置不服的，可以依据国家有关行政法律，申请行政复议或提起行政诉讼。

其次，政府在配置水资源中起宏观调控的作用。我国的水市场只能是一个准市场，即通过实行流域与区域相结合的水资源统一管理，在兼顾上下游防洪、发电、航运、生态等其他方面需要的基础之上，兼顾各地区的基本用水需求，在上下游省份之间、地区之间和区域内部按市场需求对流域水资源加以配置。在市场配置水资源的过程中，政府对市场进行监管；用水户将配额内节余的水有偿转让给其他用水户，应经主管机构审批，不允许自由交易。

再次，国务院水行政主管部门是水资源所有权的代表。虽然法律规定水资源的所有权属于国家，但长期以来，谁代表国家行使所有权及所有权如何行使却很不明确；所有权、使用权、行政权三权混淆，常常以行政权、使用权管理代替所有权管理，使国家所有权被肢解；国家作为所有者的代表地位模糊，致使所有者的责、权、利无人监督落实，甚至水资源的开发利用者侵吞所有者的权益，也无人代表所有者实施维权行为，所有权管理事实上被淡化了。因此，必须明确国家所有权的代表。根据法律规定，国务院以及地方人民政府的水行政主管部门以及由水利部授权的流域管理机构作为水资源国家所有权代表。

（二）统一管水是水资源优化配置的必然

1.统一管水有利于消除分割管理体制的障碍

中国现行水资源管理体制最突出的问题是"多龙管水"。这种体制性障碍主要表现在四个方面，概括起来就是，流域管理上存在"条块分割"、区域管理上存在"城乡分割"、功能管理上存在"部门分割"、法制管理上存在"政出多门"，这些体制性障碍给水资源的科学开发、合理利用、优化配置和有效保护带来多重负面效应。

（1）不利于水的可持续利用。水作为一种自然资源和环境要素，以流域、工程区域或水文地质单元构成一个统一体，环境、经济、社会等诸多因素相互联系、相互影响。这种特点要求对水的问题必须统筹规划，全面安排。现行的"分割管理"状况难以顾及与水资源相关联的各个方面，违背水的自然属性及规律，在水的可持续利用上造成不少问题：一是供需脱节。现代水资源管理理论的一个重要原则是"以供定需"，即"以水定发展"，但由于分割管理，采取的是"以需定供"，由此带来了工业布局、经济结构和经济社会发展规模与水资源的承载力不相适应。二是开发利用与保护脱节。水资源具有多重功能，开发利用功能不能以损害水的其他功能为代价，更不能造成水环境的恶化，但在分割管理的体制下，普遍存在过度开发利用水资源的现象，其结果往往是改变了水量平衡和水循环过程的生态链，使一部分地区径流减少，或由于持续超采地下水，使不少地区出现大面积地下漏斗、地面沉降、海水入侵，不能有效控制污染物的流入和排放，排污超过了河流纳污的环境容量和水的自净能力，或由于水的流动性，使多个管理主体职责不清，水资源使用的外部成本无法补偿。三是水资源紧缺与水资源浪费并存。据分析统计，全国按目前正常用水需求，年缺水总量一般为300亿~400亿立方米，因缺水造成的年经济损失达2000亿元，超过洪涝灾害。与此同时，用水效率不高、用水浪费的现象普遍存在，农业用水大水漫灌；工业用水是粗放管理，万元产值用水量是发达国家的5~10倍。

（2）降低了管理效能。分割管理，要求各级政府必须层层设置众多上下对口的职责部门，这不仅增加了管理成本，而且在客观上加大了解决各种水问题的难度。一是中央和地方关于水资源管理的决策影响力被层层递减。一项政策，不同管理部门会从各自的角度加以理解和执行，降低了政府政策的规制成效。二是较多的管理环节，加大了协调难度。涉及水的问题大都是综合性的问题，城市水利往往涉及水利、环保、市政排水以及工业部门，节水问题更是涉及农委、建委、经贸委及水利、规划、公

中国水市场管理学

用、市政、园林等多个部门。由于职责交叉不清，各部门涉水事宜难以理清，有利的事争权，无利的事推委。一个环节"亮红灯"，整个程序就"短路"。许多简单问题的解决得反复协调，甚至要由政府出面"拍板"，降低了水事决策效率。

2.统一管理有利于水资源优化配置

跨流域、跨区域统一管水，实质上是社会主义市场经济体制下产生的一项水利改革的成果。其主要优越性，一是有利于克服部门职能交叉、政出多门、推委扯皮、办事效率低下的弊端；同时，使取水许可制度和水资源费征收管理制度得以有效实施。水行政主管部门采取统一实施取水许可、自备井限采或并入供水管网、严格审批新井等措施，可以有效遏制水资源管理的混乱局面。二是有利于缓解水紧缺的局面。实施水务一体化管理后，水务局根据当地的水资源总量和供水工程情况，通过统一调度、优化配置、科学管理等非工程措施，再配以必要的输水设施建设，使有限的水资源在现有的水工程作用下发挥出综合效益；同时，通过现有水资源的联合调度，城乡用水统筹安排，水源工程和供水管网协调，可以有效缓解城镇供水的不足。三是有利于恢复水生态系统。在水资源分割管理的体制下，对城市水生态系统难以有效保护，城市供水过度依靠地下水源，很多城市形成了以城区为中心的地下水超采区，引发了一系列生态问题。实行城乡水务统一管理，水行政主管部门统筹调配城乡水资源，可以有效缓解水源和地下水超采问题，保护和恢复水生态系统。

四、南水北调是跨流域和区域管水的典范

在流域水资源总量不足的情况下，实施跨流域、区域调水是必然的。南水北调是我国水资源优化配置的重要措施，也将是世界上最大的水交易市场之一，它是在借鉴国外成功调水经验基础上而实施的重要战略。

（一）南水北调是中国最大的跨域水管战略

中国的国土面积仅占世界陆地面积的6%，人口却占22%，中国人得以生存和发展，除自身的勤奋和智慧外，还要具有必要的自然条件。我国水资源主要来自降雨，雨热同季对农作物生长极其有利。但我国的水资源条件并不理想，虽然水资源总量约有2.8万亿立方米，居世界第六位，但因人口多，人均水量仅有世界平均值的1/3略多，亩均水量也只有世界平均值的3/4。我国水资源的时空分布，在时间、年内、年际分布不均，干旱灾害频繁；地区分布上，南多北少，南方因多成涝，北方因少干旱；从自然条件分析，我国最干旱的地区在西北部，从自然条件和社会经济发展综合状况分析，我国最缺水的地区是华北平原（即黄淮海平原），这是研究南水北调的基本条件。

南水北调分西、中、东三线。西线从长江上游引水入黄河上游，向西北和华北部分干旱地区供水。长江上游与黄河之间有巴颜喀拉山阻隔，黄河河床高于长江相应段河床80~450米，须筑坝壅水或提水并用隧洞穿过巴颜喀拉山后，自流入黄河。中线先从汉江丹江口水库引水，必要时再从长江干流三峡水库引水。中线主体工程由水源和输水两大部分组成。东线是从长江下游引水，沿京杭运河逐级提水北送，供水范围主要为：苏北、皖东北、鲁西南、胶东地区和黄河以北海河流域东部平原。

三线调水战略的实施，政府运作宏观调控权，市场运作水权交易，通过水权实现工程补偿，特别是水资源地补偿。比如，从南水北调的实践来看，西线、中线工程对水源地（原水权拥有者）的补偿应以影响补偿为主；东线工程的取水补偿，是以对原有水利工程的使用权补偿为主，因为长江水资源的水权分配尚有较大余地，调水水权属新增水权，归国家所有，而且东线工程的取水口已接近河口，水量较大，取水量对现有用水户影响较小。

（二）南水北调的关键在于完善资本金市场

长期以来，水利被当成一种纯公益性、福利性事业，水价不到位，管理粗放，因此许多调水工程成了国家的包袱。南水北调工程是在市场经济条件下实施的，建立新的运行机制已成必然。

1.适当提高南水北调沿线受益省市的取水水价

水价应该反映用水的全部机会成本，即既要包括水资源费，又要包括供水的生产成本和水污染处理费。只有这样，水价才能真正引导水资源的优化配置。从南水北调的现状看，水价的提高幅度应充分考虑沿线省市的社会经济发展状况和当地群众，尤其是农民的承受能力。提高水价，一方面有利于沿线地区更有效地节水，另一方面也有利于筹集南水北调资本金，既减轻了国家负担，又有利于工程的建设。

2.按照投资份额来决定取水权的大小

我国很多调水工程，在调水之前，各地区、各部门不切实际地漫天要水量，而通水之后又反过来认为水贵，造成浪费。南水北调工程将按照各省(区)对工程投资的份额来分配取水量的多少。例如，黄河流域某地区一年取用水量10亿立方米，按照规定只能利用地下水和取用黄河水5亿立方米，那么，缺口5亿立方米可以从调水工程中取用长江水，如果按照投资份额只能分配4亿立方米，不足部分要么采取节水措施，要么购买水权，从而实现取水权控制。

3.允许取水权有偿交易

如果一类用水户由于节水措施和产业结构合理，水权有结余，另一类用水户用水量不足，两类用水户之间存在转让与购买的欲望时，可以按政策规定，实现市场交易，以调动节约用水的积极性。但为了杜绝垄断和炒作行为的发生，必须有明确的交易规则和交易程序，转让价格应有幅度限制，并相应建立强有力的市场监督和管理机构。

337

中国水市场管理学

4.加强南水北调基金的统一管理

南水北调基金应该由国家水行政主管部门或其授权的流域管理机构统一管理。基金流向有四个方面：一是用于水利管理部门的水利开支；二是用于投资南水北调工程的建设；三是用于补偿上游省份由于调水所带来的损失；四是流域内贫困人口的用水补贴。基金流向的比例应根据工程的实际投资状况和流域内经济社会发展现状科学确定。

（三）南水北调将成为世界最大的水交易市场

借鉴国外建立水基金的经验，结合南水北调工程的实际情况，探索建立南水北调基金的方法和体制，从而为南水北调水市场运行提供直接的经济环境。南水北调工程，是大规模跨流域调水工程，在水权、水市场理论指导下，调水沿线将建设世界最大水权交易市场。这个水权交易市场，由中央政府宏观调控，沿线地方政府参与，企业具体运作。南水北调工程规模大，投资多，施工期长，涉及面广，牵涉到我国政治、社会和经济的许多方面，关系着国家可持续发展的大局，理应由国家主持实施和以国家投入为主。但是，这样巨大的工程仅靠国家投资还是不够的，必须建立与社会主义市场经济相适应的多元化、多渠道、多层次的水利投资新体制，实行国家、地方、集体、个人共同参与，推行"谁受益，谁投资"的政策，拓宽融资渠道。

南水北调的市场化运作是中国探索建立水权市场体制的重大举措，它将为在水权市场上如何走国家宏观调控之下的道路，提供借鉴思路和宝贵经验。尽管南水北调供水路程长达千余公里，但市场需求好，供水量大，水价相对便宜。市场化供水还将大大提高南水北调的效益，促进水资源和社会经济发展。水资源的分配因其特殊性和复杂性，市场化进程缓慢。作为一种稀缺的经济资源，水资源的所有权和使用权一直由国家垄断，用行政手段进行分配，这是资源价格扭曲，用水浪费的根源。随着缺水形势日益严峻，优化水资源配置、提高用水效率，才成为中国政府亟需解决的课题。

南水北调水价将由两部分组成：一部分是容量水价，它包括工程实施中贷款的还本付息、工程形成的固定资产折旧和基本的维护费。容量水价与用水户的用水量多少没有直接联系，它只与水资源规划中受水区认可的需调水量有关。另一部分是计量水价，与实际用水的多少相关联。容量水价与计量水价的总和构成原水水价。容量水价的调节使受水区确定的需调水量更符合实际。实际上，它反映了固定成本的分摊。计量水价实际上是变动成本的补偿，是调水工程实现运行的基本条件。

南水北调水价制定的原则，一是有利于节约用水，优化配置水资源；二是保证工程运行和维护的费用，使工程形成的固定资产能够良性运行；三是兼顾用水户，尤其是农业用水户的承受能力，使用水户能交得起水费。依此原则进行测算，再加上城市配套管网和治污费投入，与当地水资源利用率综合计价。对城市居民中的低收入人群，用水区政府采取相应的措施，在保证基本用水的前提下，分开档次，超额加价。南水北调水价的合理制定，是中国建设世界最大水权交易市场的运行环境要求，是水权、水市场理论的伟大实践，它必将推动中国水市场建设的创新发展。

第七章　水资源市场配置

改革开放以来，随着国民经济的迅速发展，市场化指数迅速提高，大部分资源配置都已经引入市场机制，依靠市场，实现资源增效、增值。因水资源配置的特殊性和复杂性，其市场化进程相对较慢。但是，日益严峻的缺水形势迫切需要对水资源的管理体制进行改革，引入市场机制，充分发挥水市场的灵活性、高效性等优点，用市场机制来配置水资源，已成为水资源可持续发展的必然趋势。

第一节　水资源市场配置根据

随着社会主义市场经济体制的建立和完善，市场在资源配置中的基础性作用日益显现。作为水资源市场配置的理论成果，水市场在打破部门、行业垄断和地区封锁及进一步放开水价格的同时，水市场必然要在水资源的配置中发挥基础性作用。

一、水资源基本特性

水资源是生态环境的基本要素，是人类赖以生存和发展的物质基础。广义的水资源，包括海洋水、地下水、河川水、湖泊水、沼泽水、冰川、永久积雪和永冻带底冰、土壤水、大气水和生物水等。但由于这些水体中能被人类直接开发利用的量很少，所以，通常所说的水资源，主要是指在现有技术经济条件下，可以被人类所利用的淡水资源，尤其是指江河湖泊地表水和浅层地下水部分，这就是狭义的水资源概念。

水资源内涵，包含水量与水质两个方面。在一定的经济技术条件下，能够为社会直接利用或待利用、参与自然界水分循环、影响国民经济的淡水资源，是狭义的水资源。但是，对水资源概念的界定，国内外学者众说纷纭。联合国教科文组织认为，水资源是指可利用或有可能被利用的水源。这个水源，不是指水的发源，而是指具有足够的数量和可用的质量，并能够在某一地点为了满足某种用途而可被利用的水的来源。由于该定义的权威性，它被广泛地加以引用。但仔细加以分析，此定义也具有一定的局限性，如目前大量存在并且导致生态环境恶化的污水就难以划分到水资源的范围，污水再生资源是水资源优化配置的重要方面。

认识市场经济条件下水资源的市场配置规律，必须首先认识水资源的基本特性。因为，正是这些特性，决定着水资源市场配置的内在要求。

（一）水资源的自然特性

从自然特性角度看，水资源有独特的地域特征，以流域或水文地质单元构成一个统一体，每个流域的水资源是一个完整的水系，各种类型的水不断运动、相互转化。水资源的自然特性，可以从以下几个方面加以认识。

1.存在空间的广泛性

水资源在世界的绝大多数地方均可以在不同季节或不同的条件下，以气体、固体和液体三种形式中的一种或多种，广泛存在于空气、土壤、岩石、极地、冰山、河流、湖泊、海洋、湿地、动物、植物等载体中，并且，在陆地与海洋、地上与地下、上游与下游、地面与空中等彼此间相互贯通。

2.自然分布的不均衡性

自然分布的不均衡性，表现在绝对数量的巨大性和相对数量的不足性。地球表面的70%被水覆盖，地球被称为"蓝色的水行星"，包括海水和淡水在内的水资源总量是非常巨大的，但一定流域或区域内可以利用的淡水资源量是有限的，在干旱和半干旱地区或经济发展用水增长较快的地区，其数量常常是相对短缺的。

3.循环运动的规律性

水资源运动的最主要特征，就是其时刻不停地循环活动。它通过海陆之间、陆陆之间以及海海之间蒸发、降水，不断地进行交换和循环。这种运动从总体上、长时期来看是有规律的，由重力作用、地形地貌因素形成的自高而低的流动性，对土壤、岩石等物质的削蚀和侵蚀作用，以及由化学分子结构特征所形成的对有关物质的吸纳作用、渗透作用和稀释作用表现的运动和循环，具有一定的规律性。

4.特殊情况下的异常性

水资源在特殊情况下，也不排除局部地区、短时期的异常变化。这一特征既为人们带来了水力发电、引水灌溉等可用之利，同时也是带来洪水爆发、水土流失、泥沙淤积等灾害之源。其化学特征，使水资源既是自然、人类的天然清洁剂，又使其容易成为污染物的传播者。水资源的这些自然属性与其他自然资源相比，无论是其存在形式、运动形式，还是对于自然和人类的重要性，都是十分独特的，是其他自然资源所无法替代的。水资源以其自身形式构成地球的水圈，同时，又以汽态或液态的方式渗透和存在于大气圈、生物圈和岩石圈，是自然界中惟一一种同时存在于地球四大圈层的物质。对于地球生命系统和人类社会系统来说，水资源是赖以存在和发展的最重要的物质因素和环境因素。

（二）水资源社会特性

水资源除具有独特的自然属性外，还表现为独特的社会特性。

1.占有主体的不确定性

水资源占有主体的不确定性，是指在水的自然运动和循环状态中，来自任何社会层面的主体，都不能够真正对某一特定自然水体拥有绝对确定的占有权力。水资源的社会主体占有权，来自于水循环运动的局域稳定性和相对可靠性。

2.利益主体的可转变性

水资源利益主体的可转变性，是指在同一条河流的上下游、左右岸的不同地段，或同一流域的干支流之间，或相邻流域的有关地段之间，通过一定的社会活动和手段，各方的水资源利益或危害可以相互转变。

3.作用指向的双重性

作用指向的双重性是指，一方面，水资源对满足人类物质生活和精神生活需要具有双重必要，既在物质层面上为社会劳动产品的生产提供原材料需要；同时，由自然水体的各种景致所构成的水环境，成为人们回归自然、陶冶情操的精神生活需要。另一方面，水资源对社会存在与发展具有广泛支撑性和破坏性。水资源对于人类社会的日常生活、工农业生产等社会行为的活动来说，是必不可少的资源支撑、经济发展保证和环境保障条件，离开水，就谈不上人类社会的生存，谈不上工农业的发展，更谈不上社会进步；但同时，由于水资源的超常运动，如洪水也会把人类的辛勤劳动成果毁于一旦。

4.受用机会的不均等性

由于水资源在开发利用方面具有显著的区域性特点，在社会经济发展系统中，水资源的开发利用是以具有一定数量人口和一定地理面积的行政区域为单位来进行规划和实施的，它与水资源的自然流域性既有一定的地理重合，也有相当程度的地理差别和管理目标的差异。因此，水资源被享用机会具有不均等性，在地球上不同的气候带、在同一条河流的不同地段，人们享有水资源

中国水市场管理学

343

开发利用的条件具有显著差别，不同区域的人类团体和个人对享用水资源的机会具有非均衡性。

（三）水资源经济特性

水资源除了自然属性、社会特性外，还有社会发展的派生特性，即水资源的经济特性。根据经济学理论，水资源分为可专有水资源和不可专有水资源两类。

1.可专有性

可专有资源，是指企业或消费者可以占有全部经济价值的资源，如土地、矿产资源和森林资源等。在完全竞争市场上，可专有资源可以有效地定价和配置。水资源具有专有性，但不能笼统地确定；不同环节的水和不同消费群体可以有不同的专有性，同时，水资源专有性质也可以通过法律制度的明确、管理措施的加强及相关技术的进步得到改变。此外，水资源较之其他一些典型的公共产品如防洪，更具有成为交换对象的条件，在水资源稀缺地区具有较高的价值可分性。

从自然水来看，自然状态下的水资源，具有转低的专有性特点，说明自然状态下群体或个体对水的占用和权限划分具有较高的成本，并不否认水资源的可专有性。如果以受益群体为界定对象，划定受益范围，确定水资源的专有性，就变得更为简单。目前，我国以高成本来确立水资源权属，并明确其带有专有性质的水权制度，其积极作用已非能用经济核算方式来评价，其表现的划时代意义将被实践所证明。建立水权制度，是目前世界上确立水资源专有的主要措施。明确水权，存在技术和成本两方面约束。技术约束主要通过申请—审核—批复—获取等程序，使水权的界定、获取问题得到解决。成本约束主要包括直接成本，即对水资源进行调查评价、确定用水定额、贯彻实施水权制度及其他相关制度的费用，它相对于市场上直接交易的私人产品来说，成本约束较为严重。

从取水许可获得水资源来看，每一份水的使用权所覆盖的受益者往往是群体，群体对水权的占有，明显地降低了限定受益者权限的复杂性。同时，由于每一份水的使用权的取水量，是根据用水定额确定的，这样，水资源表现在水量上的专有性就十分清楚了。

2.不可专有性

不可专有资源，是指群体或个人可以免费使用而社会必须为群体或个人的使用付出代价的资源，即不能对这类资源规定明确的、专有的、可实施和可转让的财产权。水资源具有混合经济特性，既有私人物品的属性，又有公共物品的属性，二者相互混合，不能分开，公共物品的属性决定水资源具有不可专有性。水通常是液体，通过流动、蒸发、渗透等形式在水圈中循环运动。水的流动性导致测量和跟踪水资源的特定部分成为不可能或者说非常困难。在现有技术条件下，很难规定水圈中某部分水属于某人所有，即使规定，也无法保证这部分水不被别人使用。水的这种物理特性，决定了水资源是排他性成本很高的资源，要确定和保护水资源的专有财产权不仅非常困难，而且成本很高。水资源的物理特性，决定了社会很难对其规定与普通商品相同的专有的财产权。因此，水资源具有不可专有性。

在市场经济中，完全非专有的、不属于任何人的水资源的开发和使用必然是低效率的。因为没有专有权，就不可能获得使用的代价。在这种情况下，价格既不能在使用者之间分配水资源时起作用，也不能为生产和保护水资源起作用。其结果是，相对于高效率的供应，水资源供应不足；相对于高效率的排放，水资源污染严重；相对于高效率的开发，水资源开发过度；以及在整体水平上的水资源管理、保护和生产能力等方面投资不足。解决水资源非专有性造成的问题的方法是确定和实施专有的、非减弱的财产权。然后，独立的群体或个人完全自觉而非利己地行动，就可以保证水资源产生高效率的结果。

二、水资源严峻形势

（一）水资源短缺

中国水资源总量约2.8万亿立方米，仅次于巴西、俄罗斯、加拿大、美国和印度尼西来，居世界第六位，但时间、空间分布不均。

我国水资源主要来自大气降水，受季风环流、海陆分布和地形的影响，年降水量的空间分布具有从东南沿海向东北内陆递减的规律，年降水量由东南沿海地区的1600毫米递减至东北内陆的50毫米。在时间分布上，降水量主要集中在汛期的6、7、8、9四个月，东南部地区汛期降水量占全年降水量的60%~70%，其他地区汛期降水量占全年的70%~80%，降水时间的集中程度具有从沿海向内地越来越大的规律。此外，降水量的年际变化也很大。问题突出暴露在北方，有河皆干，有水皆污。缺水已成为中国经济发展和社会进步的重要制约因素。

自古以来，我国经济以农业为主，水资源开发利用的目的主要是满足农业发展的需要。由于水土资源组合不平衡，时间分配与作物的需求要求不同步，且水资源自身的随机变化等致使旱灾不断。据历史资料记载，从公元前206年到1949年的2155年间，我国发生较大的旱灾1056次，几乎每两年就有一次较大的旱灾。旱灾严重的地区为发展农业生产条件好的黄河、淮河、海河、长江、珠江、辽河和松花江七大江河的下游地区，尤以黄河、淮河、海河最为严重。如光绪三年（1877年），晋、冀、鲁、豫四省大旱3年，死亡人数达1300万人。可见，中国水资源不能满足社会经济发展的需要问题由来已久。

（二）水资源人均数低

我国人均占有水资源量仅有约2200立方米，居世界第100位后。到2030年，我国人口将达到16亿，人均占有水资源量还将下降到1700立方米，仅为世界平均数的1/5，接近国际公认人均1500立方米的警戒线。从总量上讲，丰沛的水资源，辅之以许许多多的有利条件，才使占世界人口约1/4的我国得以发展壮大。至20世纪90年代末期，以全球陆地6.4%的国土面积和全世界7.2%的耕地养育着全球约22%的人口，使得我国的水资源态势十分严峻。由此可见，我国的水资源并不富裕，从总量或产水量来看，与美国、加拿大等发达国家相比差别不算很大，但人均占有量差别十分悬殊，说明我国应十分重视水资源的供求均衡，充分发挥有限水资源的作用。

（三）北方水形势恶化

中国北方地区缺水形势严峻，黄河及其以北地区河道断流加剧。北方地区水资源短缺是随着人口、经济社会发展而逐步加剧的。黄河断流及京、津、唐地区城市用水告急，就是北方地区水资源供需矛盾的集中表现。导致黄河断流虽然有许多因素，但主要因素是经济发展导致用水量急剧增加，以及管理不善、用水浪费、区外引水等因素。专家分析认为，在未来10~30年内，黄河每年将缺水40亿~150亿立方米，如果未来50年，黄河流域干旱频率增高，黄河中下游泥沙淤积量增加，将有可能加重水资源短缺和治理难度。黄河以北紧邻的海河流域，尤其是京、津两大城市，早在20世纪70年代就出现用水危机。进入21世纪，北方缺水如果不能未雨绸缪，缺水问题将直接影响国家经济发展和社会稳定。

由于全球气候变化的影响，北方地区水资源紧缺矛盾更加突出。目前，全球气候变暖、臭氧层破坏、土地退化、沙化、海平面升高、资源匮乏等，将造成一系列的环境问题。全球气候变暖对中国的降水、水资源量和水资源地区性的分配，以及可利用水资源量势必会带来影响，尤其将会给北方地区带来许多不利的影响。因此，可以预见未来50年内，水旱灾害防治任务更加繁重，尤其北方地区水资源短缺的矛盾将会更加突出。

三、水资源严重问题

水已经成为当前制约中国国民经济发展的最大"瓶颈"。今后，中国面临着的水问题，对国民经济进一步发展的影响还会进一步加剧。水资源将成为中国最为稀缺的自然资源。稀缺资源的分配，实质上是一种利益分配。跨区域水资源分配，是地区间利益的调整，处理好水资源的利益分配，是关系人民生活、国家稳定和经济增长的重大问题。

（一）水土资源失衡

水土资源组合不相称，降水几率变化大，这是我国北方缺水的重要原因之一。在湿润多雨的南方（长江及其以南地区），耕地仅占全国的40%多，而水资源却占全国的82%；长江以北地区，耕地占全国近60%，而水资源却只占18%。尤以海滦河和淮河最为突出，人口和耕地均占全国的1/4多，而水量只占全国的4%，地多水少的矛盾十分突出。

从省、市、区行政布局看，水资源量以西藏最为丰沛，达4482亿立方米；其次是四川、云南，均超过2000亿立方米；最小为宁夏，仅10亿立方米；天津、上海、北京均不及100亿立方米；中位数是青海，为626亿立方米。水资源量较大的省、市、区多集中在我国西南和华南一带，华北各省较贫乏。人均占有量以西藏最多，达到196580立方米，属人烟稀少、水资源特丰地区，其人均占有量达全国人均占有量的80多倍；其次为青海，达13580立方米，为平均值的5倍多；云南、新疆人均占有量超过4000立方米；最小为天津，为160立方米，仅为平均值的6.7%；宁夏、上海为平均值的8.3%；中位数是黑龙江，为2120立方米，比平均值小11%多。

（二）供需矛盾突出

中国水资源可利用量约为1.1万亿立方米。2000年，我国年用水总量达到5800亿立方米。按中等发达国家水平初步测算，我国未来水需求将达到7500亿~8000亿立方米，在现有基础上再增加1700亿~2200亿立方米的供水能力。鉴于区域发展的不平衡，可开发的水资源不仅受到地理区域的限制，而且还受到社会发展的经济能力限制。因此，中国未来水资源的开发利用将更加艰难，供需矛盾将会更加尖锐。

首先，由于人类活动的影响，降雨与径流、产流与汇流等条件发生变化，江河的天然来水量呈现衰减趋势。如黄河下游频频发生断流、海河成为季节性河流以及内陆河部分河流干枯、2000年发生的旱灾等问题，充分暴露了供水系统的脆弱性，这是水资源供需矛盾的集中表现。其次，工农业需水增长过快，其速度与水资源工程建设速度不相适应，这是供需矛盾突出的另一个重要原因。到2000年，我国用水总量比新中国成立初期增加近5倍，其中农业用水增加了4倍，工业用水（不包括火电厂用水）增加了12倍，城市生活用水增加了9倍。尽管50年来兴修了大量的蓄水工程，形成了近6000亿立方米的供水能力，但其中大中型水库的供水只占河川径流供水量的29%，小型库、塘的供水量占25%，河道引水量却占了46%。因此，我国水资源的调节程度不高，供水能力的保证程度较低，提供可靠水源难度很大。在现有灌溉面积中，不仅有近亿亩农田灌溉用水不能得到保证，而且许多原以农业供水为主的水库，已被迫转为以工业和城市供水为主。

进入21世纪，随着我国人口的增长、生活水平的提高、城市化进程的加快，人均水资源占有量将进一步减少，而用水量却进一步增加；与此同时，工农业之间、地区之间、各用水部门之间，水资源供需矛盾将日趋尖锐，缺水已成为影响中国粮食安全、经济发展速度、社会安定和生态环境改善的首要制约因素。

349

（三）水环境恶化

由于自然因素和人为影响，水体的水文、水资源、水环境特征向着不利于人类利用的方向演变，从而造成严重的水环境问题。这些问题主要表现在以下几个方面。

1.水体污染

目前，我国江河、湖库和近海水体污染严重，尤其河流污染情势更严峻。从全国情况看，污染正从支流向干流延伸、从城市向农村蔓延、从地表向地下渗透、从区域向流域扩散，全国大部分流域都受到不同程度的污染。

河流城市段污染更加严重。七大水系中，淮河、松花江水质较差，黄河水质不容乐观，珠江、长江水质总体良好。相对来说，北方的水污染比南方更为严重。在131个主要湖泊中，已被污染的湖泊有89个，占67.9%。其中，被严重污染的有28个，占21.4%；受到不同程度污染的水库占调查总数的34%。全国的大型淡水湖泊和城市湖泊均达中度污染和重度污染。滇池、巢湖、太湖，氮、磷污染严重，富营养化问题突出；近岸海域污染也日益严重；小型湖库的污染较大型湖库严重；城郊湖库和东北地区湖库有机物污染突出；西北地区湖库盐碱化现象严重。地下水环境每况愈下，在全国118个城市中，64%的城市地下水受到严重污染，33%的城市地下水受轻度污染，从地区分布来看，北方地区比南方更为严重。

根据1999年水质监测资料，对全国11.36万公里河长进行水质评价的结果，Ⅰ、Ⅱ类水质河长只占30%，Ⅲ类水质及其以下的河长占70%。其中Ⅰ类水质河长占5.5%，Ⅱ类水质河长占24.5%，Ⅲ类水质河长占32.4%，Ⅳ类水质河长占12.6%，Ⅴ类水质河长占7.8%，劣Ⅴ类水质河长占17.2%。

2.水土流失

全国现有土壤侵蚀面积356万平方公里，占国土面积的37%。

其中水蚀面积165万平方公里，风蚀面积191万平方公里，黄河中上游和长江上游地区以及海河上游地区水土流失最为严重。严重的水土流失，使我国每年平均损失耕地100多万亩，流失土壤50多亿吨，导致生态环境恶化，河、湖泥沙淤积，加剧了洪、旱和风沙灾害。我国自然生态脆弱，加之不合理的人类活动，进一步加剧了水土流失、土地退化和水体污染。仅黄土高原每年水土流失带走的氮、磷、钾就有4000万吨，相当于全国一年的化肥产量。黄河平均年输沙量16亿吨，其中4亿吨淤积在下游河床中，使下游河床以每年10厘米的速度抬升，黄河已成为世界罕见的地上悬河。

3.河道退化

从1972年到2001年的30年间，黄河下游共有20年发生断流，1997年断流时间最长，全年累计断流近8个月。海河流域由于水资源缺乏，中下游平原地区的河流基本干涸，河口淤积加剧。由于无天然径流，城镇排出的污水形成"污水河"。

4.库泊萎缩

我国131个主要湖泊中，已达富营养程度的湖泊有67个，占51%。在39座有代表性的水库中，达富营养程度的有12座，占31%。在五大淡水湖中，太湖、洪泽湖、巢湖已达富营养程度，鄱阳湖、洞庭湖正处于向富营养化过渡阶段。城市近郊区的湖泊水库富营养化程度普遍较高。如杭州西湖、南京玄武湖以及北京的官厅水库等均达富营养程度。太湖的富营养化面积达70%以上，富营养及重营养化面积占10%。近30年来，全国湖泊面积已缩小30%以上。

5.地下水超采

全国地下水由于长期超采，又不能得到及时回补，开采量超过补给量，致使地下水位持续下降，并已形成了面积很大的区域性地下水位下降漏斗，导致部分地区地面沉降，海水入侵。辽宁、河北、山东沿海地区从20世纪70年代中期开始，陆续发生海水入侵现象。近年来，在辽宁省大连、锦州、锦西、营口，河北省秦皇岛，山东省烟台、威海、青岛等沿海地区都发生了不同程度的海水入侵。海水入侵区达80块，总面积达1636平方公里。

（四）水管理滞后

第一，是管理体制分割，制约水资源的统一管理。实践表明，水利涉及到农业、工业、水运交通、城镇建设、生态环境以及人的生活质量等，水资源利用涉及到防洪、排涝、灌溉、水电、供水等，水利实际位于国民经济和社会发展的基础设施的首位。但长期以来，无论是思想认识上，还是经济体制上，水利一直是为农业服务，水利只是农业的一个重要方面，一直没有把水利作为国民经济的基础设施对待。现行的水资源管理，实行的是分地区、分部门的管理体制，既不利于水资源的有效利用，也不利于水利生产力的发展。因此，从水利基础设施地位的建立，到"多龙管水"时代的结束，改革管理体制障碍，直接影响水资源的可持续利用。

第二，是科技含量和管理素质低，提高科技和管理水平任务艰巨。我国水利科技水平与发达国家相比，存在着很大的差距。在水利领域，水利科技贡献率只有32%左右。因此，水利基础设施效益和水资源利用效率的提高，作为缓解水资源短缺矛盾的根本措施，都取决于科技水平和管理水平的提高。

第三，是水价过低，建立水市场体制任重道远。水价格偏低，不利于节水和水资源的有效利用，也不利于吸纳各方面资金开发水资源。国内外经验表明，提高供水价格，可以促进节约用水和延长水利工程使用年限。水价政策不到位，一个重要原因，就是缺乏对水的认识，缺乏对水是商品的认识。加上农业一直是用水大户，农业产业政策的约束，更难靠市场经济的水价方法来调节。因此，从总体来看，水市场体制的建立任务还十分艰巨。

第四，是我国水利设施面临萎缩衰老的"危机"和保安、维修、更新、配套任务大的问题。到21世纪中期，已建的绝大多数水利基础设施将进入百年期，由于历史原因，建设初期对自然规律认识不足，按经济规律、基本建设程序办事不够，设计标准普遍偏低，再加上"重骨干、轻配套，重建设、轻管理"思想的影响，造成许多水利基础设施配套差、尾工大、设备老化失修、管理水平低、运行状态不良。随着水利基础设施逐步进入百年期，存在的问题很可能成为经济社会发展最大的制约因素。

（五）洪涝灾害不断

中国西高东低的特殊地理位置，使得自古以来洪涝灾害就特别严重。仅20世纪90年代洪涝灾害累计直接经济损失就超过1.1万亿元，约相当于同期财政收入的1/5。直接经济损失超过1000亿元的年份有1994年（1979亿元）、1995年（1653亿元）；直接经济损失超过2000亿元的年份有1996年（2208亿元）、1998年（2684亿元）。世界银行曾测算，中国每年洪涝灾害损失年均近100亿美元。

（六）干旱缺水严重

干旱灾害导致工业供水不足，直接影响工业产值年均近2300亿元，正常年份和较旱年份直接影响粮食减产在100亿~250亿公斤。1997年，北方部分地区干旱持续时间长达100多天，黄河下游断流历时长、断流河长均创历史记录。这一年因旱造成粮食减产476亿公斤。世界银行测算的另一结果是，中国每年干旱缺水造成的损失约为350亿美元。

第二节　水资源市场配置方法

洪涝灾害历来是中华民族的心腹大患，干旱缺水和水环境恶化对中国的经济社会发展已构成重大威胁。如何解决好中国水多、水少、水脏、水浑这四方面水问题，直接关系到水资源的可持续利用、粮食生产的安全、经济增长方式的转变、国民经济可持续发展的实现。

解决中国水资源问题的最有效方法是市场化。通过水市场提高水资源承载能力，提高用水效率，强化经济手段配水，并按照水市场规律强化水事统一管理，逐步推进水利现代化进程，实现水资源的优化配置。

一、提高水资源承载能力

（一）水资源承载能力

水资源承载能力，是指在一定流域或区域内，其自身的水资源能够持续支撑经济社会发展规模并维系良好生态系统的能力。经济社会发展在水资源承载能力以内，就能实现可持续发展；超越了，发展就会失去物质基础，造成生态系统破坏，生存条件恶化。但认识不能停留于此，不能仅仅认为有多少水办多少事，被动应付，还要根据水资源承载能力的可变属性，去探索如何提高水资源的承载能力，从而规范对水资源的利用行为。

水资源承载能力的提出，要求人类对水资源的利用，限制在其承载能力（这种承载能力包括水体或水域向人类提供资源和同化废物的能力）以内，只有不超过水资源承载能力的开发利用，才属于可持续利用的范畴，否则就是对水资源的掠夺性开发，必然破坏环境进而影响人类生存安全。水资源承载能力分析，既要考虑生产、生活用水，又要考虑生态与环境用水。那种不考虑生态和环境用水，片面强调生产、生活用水，通过过分提高河流开发利用率、超采地下水等方式保证经济用水的决策，从表面上看水资源能够支撑经济发展，实质上是建立在环境破坏的基础上的，是不可持续的。

要实现可持续发展，经济和社会发展的需水量就不能超过水资源的承载能力，这是客观规律。但这并不意味着人类面对水资源的约束就无能为力，只有靠限制经济社会发展来被动地适应水资源承载能力的要求。不能机械地、静态地认识水资源承载能力，更不能因为保护水资源而限制发展经济，而要把经济发展与水资源保护协调起来，在遵循经济发展不能超过水资源承载能力的规律基础上，发挥主观能动性，通过提高水资源的承载能力来发展经济。

（二）转变水观念

中国的水资源问题是随着人口增长、经济发展、社会进步逐步显露，并被人们所逐步认识的。毛泽东同志早年就提出"水利是农业的命脉"，对水利的性质和作用进行了基本定位；新中国成立不久，全国大修水库，扩大灌溉面积，发展农业，解决粮食问题。以后，经济进一步发展，城市化进程加快，洪涝损失增大，防洪问题愈加突出，"91淮太大水"、"98三江大水"，举国为之牵动，七大江河、各大城市的防洪问题遂被摆上更加重要的议事日程。2000年北方干旱，大面积农田受灾，许多城市发生水荒，又敲响了中国水资源短缺的警钟。

美国人布朗曾写过一篇文章，大意是说中国粮食不能自给将对世界的粮食安全构成威胁，但实践证明，中国人用自己的智慧和能力解决了粮食问题。于是，布朗又写下了第二篇文章，内容是中国的水资源不足以支撑粮食安全，提出了现代中国水利需要面对和回答的问题是，中国到2030年人口将达到16亿时，水资源还能保证粮食安全吗？专家的结论是：目前全国农业水的有效利用系数平均为0.43，如果推行节水灌溉，将有效利用系数提高到0.55以上，在全国农业用水量不增加的情况下完全能够保证2030年人口达到16亿时的粮食安全。但问题是，我国是一个发展中国家，正处在工业化的过程中，工业化伴随城市化的发展，必然伴随农民进城、城市人口增加、城镇规模扩大，由于工业中心多位于城市，中国未来的供水矛盾将集中在城市，解决城市用水问题将成为新时期转变水利观念的前提。

随着经济和社会的发展，实现水观念的转变，是水利发展阶段上的一次质变，它从根本上改变了人与水环境的关系，从人类向大自然无节制地索取转变为人与自然的和谐共处；从认为水是取之不尽、用之不竭的转变为认识到淡水资源是有限的；从防止水对人类的侵害转变为在防止水对人类侵害的同时，特别注意防止人类对水的侵害；从重点对水资源进行开发、利用、治理转变为在对水资源开发、利用、治理的同时，特别强调对水资源的配置、节约和保护；从重视水利工程建设转变到在重视工程建设的同时，特别重视非工程措施建设，并强调科学管理；从"以需定供"转变为"以供定需"，按水资源状况确定国民经济发展布局和规划；从灌溉土地转变为浇灌作物，积极发展有压灌溉，实施高效用水；从认为水是自然之物转变为认识到水是一种资源，采取工程措施，使水成为商品；从对水量、水质、水能的分别管理，以及对水的供、用、排、回收再用过程的多头管理，转变为水资源的统一配置、统一调度、统一管理；等等。这些认识上的变化，改变了传统的思维方法，实现了传统水利向现代水利，工程水利向资源水利的伟大转变，开创了水资源管理的新局面。

（三）实行水权管理

长期以来，我国水资源配置一直采用计划手段，因权属不明确，市场难以形成，水资源开发主体在水资源的使用上以"取水量最大化"为目标，致使水资源浪费与短缺并存，人与环境争夺水资源而带来了严重的生态问题。实现从"取水量最大化"向"取水效益最大化"转变，就必须培育和发展水市场，允许水权交易，用水市场机制实行水权管理，从而实现水资源优化配置。

实行水权管理，必须建立两套指标体系：一套是水资源在用水部门间的分配指标体系。它根据各地区和各行业的优先权，通过合理论证和法定程序，将既定的水资源分配给各地区、各行业，明确可以使用的水资源量。另一套是水资源的微观定额体系。它用来规定社会的每一项产品或劳务的具体用水量，即用水定额。有了这两套指标体系的约束，地区、行业及用水部门就可以明确自己的用水和节水指标，通过层层落实节水责任，使经济社会的发展落实到水资源承载能力之内，可持续发展才能真正得到保障。

实施水权管理，培育水权交易市场，能够形成节水的激励机制。要促进用水户节水，必须使用水户节水的收益超过成本。在国家监管和调控下，实行水权转让，允许用水户将节约的水资源通过水权有偿转让获得收益。如果不分配水权、不允许水权交易，节水就不能带来收益；如仍实行福利水制度，用水户缺少节水的动力，节水就很难推广。因此，只有水权交易市场建立起来了，买卖双方才会考虑节水，社会节水的积极性才会调动起来，水资源的使用才会流向高效率、高效益的地方。

（四）用市场驱动节水

提高水资源承载能力的途径，一是节水，即通过节水促进经济社会可持续发展；二是进行经济结构调整，即根据一个区域水资源状况，科学规划经济社会的发展布局，在水资源充裕地区和紧缺地区发展不同的产业，量水而行，以水定发展。其核心仍是节水，发展节水产业。因此，用水户节水是微观层次的节水，经济结构调整是中观层次，即产业层次的节水。

节水和经济结构调整，其动力是科技进步。但是，科技进步只是为节水提供了必要条件，要使节水成为现实，还需要相应的管理体制和管理手段作为保障。实施水权制度，加强水权管理，既能从水资源利用的源头上促进节水，也能形成节水的经济激励机制，这是促进节水的体制选择。

（五）用市场机制调整经济结构

经济结构调整，就是按照一个地方、一个区域的水资源状况，科学规划经济社会的发展布局，在水资源充裕地区和紧缺地区打造不同的经济结构，量水而行，以水定发展。进行用水经济结构调整，就是根据当地水资源能够承载的人口和经济发展规模，合理确定用水产业结构、生态用水结构等。评估经济发展的用水结构，首先是评估水资源承受的人口数量，确定基本的生活用水量；其次确定生态环境用水量，即水资源可开发利用的程度；再次是确定产业用水量，作为粮食安全的农业用水量指标确定后，再确定工业以及服务业用水量，并依产业类型确定不同的用水定额，形成基本用水水价，即定额水价。定额水价反映了产业政策发展方向，体现了供水的成本因素；定额外水价反映了水资源的稀缺属性，体现供水市场的商品交换属性，由此形成水市场机制，合理调节经济结构。

二、提高用水效率

在计划经济体制下，政府及其水行政主管部门往往重在供水管理，即设法增加投入，扩大供水设施，而对需水管理，即促进社会对水的高效利用、降低消耗定额和运用经济杠杆调节供需、利用水市场配置水资源等方面认识不足。因此，改变这种只重"硬件"、不重"软件"的倾向，是利用水市场提高水效率的一场革命。

（一）深化用水体制改革

21世纪初，预计全国总用水量将继续保持1%左右的低增长速度。2010年我国人口将达到14亿多，国民生产总值将比2000年的8.5万亿元再翻一番，人均GDP将达到1500美元左右。按不同方法预测，全国总用水量将超过6000亿立方米，人均综合年用水量约为430立方米，农业用水将占总用水量的65%，城乡用水比约为3:7。按GDP计算，用水效率约为每立方米25元（3.2美元），比现状提高1.4倍，约为美国1990年用水效率的1/3。展望21世中期，我国人口将达到高峰值——16亿或稍多一些，人均综合用水量大体保持现有水平，全国总用水量将有可能达到7000亿立方米，年平均增长率约为0.4%，农业用水量仍将占总用水量的60%左右，城乡用水比约为4:6。那时，我国国民经济将达到中等发达国家水平，经济总体规模将接近目前美国的水平，GDP达到8万多亿美元。按GDP计算的我国用水效率将达到每立方米10美元左右，接近美国1990年的水平。

按照上述远景预测，21世纪中期我国人口达到高峰时，总用水量也将达到最高值7000亿立方米，水资源开发率约占全国水资源总量2.8万亿立方米的25%，比现在的19%增加6%，水资源开发利用程度低于苏联、美国、加拿大和日本的现状水平，这样的水资源开发利用程度是安全的。但是，必须通过改革用水体制大幅度提高用水效率，这样既可节省水资源又能减轻对水环境的压力，才可以实现水资源可持续利用战略。过去，人们常用人均水资源量及其在世界上的排位来证明我国水资源的短缺，而没有充分认识社会对水的需求是可以调控的，政府和用水户都是调控水需求的动力。如今，世界上无论是富水或者是贫水国家，都在努力通过改革用水体制，克服水的浪费所造成的缺水困境，同时，减轻因缺水对环境的压力。

359

（二）综合措施管水

提高用水效率的基本措施是经济、技术、法规政策和公众参与，水价是刺激用水效率、克服浪费的最有效和最敏感的措施，即使在不完善的市场条件下，水价仍然是配置水资源的最重要手段。早在1997年颁布实施的《水利产业政策》，就对供水水价作出明确规定，即新建水利工程供水价格要按照满足运行成本和费用、缴纳税金、归还贷款和获得合理利润的原则制定；原有水利工程的供水价格，要根据国家的水价政策和成本补偿、合理收益的原则，区别不同用途，调整到位，再根据供水成本变化进行适时调整；对超额用水的，要加价收费。为此，中国水价有了法的推动。

在科技兴水方面，努力提高水利产业中的科技含量，引用新技术、新设备、新工艺是提高用水效率的重要措施。农业要改革按定额灌溉的传统模式，研究采取大气水、地表水、地下水和土壤水联合运用的科学灌溉方法；同时因地制宜地推广适合当地情况的渠道衬砌、管道输水、喷灌、滴灌、渗灌等节水技术和旱作技术。工业要运用先进技术和工艺，增加循环用水次数，开发和推广工业节水技术。生活用水要规定用水设施，如自来水龙头、冲厕和淋浴喷头的节水标准以及保证用水效率水平的技术参数等。

在政策法规方面，要全面贯彻《水法》和《水利产业政策》等法规条款。国民经济各行业和各地区要依法实施国家规定的各项用水管理制度，大力普及节水措施；继续实施农业节水灌溉计划，对农业节水项目应优先立项，优先安排贷款和实行财政贴息；水资源短缺地区要继续严格限制高耗水工业的发展，在新建高耗水项目的建议书中，必须包括用水的专项论证，认真执行好水利部、国家计委2002年第15号令发布的《建设项目水资源论证管理办法》，对不符合水资源论证条件的建设项目不得立项和建设；制定节水型用水设施的国家标准，并规定任何企业不得生产不符合标准的生活用具；要进一步研究制定"节约用水和水资源综合利用促进法"，把大幅度提高用水效率纳入法律内容，将我国高效和综合利用水资源工作纳入法制的轨道。

积极鼓励公众参与，凡涉及群众利益和居民所共同关心的水事，如提高水价、推广节水器具以及枯水期间和城市缺水时采取何种综合对策等，都应通过适当方式让公众听证或讨论。通过开展"世界水日"、"中国水周"等活动，向公众进行宣传教育，使节约用水和提高用水效率的政策措施得到公众的理解和社会的广泛支持。

（三）启动开源节流机制

我国水资源稀缺，一方面是总量稀缺，另一方面是结构稀缺，所以水资源的有效供给将成为我国经济建设的首要约束。水资源的重要性不亚于能源、交通和原材料等，在有些地区甚至更为重要。从国外情况看也是如此，德、法、英、日等国十分重视水资源，把水资源与航空、核能、DNA等并列为国家重点资源。水资源危机已不是潜在的，而是现实的。就水资源状况的现实性而言，只有启动市场机制，厉行开源节流，才能提高水的利用效率，使水资源对经济与社会的发展保持"永动"的支持和推动。

水资源开源有许多途径，如修建水库，存蓄洪水，变洪害为水利。我国已修建了大量水库，有的因水源不足不能蓄满。若继续修建调蓄水库，投资多，淹没损失大，不确定因素影响较广。跨流域引水，如南水北调，势在必行，但引水量有限，对生态平衡不利，而且配套工程多，投资大，建成后运行费用也大，在短时期内较难实现较大突破。回灌地下水，需要打井压水，同时，由于回灌要时间，所以需要有水库存蓄洪水，这在区域洪水调度上往往是困难的。海水淡化是另一途径，但耗电量大，成本高，尚不能大规模采用。上中游流域内植树造林，能改善气候，存蓄水量，但也需要投资，也需要靠科学技术，在短时期内很难生效。开源真正行之有效的途径是开新水之源，包括以下几个方面。

（1）开发"水银行"。水库被称为"水银行"，大建水库，蓄水保源是"开源"的重要途径。目前，水资源利用总量已达5800亿立方米，兴建大中型水库已达8.5万多座，总库容为4000多亿立方米。但是，现被泥沙淤积的库容近1/4，重点水库已淤废22座，病险水库达1/3以上。由于干旱，植被减少，造成水库、湖泊干涸，为此，防止水库、河泊干涸，对病险水库的加固与维修，已是一项迫在眉睫的重要任务。同时，再集中财力多建新库、扩大库容、截留雨水。多蓄水，也是开新水之源的重要途径。

长期以来，考虑扩大可靠水源的方法是筑坝蓄水、跨流域引水或开采地下水。全世界水库蓄水总量约20000亿立方米，占平均稳定年径流量的17%，这些水库大部分是在20世纪中期建成的。在世界最大的100座水坝中，仅有7座是在第二次世界大战以后建成的。在工业发达国家，条件优越的坝址已逐渐减少，修建新水库的投资急剧上升。美国在20世纪20年代至60年代期间，水库总库容每10年约增加80%；由于狭窄河谷的坝址已大部被开发，60年代取得同一库容较20年代相比，筑坝材料加大36倍；由于建设费用的上涨，新建的水库已显著减少。在欧洲，由于气候条件和地形条件比较有利，一般不需要修建大水库。由于用水量的增加，许多欧洲国家在过去10年内计划大量增加水库库容，但由于修建这些工程造价昂贵，对其合理性争论很大。在发展中国家，水库建设较发达国家落后20余年。近10年内，全世界修建的高度150米以上的大坝，2/3在第三世界，但也遇到一些投资较高、规划不当以及环境影响等问题。

全世界每年有1130万公顷森林被滥伐掉，这主要集中在第三世界，从而减少了第三世界稳定的径流量，虽然减少的程度难以定量，但很可能将会抵消用大量投资修建的大坝和水库所增加的径流量。因此，在修建大坝的同时，必须注意防止滥伐森林，防止水土流失，防止土壤内涝和盐碱化，这样才能充分发挥筑坝效益，开发好"水银行"。

（2）开发城市水源。要大力发展城市供水事业，特别是城市供水水源基础产业。虽然近几年来国家先后兴建了引滦济津、引黄济青、引碧入连、引青济秦等重要城市供水水源工程，缓解了天津、青岛等一些城市的供水紧张状况。但是，城市水源建设总的速度和力度还是不够的，如"七五"期间城市年均需增加日供水量500万立方米，而实际上只完成增加日供水量300万立方米，城市水源建设与城市经济发展不相适应由此可见一斑。城市供水建设，首先要抓好建设难度大、周期长、投资多、超前性强的供水水源工程。在供水水源建设资金上，实行多渠道、多层次、多方式筹集，调整投资政策，建立供水工程建设开发和维修改造基金，保证供水设施建设资金的落实；在利益分配上，坚持"谁投资，谁受益"的原则；在收取水费和其他费用上，要按照价值规律，改革水费政策，明确供水企业的权利和义务，保证水利企业的合法权益，增强其活力。使供水事业走向良性循环，才有可能实现水资源的可持续利用。

（3）综合利用雨水。雨水利用是一种经济、实用的技术，可以产生巨大的环境及生态效益，特别是对半干旱、半湿润缺水地区尤为重要。雨水收集应用范围很广，在生活供水方面，雨水利用尤其适合不宜集中供水的城郊以及缺乏淡水的海岛地带、边远山区等；在农业用水方面，保水梯田及雨水集流灌溉、雨养农业等都是雨水利用的传统手段；在城市区域，雨水集蓄可用于城市卫生、备用水源、环境绿化、水面景观等方面。雨水利用大多是不消耗能源、无污染的生态保护措施，是21世纪水资源开发的发展趋势。

大气降水是主要水资源，也是比较洁净的淡水，可以直接利用；由地表渗透还可以改善水循环，它的径流还是江河湖塘水的主要来源。但是，由于我国雨季降水量集中，目前拦蓄利用的程度较低，大部分丘陵和山区未搞截流和拦蓄，形成水资源的形式浪费。因此，城市充分利用大气降水可为水资源可持续利用开辟新途径。一是改进市政建设，城市要留有一定比例不被建筑物覆盖的土地，种花养草，渗蓄地下水；同时，地面要用渗水性好的建筑材料代替现在广泛使用的水泥、沥青，使雨水能够渗入地下；地下排水道要改变以往只排不蓄的状况，排、蓄、渗、灌结合，相应地建设地下水窖。二是城镇要将建设回灌井、窖、池列入建设预算，规划设计中把就地回灌列入正式设计内容，并付诸实施。对此，水资源管理部门有权监督，凡没有回灌措施的设计，有权停止其筹建。三是建立城镇卫星水库，在城镇周围选择适宜地点，建立地上水库，把城镇就地蓄渗不下的水拦蓄起来，卫星水库应作为整个城镇建设规划的组成部分，建设资金由城镇各单位按用水比例筹集。四是掌握气候变化对水资源的影响，研究旱涝规律，积极开展人工降雨，将更多的云转变成降水。五是增加区域地面植被覆盖，改善区域小气候条件，增加蒸腾量、空中云量，增加降水机遇。

（4）截污水之源。一般说来，城市排放的污、废水中，40%以上为工业部门的冷却水，其特点是水质较好，只须降温处理即可循环再用，还有20%左右为洗涤水和冷凝水，一般不需要太多的处理也可以回收利用。城市污水不能直接进入水体，经污水厂处理后方可达标排放，应尽量减少污水与污染物的产生量及排放量。截污水之源就是增净水之源。重复利用工业水和生活污水，是节约用水的一项重要措施。目前，世界上大多数城市已修有汇集城市污、废水的管路，经过二级处理可用于工厂空调冷却、农田灌溉和美化环境用水，实现了"污水资源化"。

（5）节用水之流。首先，是强化节水意识。一方面，我国水资源紧缺；另一方面，水资源浪费又很严重。因此，必须把节约用水作为水利事业的一项重要内容。城市发展所需用水，不可能也没有条件完全靠增加供水来解决，很大部分需水必须通过节约用水来解决，节约用水是实现城市水资源可持续利用的重要措施。一是强化节水意识，加大舆论宣传力度，让公众了解水的有限性和不可替代性。树立节水意识，形成节水风尚。二是制定行之有效的配套政策和措施，向管理要效益，坚决杜绝水的"跑、冒、漏、滴"现象。三是实行计划用水，制定合理的用水定额，调整水价，超额部分加价收费，利用经济手段促进节约用水。四是对工业用水要通过技术改造，推广节水工艺、节水器具，提高水的重复利用率。

其次，是依靠科技进步节水，节水的根本出路在于科技进步。一是向科技要潜力。我国工业技术落后是水资源浪费的一个重要因素，我国生产1吨钢所用的水约为日本的20倍；造1吨纸用的水约为日本的25倍；水的重复利用率是先进国家的1/3左右；农灌水利用率不到50%。所以，通过技术改造，采用新工艺、新技术、新设备，走高科技、低消耗的集约型经营之路，水资源可持续利用才能实现。二是建立水资源信息系统。利用卫星、遥感等高科技手段开源和获得水污染信息，结合地理信息系统、专家系统的支撑，实现水资源的动态管理。三是培养专门人才。有计划地通过各种形式的教育、培训，加强水资源开发研究和管理研究的专业人才队伍建设，以水资源持续利用的跨学科成果，来推动城市水资源可持续利用。四是加大节水科研力度，加大科研投入，研究开发更完善的节水技术、节水器具。把节水技术、节水产品的开发作为新产业来规划，把设计、推广、应用组成"一条龙"。五是用市场机制，筹集节水科研开发基金，在节水政策和技术推广上给予一定的倾斜，使其更具生命力。六是沿海经济发达城市，应研究开发利用海水淡化技术和海水直接利用技术，以补充日益紧张的淡水资源。七是加快废水资源化研究应用的步伐，提高水的重复利用率。实行废水资源化，废水净化处理后再用，既能缓解城市用水紧张的矛盾，又可防止污染，保护生态环境，共创社会、经济、生态效益。

再次，是建立节水型社会。从我国现实情况看，浪费水是造成水资源紧缺的重要原因。我国每年因为缺水而影响工农业产值达2000亿元以上。为此，必须合理调整水价，开展全民性节水教育。实施全方位、多层次的节水措施，建立节水型社会。

节水是一场革命。节水和防污不仅引起用水方式的变化，而且引起生产技术和产业结构的变化，以至引发人们经济观念的变化。开源与节流，节流优先；防污与治污，防污优先。节水既是节流，又是防污。节水和防污就是以提高水的利用效率为核心，实现水资源优化配置，实现"三高两低一合理"，即提高水的输送条件，提高水的重复利用率，提高水的生态效益率，降低水利用的污染率，降低水利用的资源蜕化率，制定合理的行业用水定额。为此，要建立水污染负国民生产总值参照体系以进行损失冲抵。水污染应防治并重，以清洁生产、预防污染为主。在进行技术革新和产业结构调整的同时，提倡集中治污，并采取有效措施，防止污染转移。对各类用户要建立节水统计考核制度，推广节水技术，逐步建成节水型工业、节水型城市，建立节水型社会。

三、强化经济手段配水

在水资源利用的实践中，上游和下游、地表水和地下水、农业用水和城市用水、经济用水和生态用水之间的水资源利用的矛盾怎么解决？供水与需水、短缺与浪费、开源与节流、用水和防污之间的水资源管理的辩证关系如何处置？市场经济条件下最为有效的方法就是运用经济手段，即市场方法，通过水资源的优化配置，提高水资源的利用效率，实现水资源可持续利用。

（一）资源水价机制

水的有效定价必须包含资源水价，其理论内容是：水价=水商品的边际成本+资源水价。资源水价从根本上体现了资源的稀缺价值。当资源稀缺时，一个用户的使用减少了另一用户使用的机会，现在较多的使用减少了将来使用的机会，因此，在使用资源的机会成本中要体现这种稀缺价值。而这个稀缺价值，正是通过为取得水资源产权即水权的支付来实现的，表现为水权在经济上的实现形式。正是因为水资源是稀缺的，所以才有水权体系；

在水资源稀缺的条件下，取得水权就意味着获得相应的利益，取得水资源要向水资源所有者支付费用。只要水是稀缺资源，水价中就要包括资源水价，否则，水价就不能完全反映水资源的经济价值。

中国是世界上人均水资源最贫乏的国家之一，取水者必须支付资源水价。资源水价的提出有非常重要的实践意义，它回答了在水资源稀缺条件下提高水价的理论依据和提高水价所得收入的投入方向。目前我国水资源短缺越来越严重，按照市场规律，必然要提高水价。但如果水价只是工程水价，即供水设施的机会成本，在供不应求的前提下，不管水资源的稀缺程度如何变化，这部分机会成本是基本不变的，用户就难以理解为什么要提高水价。根据《中华统计年鉴2000》提供的数据，自来水生产和供应业是赢利行业，产值利润率是7.99%，同期全国工业企业的产值利润率是3.15%。按照市场经济条件下收益与风险成正比的规律，自来水行业作为公用事业，投资风险和经营风险都很小，其正常的投资回报率应该比较小。如果提高水价就是提高工程水价，增加自来水行业的利润，必然遭到用户的反对。资源水价的提出，说明水资源稀缺状况下提高水价，实际上提高的是资源水价。因为水资源越短缺，稀缺租就越高。

资源水价的提出，还解决了调水工程的可行性问题。一个地区原来依靠本地水源供水，随着经济和社会发展，用水增多，需要从外地水源调水满足需要。按照市场规律，只有当本地现行水价上升到高于调水的水价时，调水工程从经济上看才是可行的；同时当调水工程通水时，由于供给大量增加，水价应该下降。如果只考虑工程水价，调水的水价必然高于本地供水水价，调水工程根本就不会有可行性，必然误导决策。只有考虑完整水价时，才能对调水做出正确评价。

（二）水权经营机制

在现代社会中，人们建大坝、水库用于发电、蓄水，修水闸、渠道用于引水、灌溉，打水井用于抽取地下水等，这些都是工程措施。采取工程措施就必然要有资金投入，形成固定资产，这就必然要涉及产权问题，包括产权归属问题、产权收益问题和产权经营问题。

我国水资源实行国家所有，由中央政府委托地方各级政府对水资源进行分配和管理，大江、大河、大湖由中央政府授权流域管理机构直接管理，中央政府可以直接支配其水资源利用，这是中央主导跨流域调水的基本依据。通常所说的水权，实际上指的是水资源的使用权，或者说是用水权。在计划经济时期，国家垄断了水资源的使用权，各级政府直接包办水资源的开发利用，不存在水资源使用权的初始分配和再分配问题，水商品的分配则由政府无偿或低价供给。在特定历史条件下，这种模式在保障经济发展和人民生活的同时，也不可避免地造成水资源价格严重扭曲，致使用水粗放增长、浪费严重。改革开放以来，随着经济体制的转轨变型，水资源分配体制也在逐渐发生变化。

首先，是实行取水许可制度的改革。取水许可制度的实施，是一种形式上的水权初始分配，是在国家拥有水资源所有权的前提下，水资源使用权和所有权相对分离，赋予用水户依法享有对水资源使用和收益的权利。但实际上，取水许可制度并没有赋予用水户明确的使用权主体地位，用水户的用水权利不具有长期稳定性，并且不具有转让用水权的权利。取水许可制度不能涵盖所有的水资源使用行为，用水权主体在很多情况下还不明确，也就是说，"产权模糊"现象在水资源利用中还普遍存在。

其次，是实行水资源有偿使用制度的改革。表现为打破水资源的无偿使用旧制，实行水资源有偿使用制度，规定对直接从地下或者江河、湖泊取水的，征收水资源费。但由于水资源费标准很低，远不能反映水资源的稀缺程度，使得水资源费调节水资源使用权再分配的作用很小，使用权的再分配仍由水行政主管部门通过调整用水计划来实施。

水权市场经营主要有三大运作机制：

一是明晰产权的机制。从取水许可制度逐步转向水权制度。目前的"产权模糊"是阻碍水市场发展的最大障碍，明晰水权已成为水利市场化改革的迫切任务。明晰水权，实际上就是完善用水权的初始分配制度，确立明确的用水权主体，这并不是单纯靠分配流域用水量就可以实现的，而是要改革水管理体制，从现有取水许可制度逐步转向水权制度。取水许可制度下，水资源的分配和调度原则模糊，用水户不确定性大，特别是在干旱时期，通常倾向于以行政协调为主的临时性方案设计，政府在协商中承担大量工作，应急方案受人为因素干扰多，用水户和投资者不能预先把握缺水时的供水状况。水权制度则以用水者之间的平等、协商为主，行政手段为辅，各种用水组织是主角，水管部门则以仲裁者身份或技术管理者的身份参与水管理。用水磋商制度，强调发挥用水者的管理积极性，减少政府部门对水事管理的介入。水权制度要求产权明晰和确定，应通过水资源分配的登记和公示制度、水权优先权确定及基于民事法律的水权裁决来实现。在水权制度下，水量调度按照水权的优先级别进行，干旱情况下由磋商组织协商解决，用水户和投资者对于供水有明确的预期。

二是水权流转的机制。用水权的流转是水权初始分配之后的再分配。水权市场之所以存在，根本上是由于资源分布和利用的不平衡性，同时存在水需求和潜在的水供给。例如，有些流域水资源短缺，具有水需求；有些流域水资源丰富，能够提供水供给，这就有可能出现跨流域水权市场；即使在同一流域，上游用水效率可能低，下游用水效率可能高，上游地区的水资源配置到下游地区，可能获得更大的总收益，这就存在潜在的流域内水权市场；即使是在同一地区，水用途效益也存在很大差别，把部分用水从效益差的部门配置到效益好的部门，总收益也能够提高，这就有可能产生跨部门、跨行业，甚至用水户间的水权市场。水权市场的交易可以包括水权转让、水权租赁等多种形式。水权交易需要具备很多条件，不是纯粹的市场行为，水权市场必须由政府加以规范。比如，水权的转让要符合流域规划和区域规划，按流域规划进行论证、审批；水权转让价格要进行必要的评估；水权转让应当论证对周边地区、其他用户及环境等方面的影响等。政府水管理部门应及时研究制定管理办法，在实践中不断完善相关政策法规，确保水权交易规范、有序进行。

三是市场调水的机制。传统的跨流域调水工程几乎都是由国家财政投资，地方几乎是无偿受益。这种方式存在两大弊端：第一，缺水地区的要水指标往往很高，使工程过水能力设计规模过大。但是调水工程通水以后，地方又反过来认为水价高，用不起，导致工程建成后的运行总是达不到设计规模，造成国家财政资金的低效和水资源的浪费。第二，上级行政组织的协调，耗时、耗力，成本高，特别是由于对调出方缺少利益补偿，调水各方较难达成一致。市场经济条件下，传统的跨流域调水方式要改革，其中一个重要的方向就是引入市场机制，综合运用水权、水价和水市场来提高调水工程的效益。

最近，水利部提出了南水北调的新思路，南水北调由国家和地方联合控股，国家出一定比例的资本金，其余由沿线城市根据需水量按比例分摊，申要的水越多，出的资本金越多，地方靠逐步提高水价作为地方股份的资本金来源，整个工程由股份制公司来运作。水利部的南水北调新思路，是一个新的游戏规则，相对于传统思路有重大突破，实际上是通过水权关系，在南水北调沿线建立一个水权市场，这个市场由中央政府宏观调控，沿线地方政府参与，企业具体运作。这套思路是跨流域调水运用市场机制的重大尝试，它的实施，将会大大提高南水北调工程的效益，并将对我国今后水利事业的发展产生深远影响。

（三）水资源费管理

水资源费是国家所有权的经济实现。在社会主义市场经济条件下，强调资源的价格与价值相匹配，所以水资源不再是各取所需，而是以资源产品形式进入经济活动中，通过灵敏的水价变动，发挥价值规律的调节作用，使水资源向价格与价值相匹配方向合理流动。因此，在我国水资源日趋紧张的情况下，深入研究水资源费的动态管理方法，将静态的水资源管理推向动态，充分发挥水资源费的经济杠杆作用，对于优化配置水资源、缓解用水矛盾具有非常重要的意义。

1.水资源费的概念

水资源费与水费有本质的区别。水费是由于供水过程中有着物的投入和人的劳动，按马克思主义政治经济学观点，劳动就需补偿，这种补偿是通过水费实现的，所以水费的本质是商品交换。而水资源费并不是为了劳动补偿，水资源本身是大自然造就的，它不是劳动产品，更谈不上是商品，因而也就谈不上商品交换。水费属于商品交换范畴；水资源费征收是一种管理措施，它属于行政管理范畴；这就是水费与水资源费的根本区别。

水资源费还区别于税收。税收是国家实现资金积累的手段，而国家征收水资源费，并不是为了积累资金。按税收理论，税收的另一层含义是调节生产利润，也就是所谓的级差地租理论，即自然条件好多收税，自然条件差少收税。如果按级差地租理论征收水资源费，则水资源愈丰富，开发条件愈好，则水资源费费率标准应愈高，反之则水资源费费率标准应愈低。这与实际情况正好相反。事实上，水资源条件愈好收费标准愈低，水资源条件愈差收费标准愈高。可见，水资源费不同于税收。

水资源费与水费和税收也有共同之处。无论是水资源费还是水费，最终都是由用水者负担，共同的本质是用水交费。无论是水资源费还是其他税收，都涉及到用水单位的经济利益，都要参与企业的利润再分配，而且，水资源费和税收都是国家主权的体现，都是依靠国家的政治权力来完成的。

2.水资源费的征收

权力制衡理论认为，无限权力的直接支配是一种原始、落后的社会管理方式。失去制约的权力的直接支配，容易产生行业不正之风，甚至导致腐败，而依照经济规律实行社会的自我调节，可以避免不正之风的出现和避免腐败。征收水资源费，正是将对水的开发利用管理，从简单的直接的行政权力支配形式，转变为按经济规律由社会实现自我调节的形式。由简单直接的行政管理转变为经济管理，是我国经济体制改革的一项重要内容，是水资源经济管理方法的创新，是营造良好水环境的必然选择。

在对外开放的新形势下，征收水资源费还具有另一层重要意义，即体现国家主权和对国家利益损失的补偿。我国边境地区出现不同体制间供水情况，如深圳向香港供水，珠海向澳门供水，厦门向台湾群岛供水。这种供水形式存在两个问题，一是水资源所有权的转让；二是供水矛盾影响境内经济效益。如深圳，本身就属缺水城市，在这种情况下又要向香港供水，便蒙受了一定的经济损失，这个损失理应由跨境供水的有关用水户负责补偿，这就是主权范畴内效益损失补偿。随着对外开放的不断深入，对境外或跨国供水征收水资源费是水权交易的新形式。

3.水资源费机制

（1）水价形成机制。合理水价机制的形成，首先，要研究水资源的特性，水资源按其存在形态有固、液、气三相，属于可再生资源，具有流动性，随季节变化明显，但资源状态脆弱；由于需求量的迅速膨胀，造成全球性水资源短缺；其独特的物理、化学性质，使其成为一种不可替代的稀缺资源，并难以实现跨区域和国际交换等。其次，要研究水资源的有效需求，包括生活、生产、生态用水需求和大气水、地表水、地下水、污水回用、跨流域调水、海水淡化、土壤水、生物水等有效供给。再次，是根据水资源区域个性，将水资源分为非市场调节的资源水价和可能由市场调节的工程与环境水价两部分，根据水资源短缺程度和区域用水的实际情况形成水的价格。

　　建立市场经济，必须首先建立起以市场形成价格为主的价格机制。这样的价格机制才真正反映资源的稀缺程度，成为权衡成本与效益以及协调各个经济主体利益的基本尺度。水资源作为国有资源，价格与价值严重偏离，以致将水资源误认为是"取之不尽，用之不竭"的天然资源。市场经济强调资源的价格与价值相匹配，所以，必须将水资源管理引入市场经济，真正以资源产品形式进入经济活动中，通过灵敏的水价变动，发挥价值规律的作用，使水资源的价格与价值相匹配，使水资源费真正起到经济杠杆的作用，以促进水资源的优化配置，提高水资源的利用程度。

　　（2）公平竞争机制。公平竞争作为市场经济的客观内在机制，是价值规律运动和发挥调节作用的形式。参与经济活动的行为主体，通过市场竞争，使各经济实体在对利润的追逐中，不断地提高生产效率，降低资源消耗。水资源是一种可以重复利用和具有时空分布不均衡的特殊资源，它是国民经济发展和人民生活所必需的自然资源。但其开发利用程度是有限的，如果开发利用程度超过其再生能力，则水资源将成为有限资源，直至枯竭。因此，国民经济发展规模及其生产力布局，应本着水资源优化配置和有效利用原则，大力发展节水型经济。在保证居民生活用水的前提下，使国民经济各部门在水资源开发利用中公平竞争，充分发挥水资源费的经济杠杆作用，促进水资源的合理利用；通过效率与效益的综合较量，实现优胜劣汰。

　　（3）供求平衡机制。由于水资源具有时空分布不均、较难远程输送等特点。所以，应当根据变动再生资源的特性，制定合理的水资源价格，利用价值规律，通过市场经济合理配置水资源，以保持水资源的供求平衡及可持续利用，使水资源优先向水价合理、耗水量小、经济效益高的方向流动，以促进水资源的高效利用，满足市场经营主体在市场竞争中的需要。这就要求在发展市场经济的同时，不断提高全民的惜水意识和水资源可持续利用观念，合理调配水资源，实现水资源的供需平衡和永续利用。

第三节　水资源可持续利用市场选择

"可持续发展"是谋求在经济发展、环境保护和生活质量提高之间实现有机平衡的一种新的发展观念。市场选择是水资源实现可持续发展的重要战略。

一、实施水资源可持续利用的战略

374

资源是人类可能利用的自然界的物质。自然界是指客观世界，而资源是指可能利用的自然界的部分。因此，资源将随着人们对自然界利用的广度和深度变化而发生变化。水具有滋生万物的能力，也是人类的生命之源，和土地一起构成地球上十大自然资源的母体资源，是土壤、森林和草原等多种资源的保证资源，影响到气候与环境；同时，水本身又是能源，国际上有"19世纪争煤，20世纪争石油，21世纪可能争水"和"21世纪国际投资与经济发展，一看人，二看水"的说法。因此，水资源可持续利用战略，成为国民经济可持续发展战略的重要组成部分。

（一）水资源可持续利用战略的地位

水是生命的源泉，是社会、经济发展必不可少的资源，又是生态环境的控制要素之一，维系着社会的进步和人类的文明。社会经济发展对水需求的不断增长和水污染的加剧，使水的供求矛盾日益突出，淡水供应短缺已经成为限制经济社会发展的重要因素，21世纪全球经济和社会的持续发展将受淡水短缺的制约。中国是一个水资源紧缺、水旱灾害频繁的国家，水的问题在中华民族的生存和发展中有其独特的地位。国务院批准的《中国21世纪议程》中明确指出，"中国可持续发展建立在资源的可持续利用和良好的生态环境基础上"，而"水资源的持续利用是所有自然资源保护和可持续利用中最重要的一个问题"。因此，合理开发利用和保护水资源，为国民经济和社会发展提供防洪安全和水源保障、创造优美的水环境，是现代化建设的战略性任务。正因为如此，在总结历史经验的基础上，水利被放在国民经济基础设施的第一位，并把资源水利建设作为关系经济、社会发展和人民生活全局的重大问题和当前经济社会发展的一项紧迫任务。

（二）实施水资源可持续发展战略的思路

为保障国民经济的可持续发展，面对中国21世纪水资源严重短缺的整体态势，传统的工程水利实现向资源水利的战略转变，这是思维方式的重大变革，是21世纪水利保障经济社会可持续发展的必由之路。从可持续发展的战略高度上看，水利发展战略的重点是依靠科技进步和技术创新，以水资源的高效利用和可持续利用为目标，实现资源的优化配置和管理措施的优化组合，以保障经济可持续发展。解决中国水问题的根本措施，是国民经济宏观发展规划和产业结构调整，必须从战略的高度适应水利基础建设；依靠科技进步和体制、制度的创新；通过资源的合理配置和措施的优化组合，力争在21世纪中期基本实现现代化的同时，实现中国水管理的现代化。

从水利发展历史的角度来看，水利建设可以划分工程水利、资源水利和环境水利三个不同的发展阶段。从工程水利走向资源水利，可以说，经历了几千年的历史。中国几千年来，经济社会的发展都是以工程水利作为物质基础的。因此，经济社会发展的今天和未来，在走向资源水利与环境水利的不同时期，仍必须依托于工程水利作为基础，脱离了工程也就谈不上水资源的开发和利用。

资源水利与工程水利，从性质上看，工程水利强调的是，经济社会发展是以水利工程数量为主体。资源水利强调的则是，在依托水利工程数量的同时，要依托水资源的优势，重视水资源的合理配置；重视工程的数量，更重视工程的质量；重视工程建设，更重视工程的管理；重视工程措施，更重视非工程措施，建立以水资源优化配置为基础的、节约型的经济社会发展体系和措施优化组合的防洪减灾体系。因为，传统的防洪、灌溉和供水量的增长，主要靠水利工程数量的增加来解决，而未来的防洪、灌溉和用水量增长，已不可能全靠兴修水利工程来解决，而依靠科技创新将成为战略的重点。走效益型、科技型、优化型、集约型水利发展的模式，这是世界各国资源利用的发展趋势，也是中国建设现代水利的历史性转变，是中国走出水资源短缺困境的根本途径。

（三）实施水资源可持续利用战略的重点

1.节水

水资源可持续利用是我国经济社会发展的战略问题，核心是提高用水效率，把节水放在突出位置。在大力推行节约用水措施的同时，发展节水型农业、工业和服务业，建立节水型社会。中国是一个农业大国，农业用水占全国总用水量的70%左右，农业节水必然成为重中之重。因此，从可持续发展的战略高度，紧紧围绕人口、资源、环境与经济社会协调发展的方针和原则，加快节水事业的发展，这是21世纪水利工作的战略重点。

由于人口的增加、人民生活水平的提高，对水量和水质的需求以及对生态环境改善的要求越来越高，水利面临着人口的增加和经济发展的双重压力和挑战。随着社会的进步、社会资产与财富的不断增加、综合国力的增强、国民生活质量的提高，必然会对饮水安全、防洪安全、生态安全等提出更高的要求。就现实状况来看，水资源短缺和浪费并存，因此，节水必须放在非常重要的战略地位。从人与自然的关系来看，河水断流，水资源枯竭，进而引起生态恶化、环境破坏，危及人类生存，这是大自然对人类无节制索取的惩罚，这种惩罚不以人的意志为转移，带有必然性、强制性。人类要避免这一切，就要认识客观规律，进行自我制约，自律自身行为，当然更需要使用强制性措施的制约。节水措施就是强制性措施的一种内容形式。

强制性节水措施有很多，常用的有行政措施、工程措施、经济措施、科技措施。各种措施配合使用，才能收到好的效果。但从长远看，应该不断加大经济措施的力度，充分发挥水价对用水的调节作用，逐步建立水权交易市场，使节水成为全社会的自觉行动。

水权交易市场建立起来了，买卖双方就会考虑节水，才能调动用水户节水的积极性，水资源的使用也才会流向高效率、高效益的地方，表现在水资源配置上，各地区、各部门、各用水户层层有指标、有定额、有奖罚措施，这样，节水型社会才算真正建立。

2.治污

我国水污染防治工作始于20世纪70年代末期，经过20多年的不懈努力，取得了一定成就。尤其是近几年，国家对水污染防治工作高度重视，投入在逐步增加，社会环境保护意识普遍提高。但是，由于种种原因，我国水污染仍未得到有效控制，水质质量和水环境质量问题还没有得到根本性好转。据统计，2000年，我国七大流域地表水有机污染普遍，各流域干流58%的断面为Ⅲ类水质，22%的断面为Ⅳ类水质，20%的断面属于Ⅴ类或劣Ⅴ类水质。

造成水体污染的来源主要有工业排放的废污水、生活污水以及农业使用的农药、化肥流失等。据统计，我国城市污水排放量从1990年的179亿立方米，增加到了2000年的367亿立方米，增加了1倍多。自1998年起，我国生活污水的排放已经超过了工业废水排放量，占废水排放总量的51%。生活污染水处理率不足20%，大部分未经任何处理的污水直接排入水体，增加了水体污染负荷。在农业方面，化肥、农药大量低效率使用，大量营养物质随地表径流进入水域，加重了水体污染。

我国水污染治理最大的难题是资金不足。水污染防治需要巨大的资金投入，仅仅依靠政府的投入是远远不够的，必须建立和完善市场机制。水污染防治要坚持"污染者治理"或者是"污染者付费"的原则。必须建立和完善防治水污染的良性市场机制，调动全社会的积极性，依靠全社会的力量，加强水污染防治工作。

由于任何水体通过微生物或者其他作用，都可对进入水体的污染物尤其是有机污染物起降解作用，因此，水体具有自净能力和生态自我平衡的特性。但是，在一定条件下，水体可以容纳的污染总量是有限度的，超过纳污能力，水体将遭到严重破坏，其功能丧失。为了对排污总量进行有效控制，应该逐步建立和完善排污权制度和排污权市场交易。根据水体的纳污能力、人口规模、经济发展状况，将排污权分解到各个排污对象，并允许排污权在一定条件下转让。这样，对于企业而言，通过减量排污而剩余排污权，利用市场出售排污权获得的经济回报，实质上是市场对有利于环境的外部经济性的补偿，对于新增排污权，其支出的费用必须与外部不经济性的代价相适应。

通过排污权的交易，可提高企业治理污染的积极性，使总量控制的目标真正得到实现。

首先，对于工业点源污染，必须加强管理，达标排放，不允许将企业的治污责任和成本转嫁给社会。一是逐步建立企业的排污权许可制度和排污权交易制度。企业排放的污染物总量必须控制在排污许可的范围内，剩余或者不足的排污权可以进行交易，排污权交易收入用于企业治理污染。二是通过适当的产业政策，鼓励企业清洁生产，在生产的全过程，控制污染减少污水的排放。三是采取奖励和惩罚相结合的措施，充分调动企业治污的积极性和责任感。一方面加大对违法超标排污企业的处罚力度，另一方面政府要利用收取的排污费、排污权交易费等设立特别基金，用于扶持企业污水处理设施的建设，减轻企业治污的经济压力。四是在企业排污权范围内，对于排到自然水体的污水，要达到国家允许排放的标准，不允许对环境造成损害；对于排到公共污水管网的污水，也要达到公共管网排污标准，通过污水处理厂集中处理，企业承担相应的处理费用。

其次，对于生活污水的防治，要采取综合对策，一是对生活用水和排污者要建立定额管理、累进加价的水价制度，通过经济杠杆，提高公众的节水意识，加强节约用水，减少排污；二是制定合理的污水排放费征收标准，为污水处理产业化创造条件；三是对污水处理产业，政府要给予政策倾斜和财政扶持；四是污水处理企业走市场化、产业化道路，通过竞争，降低污水处理成本。

二、实施水资源保护措施

在水资源通过市场机制开发利用的同时，为保持其可持续发展，就必须同时实施水资源保护措施。

（一）生态建设

生态建设又叫生态环境建设，其内容包括天然林保护、植树种草、水土保持、防治荒漠化、草原建设、生态农业、湿地保护等。生态环境建设根据手段的不同，可分为两大类型，一类是以生物措施为主要手段的植被建设，另一类是以工程措施为主要手段的工程建设；生物措施与工程措施的综合应用，构建了我国生态建设的发展方向。

（二）植被建设

植被建设包括森林、灌丛、草原、荒漠、湿地等各种类型的植被，其中森林植被建设处于主导地位。这不仅因为森林是体量最高大、结构最完备的生态系统，具有最大的生物量和对环境最强的影响力，而且还因为在广大湿润半湿润地区以及干旱半干旱地区的高山地带，森林是最适生、最稳定的植被类型。生态环境的破坏主要起因于人类不合理的活动，如滥垦、乱捕、滥伐、工程破坏及污染物排放等，其后果影响到大气、地貌、水文、土壤、植被和生物资源等许多方面，植被破坏是生态环境破坏的关键，其他方面的变化都与植被状况密切相关。恢复、改善生态环境，植被处在关键地位，因为植被能对近地小气候起重要的调节作用，是控制大气中温室气体浓度的重要手段，是一系列污染物质的吸收者和积存地；植被能缓冲地表的外力冲击，防风固沙、涵养水资源；植被还是一切陆地生物种群的贮藏库、避难所。只有恢复建设好植被，才能使生态环境进入良性循环。

（三）水土保持综合治理

水土保持是中国环境和生态修复的重建工程，是环境生态建设的主体。水土保持是一门综合性很强的学科，它结合运用生态学、地理学、社会学、经济学以及农、林、草、水利学等科学原理，遵循自然和社会经济发展规律，因势利导，以保护预防为主，使人类与自然资源、自然环境和谐共处。此外，水土保持还具有综合性、群众性、与经济发展密切联系等特点。新中国成立50多年来，中国水土保持在采取广泛植树种草、修筑梯田的基础上，以黄河中游、长江上游为重点，流域为单元，实施工程措施、植物措施和农业耕作制度相结合的保护措施，充分利用自然植被自我恢复功能，已初步治理水土流失面积约100万平方公里，年均减少进入黄河泥沙量约3亿吨，程度不同地实现了流域范围内的生态平衡。

（四）荒漠化防治

土地荒漠化，是指干旱地区及干旱的半湿润地区的土地退化，包括风蚀荒漠化、水蚀荒漠化、冰融荒漠化及土壤盐渍化等，荒漠化土地中，以风蚀荒漠化最具特色。

干旱缺水是土地荒漠化的自然基础，但在长期的自然演变过程中，已经形成与干旱地区的自然条件相适应的植被类型，如半干旱地区的草原植被，干旱地区的荒漠植被和盐渍地植被，以及内陆河流滩地的森林植被。防治荒漠化，首先就是消除这些引起土地荒漠化的动因，保护和恢复原有植被，在必要时通过引水拉沙、造林种草，以及适度的水利化、围栏化经营人工草场。

荒漠化防治必须与干旱、半干旱地区水资源不足这个限制因素相适应，保护好天然植被，利用好天然降水，选择适合当地干旱条件的树种和草种，建设起能充分覆盖土地、抵挡风沙推进的各类植被。为了经营好绿洲农业，在绿洲周围营建的防沙林带及绿洲内的护田林网所需用水，应与绿洲农业灌溉用水统一考虑。在风沙沿线为了阻挡沙漠扩展入侵，还要恢复沙压失地，采取乔灌搭配的防沙固沙措施。这些系列措施需要一定的地表水和地下水的支持，这在水资源配置中必须予以保证。

三、实行水资源一体化管理

实施可持续发展战略，最重要的是要实现和推进水资源的统一管理，只有实现水资源统一管理，水资源利用才能实现由粗放型向集约型转变。长期的计划经济体制下形成的水资源管理关系、方式、手段，已经不适应市场经济体制下资源管理和资源配置的要求，必须进行调整和理顺。我国水资源人均水平低、地区分布不均，固然是造成水资源短缺问题的主要因素，但水资源管理粗放的影响也不容忽视。因此，以流域水资源管理和城市水管理体制改革为重点，加强水资源统一管理，实现水资源优化配置，对保障社会经济可持续发展具有重要意义。改革水管理体制，实行水资源管理一体化，依此建立合理水价形成机制，调动全社会节水和防治水污染的积极性，是资源水利条件下，水利现代化的现实选择。

（一）理顺水资源管理体制

改革开放以来，随着经济社会的快速发展和人口的持续增长，水资源开发利用量和污水排放量同步增长，社会发展对水资源保障条件提出了更高的要求，水资源供需失衡和生态环境恶化已经成为可持续发展的主要制约因素。随着21世纪经济发展和城市化的加速，城市水资源保障问题和城市水问题将日益突出，城市水管理体制已严重地影响水资源的可持续利用，较深地阻碍了水利生产力的发展。加快水资源管理体制改革，实施城乡水务统一管理，是经济社会可持续发展的现实选择。

长期以来，我国传统的水资源管理体制将城市与农村、地表水与地下水、水量与水质等进行分割管理，严重违背了水资源的自然循环规律和整体性。这种"城乡分割"、"部门分割"、"政出多门"的水资源管理体制，使水资源的完整性被人为破坏，地表水、地下水、天上水难以优化配置，生活用水、生产用水、生态用水无法统筹规划，合理的水价运行机制无从建立，水质管理与水量管理相分离，河道管理和水源地保护不相衔接，不同水管理机构的职能交叉重叠，水资源管理法规缺乏规范或可操作性不强。这些体制上的弊端，最终不利于水资源的可持续利用。

（二）制定水资源国家总体规划

水资源国家总体规划包括：全国农业水利区划、全国水中长期供求计划、缺水城市供水水源规划、全国地下水资源开发利用规划和水资源保护规划等。国家在制定落实这些规划时，以流域或区域为单元，开展以缓解水资源短缺、改善生态系统为主要内容的科技攻关。但是，近10年来，我国经济社会发生了巨大变化，人类社会经济活动加剧，使水资源数量、质量及其时空分布发生了变化，影响着水资源的供求关系和需求结构，经济社会的可持续发展对水资源的可持续利用也提出了新的要求。随着市场经济体制的逐步完善，水资源开发利用和配置的外部条件决定了必须从总体上制订水资源总体配置方案，为21世纪水资源的合理开发、高效利用和科学保护提供依据。

全国水资源规划的总体目标是对水资源开发、利用、治理、配置、节约、保护等方面作出统筹安排，通过制订全国水资源配置的总体方案，为水资源的合理开发、优化配置、高效利用、有效保护奠定基础；通过法规、经济、技术等手段规范和协调各项水事活动，通过提出生产力布局和经济结构调整的建议，协调生活、生产和生态用水，遏制生态系统恶化。在编制水资源规划中，以"三生"意识，即清晰的生态意识、明确的生态系统、有力的生态措施，将中国水资源导向可持续发展目标。

（三）实现水务一体化

首先，实现流域和区域水资源一体化管理。流域是水资源生成、转化与利用的基本单元，流域水资源的优化配置必须与流域水资源的统一管理体制相结合。实行流域和区域水资源统一管理，目标是建立权威、高效协调的水资源管理体制，合理调度和统一管理流域或区域的水资源。只有对水资源实行统一规划、统一配置、统一管理，才能最大限度地提高水的利用率，提高社会、经济效益。

随着我国城市化步伐的加快，城市水务成为水利工作的一个重要领域。近年来，在全国兴起的城市水务局管理体制，就是适应这种形势改革的产物。城市水务局对城市水资源实行统一管理，统一取水许可制度，对城市的防洪、除涝、蓄水、供水、用水、节水、排水、水资源保护、污水处理及其回用、地下水回灌等，提供了体制保证。

其次，实现城乡水务一体化管理。这是打破城乡之间、地区之间、部门之间的水管理界限，建立起城市和农村、水源和供水、供水和排水、用水和节水、治污和回用一体化管理的城乡水务统一管理体制。这将有利于水资源合理开发、高效利用、综合治理、优化配置、全面节约、有效保护，进而实现水资源的可持续利用，保障国民经济可持续发展。

快速推进的水务管理体制改革实践证明，水资源统一管理有效地缓解了水资源短缺和水生态恶化的局面，激活了水资源管理市场机制，体现了管理体制的先进性。城乡水务一体化管理，使水资源优化配置和管理效益初步显现，给地方水资源利用和经济发展带了前所未有的转机。在实施水务管理的地区，通过现有水源的联合调度，统筹考虑城乡用水，同时积极筹措资金，大力开展水资源工程建设和供水管网建设，有效地缓解了城镇供水不足的矛盾。另外，实施城乡水务统一管理体制后，改变了过去城乡分割、地表水与地下水分割、部门与部门分割的水资源管理格局，有利于实现辖区内水资源的优化配置。实施城乡水务统一管理，还盘活了现有资产，激活了运行机制。水务统一管理，水，才开始真正流动起来；水，也才真正"活"了起来；水市场，也才有可能建立起来；城市水生态系统也才能得到根本恢复。

第八章　水资本市场运营

　　水资本是水利产业的血液，搞活水资本是搞活水市场的关键，水资本运转的质量如何，直接关系到水市场的运行效果，同时，也关系到水市场的发展方向。以完善水权关系为特征的中国水市场，为水资本的市场化运作又提供了客观条件。水资本走向市场，是水市场配置资源的理性选择。

第一节　水资本理论

　　资本是任何社会生产经营所不可缺少的要素，是社会生产力的重要组成部分。为了满足经济社会不断增长的物质和文化需求，中国水市场就需要充分利用和发挥资本在水资源生产和经营中的巨大作用，使水市场获得快速、高效、健康的发展。

一、资本是生产力的组成部分

　　资本是生产经营不可缺少的要素，又是生产力的组成部分。资本的自然属性就是能够带来价值的价值，这一自然属性并不因其社会属性而改变。

（一）资本的定义

　　根据马克思在《资本论》中的论述，资本是通过剥削雇佣工人能带来剩余价值的价值，它体现着资本家剥削雇佣工人的关系。按资本在生产剩余价值过程中所起的作用不同，将资本分为不变资本和可变资本；若按资本所处的领域不同，又将资本分为产业资本、商业资本、借贷资本和银行资本等，其中，产业资本在循环和周转过程中又表现为货币资本、生产资本和商品资本三种形式。资本不是物本身，而是通过物体现出来的资本家剥削雇佣劳动者的关系，是一个历史范畴。资产阶级经济学者宣称生产资料和货币在任何历史条件下都是资本，甚至把原始人使用的石块、棍棒之类东西也说成是资本，其目的是掩盖资本的实质，肯定资本主义制度的永恒性。

其实，资本本身属于经济学范畴，只有当资本与特定的生产关系结合后才成为一种社会制度的标志。资本在现象上虽然表现为一定数量的货币和生产资料，但货币和生产资料本身并不是资本。只有在资本主义生产关系下，劳动力变成商品，货币和生产资料被资本家用作剥削雇佣劳动的手段时，才转化成为资本。可见，资本是机器化大生产的产物，只有当社会生产力发展到一定高度后，资本才能应运而生。

实践证明，充足的资本是社会主义经济和建设不断走向繁荣的保证。在社会主义市场经济条件下，资本产生的价值增值，其本质是社会主义利税增长或社会财富的增加，资本带来的价值增值，是社会主义再生产和扩大再生产者的资金来源和根本保证。因此，社会主义市场经济中的资本可以定义为能够带来价值增值的价值。它有两个含义，第一，资本是一种价值，没有价值的东西不是资本；第二，资本必须能带来价值增值，有价值但不能带来价值增值的不是资本。

（二）资本的属性

资本是能够带来价值增值的价值，这个定义本身告诉我们，资本一定要实现价值增值，资本实现增值是无条件的，这是资本的自然属性。资本是一种价值，有价值的东西总归有一个归谁所有的问题，这就是资本的社会属性。资本归谁所有的问题，首先是界定产权，其次是谁拥有资本，由此决定资本的处置权和增值权。

资本的属性要求，主要反映在经济生活中，既要重视资本自然属性的发挥，同时又要承认资本社会属性的差异，充分利用不同社会属性的资本为生产力发展服务。资本的社会属性是由社会制度规定的，不同的社会制度，资本表现为不同的社会属性；资本的自然属性，是由资本的增值功能决定的，资本表现为在自然属性上的统一性。

资本的自然属性是无条件的。资本不管归谁所有、在谁手中，都要实现其价值的增值，不因社会属性不同而改变。资本的自然属性存在于资本的使用价值之中，是构成企业生产力的重要组成部分。任何一个企业在具体生产过程中，可以不与资本的社会属性直接联系，但与资本的自然属性密不可分。企业投资能力强弱、技术装备水平高低、经营规模大小、生产效率优劣等，都是资本自然属性功能与作用的发挥。资本作为可以带来增值的价值，其能否增值，在多大程度上增值，是由资本的自然属性决定的。因此，要充分利用资本增值的各种功能，并通过其具体的组织和运作，实现以最小的资本投入获取最大的收益。

二、水资本是水市场的质态表现

水资本或称水利资本，是水市场营运的基本要素，深刻认识水资本与水市场二者之间的关系，准确把握其互动运行的规律，对于利用水资本驾驭水市场具有重要的实践意义。

（一）水资本分类

水资本按流动性，可以分为流动资本和固定资本；按价值形态可分为货币资本、金融资本和实物资本。水利资本中，固定资本所占比重较大，流动资本所占比重较小，而且大多以实物资本形态存在。例如，挡水坝、提水建筑物、发电厂房及其设备、输变电设备、水闸、渠道、引水管道等。以实物形态存在的资本亦称资产，但不是所有的水利资产都是水利资本。例如，截至1997年底，全国拥有水利固定资产2712亿元，国有水利资产原值为1918亿元，其中用于公益性服务的资产为928亿元，不能将1918亿元视为国有水利资本，至少应当扣除公益服务性资产后剩余的990亿元才可以称为水利资本。也就是说，水利资本指的是水利资产中的经营性资产，如供水、发电等，这部分资产以营利为目的，是水利资本经营的对象；水利资产中的非营利资产，如防洪、挡潮、除涝、水土保持等，作为社会基础设施和公益设施，应由政府投资建设和管理，而不应是水利资本经营的对象。因此，进行水利资本经营，首先要对现有水利资产进行科学评估，划分为营利性和非营利性两类资产，并区分性质进行管理和经营。营利性资产按资本经营进行管理，非营利资产按国家制定的补偿渠道进行管理。

（二）水资本与水资产

水资产与水资本尽管有共性，但二者又有很大差别。它们的共性表现在它们都具有价值，都可以有多种表现形态，都可以用价值计量。二者的差别表现在：一是水资产通常表现为财产，如房产、水库、水坝、水闸等，水资产是一种静态的概念，其表现形态随着时间的推移一般不会发生变化。如货币、资金、股票等则不同，它具有流动性。运动及其形态变化是水资本实现价值增值及其最大化的基本条件。二是水资产由于处于静置状态，它一般不会带来增值；实物形态的资产由于有形磨损和无形磨损，随着时间的推移，其价值还会降低。水资本则不同，水资本的有效使用会带来价值增值，随着时间的推移、水资本周转次数的增加，带来的价值增值就越大。三是水资产经营着重于水资产使用价值的具体运用，而水资本经营可以不拘途径，不拘方式，不拘形态。资本经营中资本的运用，可以采用直接消耗形式，也可以通过资本的形态变化去实现资本增值。从以上分析可以看出，从水利资产到水利资本，虽只有一字之差，却有质的不同。

三、水资本市场运行机制

机制是水资本运行的方式、方向和方法。现代水资本的高效运行，应选择并依托市场经济机制。

（一）现行水资本运行机制的弊端

市场经济体制的建立与完善对水资本的运行机制产生了积极影响，但由于我国实行了长期的计划经济体制，加之水的特殊属性，使现行水资本仍然是以计划为主、市场为辅的机制运行，政府几乎是水资本运行的全部主体，从而形成两个弊端：

（1）在微观方面，配置主体在项目决策上，缺乏科学完整的分析计算，不重视项目全程的控制，导致水资本闲置与紧缺并存。在宏观方面既没有有效的调控手段，又没有总量供需平衡计划，也没有地区之间协调配置计划。若遇特大洪水或干旱，水资本配置总量就会多一些，反之就少一些，这种波动足以证明水资本的配置缺少宏观稳定的计划。在计划方法上，缺乏一套既考虑市场需求又考虑资金供给能力的、切实可行的综合分析方法，也没有为正确制定计划而获得必要信息的方法。

（2）应由市场调节的准水利公共物品、私人物品领域，没有创造相应的市场条件。主要表现在：①对水利准公共物品甚至水利私人物品没有进行明确的市场定位，水利经营管理单位对应承担的市场权利和义务模糊，国家对此缺乏有效的规范；②由于水利工程多数是综合性的水利工程，既有社会效益，又有一定的经济效益，而国家对水利工程提供的社会效益没有形成一种补偿机制，与此同时，政府不是根据工程的造价而是考虑用水户的承受能力来确定水价；③水资本产权关系不明，水利经营与管理主体没有转变成真正的市场主体，其经营行为带有浓厚的政府行为色彩；④国家对水利准公共物品和私人物品的投融资优惠政策提供不足。

（二）水资本运行机制的创新

水利资本配置机制应以市场为基础，计划为调控，计划与市场有机结合，共同发挥对水利资本配置的作用。

水利私人物品完全依靠私人经济部门根据自我需要自筹资金、自行建设、自主运营，从而通过市场自律作用达到自我配置均衡。水利准公共物品是面向市场，在国家规划的范围内和产业政策的指导下逐步增大市场份额，筹集社会资金参与水利准公共物品的投资和营运的；国家通过控股、参股进行调控，并通过财政补助、财政贴息、贷款优惠、税收减免等政策增强吸引社会投资的规模。水利纯公共物品配置区域的确定，则是国家根据社会经济发展规划在不同区域分别进行配置的，所形成的水利建设项目规划和管理系统，还对在市场中运行的水利企业所产生的外部不经济行为和由于垄断带来的负面效应，进行有效的干预，以减少市场机制的盲目性和无序性。

国家制定水利建设规划并实施有效的管理，体现了市场需求及市场平衡的要求。政府在进行水利项目的论述决策时，不仅要考虑投入水利项目资金及其他各种经济资源的可能性，更要考虑市场需求量和受益范围的可行性；市场活动的计划性是指对水利私人物品、水利准公共物品市场供求状况的计划管理。建立调节、控制水利物品市场活动的政策体系，使政府的行为能有效地影响水利物品市场，以实现水利资本资源的最优配置。市场活动计划性的另一含义是水利企业在资本筹集、配置及水利物品的营运等各个环节，必须根据充分的市场信息做出科学的计划。

中国水资本运行机制的创新，不仅体现在水利建设项目计划管理体系的建立与完善上，体现在市场需求与市场平衡的调节上，还表现在水资本与社会资本运行的共融以及国家水资本的政治属性上等方面。水资本理论的创新，是水利资产管理的一次重大变革。

第二节　水资本经营

水资本经营，就是水资本市场运营，也可以说是水资本的市场营运。水资本经营是一种全新的经营理念，它以水资本为核心，通过对水资本使用价值的具体运用或改变其形态，实现水资本增值以及资本收益最大化。水资本经营主张水利资本组合形式多元化，要求注重水资本价值形态管理，实行"一业为主，多种经营"的方针。

一、水资本经营含义

（一）水资本经营是对水资本价值形态的优化管理

水资本经营，就是通过对水利资本的筹划、管理和有效使用，以实现水利资本盈利最大化而开展的一种经济活动。它包括两方面内容，一是对水利资本进行买卖，二是对水利资本使用价值的运用。水资本运营的目的就是用资本去获得更多的货币，实现资本增值和资本收益的最大化，从而体现资本的本质内涵，即资本的买卖和运用都是围绕资本增值这一最终目的的。所以，水利资本经营可以不拘方式、不拘途径，哪种方式能使资本增值，就采用哪种方式；哪种途径能使资本增值，就采用哪种途径。

水利资本经营强调以资本为核心，其目标的实现很大程度上依赖于水利资本的流动。因此，允许水利经营者自主运用资本的可流动性，采用合适的经营方式，体现市场竞争中的优势。实行一业为主，多种经营，鼓励企业以实现利润最大化为目标，利用富裕人员、闲置设备及水土资源优势，从市场实际需要出发，广开生产经营渠道，扩大生产领域，拓宽财路，使企业经营由单一功能向多功能转变。

（二）水资本经营是一种全新的经营理念

水资本经营以水资本为核心，通过对水资本使用价值的具体运用，改变其运行形态，实现水资本增值以及资本收益的最大化。

水资本经营的是资本，而不是企业，这与传统的水利经营有着本质的区别。水利企业是水资本生存、增值和获得收益的载体，它对生产经营进行的组织和管理，本质上是对资本的组织和管理。可以说，水生产经营是建立在水资本的基础之上的，没有水资本，水生产经营就无法进行。水资本增值和取得收益，是水生产经营的根本目的，而水生产经营则是水资本经营的实现方式。

水资本经营的实现途径是多种多样的，包括生产投资、证券投资、科技入股、产权转让，甚至货币本身的运作等途径。但是，水资本经营最主要和最重要的实现途径是水生产经营。水资本经营属于生产领域内的资本经营，它通过水生产经营进行转换并得以实现。在层次划分上，水资本经营为第一层次，水生产经营为第二层次，水资本经营是目的，水生产经营是手段。水生产经营是服从和服务于水资本经营的。

二、水资本经营方式

（一）优化水资本结构

水利资本的优化就是要"抓大放小"。"抓大"就是着重管理好那些在国民经济或区域经济中影响作用较大的、大中型水利工程和部分配套性较强的小型水利工程；"放小"就是对一部分在国民经济或地区经济中影响作用相对较小的小型、微型工程或企业，因地制宜地出售其产权和使用权，国家不再直接管理。拍卖一部分小、微型工程或企业是十分必要的。我国小型、微型水利工程数量大、分布广，而且大多数位置偏僻，交通、通信困难，生活不便，管理十分落后。长期以来，这些工程都由国家包起来，由于缺乏资金、年久失修、工程老化、效益低下，不仅不能产生经济效益，而且水利资本日渐损耗。由于工程是国家的，一切费用还得由国家承担，国家为此背上了沉重的包袱。因此，"放小"是水利行业资本结构优化的关键，"放小"是为了"抓大"，只有"放小"才能集中人力、物力、财力"抓大"，才能把大的抓好，才能促进水利资本向大型化、集团化发展。"抓大放小"并不意味着出售所有小型水利工程，对配套性较强，资源潜力较大的小型水利工程，要因地制宜，采取改组、联合、兼并、租赁、承包经营和股份合作等多种形式，盘活这部分以"小"为特征的水资本存量。

（二）重组水资本形式

所谓水资本重组，主要是指优化水利资本在总资本中的构成及比例。过去，水利工程的建设和管理完全由国家包起来，国家既是出资者，也是管理者，由于行政干预，经营者实际上无权经营，经营者企业法人资格不明，企业法人主体缺位，造成国有水利资本处于实际无人管理、无人经营、无人承担保值增值责任的境地。研究水利资本的组合，就是要实行水利资本多元化，促使出资者和经营者分离，完善水利企业法人制。在法律法规允许的条件下，让企业自主经营、自负盈亏，使国家资本的风险和责任降到最小程度，从而实现资本保值增值。

水利资本经营中一个十分重要的问题，是资本的组合决定资本组织形式、资本的管理方式以及资本权益分配方式。研究水利资本的组合，就是要改变传统的水利资本投入机制，变单一的国家资本投入机制为多种资本结构并存的投入机制，就是要承认资本的融合性，容许财产主体的多元化、利益主体的多元化，形成财产的共同体和利益共同体。在一个水利企业内可以有多种经济成分并存，以此促进企业生产力的提高、竞争力的加强，进而获取资本收益的最大化。水利资本主体多元化的优点，一是使资本经营风险分散化，降低单个出资者投资风险；二是使资本在企业经营性亏盈中的责任成为有限责任，不再承担由资本资不抵债而破产所带来的连带的无限责任；三是促使出资者与经营者分离，使经营者能够自主地经营企业的法人财产，独立地去开展竞争、驾驭市场。

（三）组建水资本集团

水资本集团不是多个企业的捏合，不是"一个单位两个牌子"，而是资本经营的需要，是小资本走向大资本的需要，是水利生产力在大生产条件下按社会化发展的理性选择。

市场经济竞争的本质是资本的竞争，大资本"吃"小资本是市场竞争规律的形式表现。小资本不甘被大资本"吃掉"，在客观上为组建水资本集团创造了条件。水利资本通过兼并、收购、重组、联合等资本营运方式，组成水利集团，就是要利用大资本的优势，增强水利资本在市场经济中的竞争能力、融资能力、抗御风险能力和盈利能力，实现以较小的资本或较低的成本来实现资本的快速集中和扩张，最终实现水利资本的增值和资本增值最大化的目标。因此，在组建水资本集团过程中，必须遵循市场经济规律，以生产力要求配置水利资本，发挥水利资本集团化管理的优势。

（四）创新水资本管理

水资本经营，是以水资本价值形态表现的价格形式实施管理的，以价格形式反映资本形态的变化，是水资本"活化"与重组的条件。这里存在市场价格不反映资本价值的情况。比如，市场拍卖管理，尤其是低价拍卖水利工程，认为这会造成水利国有资产流失。创新水资本管理，必须弄清楚"低价"的含义。"低价"是针对成交价与市场价作出比较而界定的，卖价低于评估价并不一定就是"低价"。首先，在市场经济中，价格是由买卖双方即供求关系决定的，按质论价是买卖双方必须共同遵循的准则，期望一项劣质资产卖出好价格只能是一厢情愿的事；其次，资产评估价并不能完全反映资产的真实价值，也不能代表市场价格，只能作为资产所有者摸清家底，做到"心中有数"的参考。某项资产在市场中的实际售价只能由市场决定，由买卖双方按质决定。

水资本的表现形态是多种多样的，有实物形态的、货币形态的、科技形态的、金融证券形态的等，资本不论以哪种形态存在，最终都要用价值进行计量。因此，水资本经营中对资本的管理，首先要侧重于价值形态的管理，而不是实物形态的管理。这就是说，水资本经营中，水资本以何种形态存在，其必要性要看这种形态是否能使资本保值和增值，如果资本的形态不能使资本保值增值，甚至会造成资本价值损耗，那么，水资本存在的这种形态就应考虑改变，并尽可能地转化为价值形态。过去由于对资本经营认识不足，较为重视资本实物形态的管理，资本价值形态的管理被忽视，使相当部分水利资本处于实物静态，水利资本的保值增值根本无从谈起。

三、水资本经营方向

水资本营运，是水企业改革沿着市场取向进入由政策调整转向制度创新新阶段所提出的新问题。近年来，水企业开始实施的股份制改造、企业资产重组、并购、破产以及国有股退出的民营改制等，是水资本营运的实践。但是，由于我国社会主义市场经济体制还不够健全，水企业微观运行机制还不够完善，现阶段的水资本营运还处于不成熟阶段，要培育和完善水资本营运机制，充分发挥水资本营运作用，还必须在进一步完善社会主义市场经济体制的基础上，着力构建水资本营运的三大方向，即企业资本化、资本人格化、价值最大化，以推动水资本营运向深度和广度发展。

（一）水企业资本化

水企业资本化，是水资本营运的前提条件。从资本营运的角度看，水企业是以资本价值形态存在的集合体。水企业的一切形态都是资本的表现形式，水企业的生存和发展都表现为资本的运动过程。所以，企业资本化是市场经济发展的逻辑结果，是规范资本营运的必然要求。可以说，没有企业的资本化，水资本营运就失去了前提和基础，就很难成为水企业经营的主导方式和基本形式。

水企业资本化不仅是观念和形式的产物，它还体现在水企业营运资产的资本化程度上。所谓水企业营运资产的资本化，是指在资产评估的基础上，结合企业公司制改造，将处在模糊状态的企业资产通过资本市场的转换或企业投资者的认可，以及严格的产权界定，转化为可以依法在资本市场上直接运作的产权凭证。它包括三个方面的内容：一是指将企业的全部营运资产，包括有形资产和无形资产，如机器设备、厂房、商标品牌、技术专利、土地使用权等，均视作创造商品、获取利润的手段；二是指将上述以各种形态存在的资产，经评估后价值化；三是指将已经价值化了的企业全部资本，经过一定的法律程序，转化为股权、股票，并进行产权界定，使其成为可在资本市场上流通的特殊商品。经过资本化后的企业资产，呈现三个特征：一是企业的全部资产表现为均质的、可分的，以价值形态存在的资本；二是企业的全部资产经产权界定后，一方面表现为企业法人财产，另一方面表现为带有排他性的企业投资主体产权；三是企业投资者的产权以法定产权凭证（包括股票和股份认购协议、出资证明书等具体形式）的形式存在，并可在资本市场转让、交易。可见，通过企业资产的资本化，使企业的营运资产转化为资本营运的对象。通过水资本营运，就可以实现水企业聚集资本、盘活存量、提高资本运行效率和资本的市场价值。

（二）水资本人格化

水资本人格化，是水资本运营的产权基础。根据资本营运理论，资本所有者与资本属性在本质上是同一的。资本所有者是人格化的资本，而资本则是资本所有者追求资本收益的价值载体。这种同一性规律，既构成了资本营运的内在动力，又是资本营运顺利进行的重要保证。我国水资本实行的多元委托、多级代理的委托代理制，实际上造成了水资本所有者与资本属性之间不同程度的分离。要克服这一弊端，关键是要实现水企业的产权多元化，通过产权多元化实现资本人格化，要在除特殊行业外的大多数水企业中建立起以股份制为主的多元化的资本结构。一是将国有独资企业改造成国有控股、国有参股公司，大量吸引其他股东，包括非国有法人股东和个人股东，将大量通过金融中介形成的居民对国有企业的债权，转化为居民直接持有或通过金融中介机构间接持有企业的股权。二是将现有大量国有独资企业，由单一的国有股东转化为多元国有法人股东。国有大中型企业尤其是优势企业，宜于实行股份制的，要通过规范上市、中外合资和企业互相参股等形式，改为股份制企业，发展混合所有制经济。这种多元化的股权结构，有利于克服国有企业资产所有者缺位的弊端，建立起有效的法人治理结构，使国有企业成为市场经济中富有活力的微观主体。

（三）价值最大化

价值最大化，是水资本营运的最终目标。目前，中国经济体制改革正向纵深发展，企业经营机制已经发生了根本性的转变，实现了由生产型向经营型的转变，买方市场已经初步形成，利润最大化成为企业的经营目标。水企业作为水利产业的重要组成部分，其改革中的主要问题表现在，从资本营运的观点看，水企业开展资本营运，其目标不仅仅是单纯地追求利润最大化，而且要追求资本价值的最大化，在最大限度地提高资本营运效率和效益的同时，还要兼顾水企业的特点，实现社会价值的最大化目标。

　　利润最大化目标与资本价值最大化目标既密切相关，又有质的区别。利润最大化是资本价值最大化的必要条件，是实现资本价值最大化的具体体现和途径，但利润最大化并不是资本价值最大化的充分条件。诚然，企业的经营目标定位在追求利润最大化，也是价值最大化的表现形式之一，但如果停留在这一定位上，企业就不可能实现更高层次的资本营运过程。从资本再生产过程看，利润注重于资本的生产过程，利润最大化是投入产出关系的最佳结果，而价值最大化则是资本营运效率最大化的必然产物。因此，如果水企业的经营目标是单纯地追求利润最大化，那么，水资本营运只能局限于资本的生产过程这种低层次的循环中。只有使企业在追求利润最大化的基础上，以追求价值最大化为最终目标，水资本才有可能与其物质载体分离，在更高层次、更大范围内实施资本营运。在证券市场上，水资本的快速扩张和资本市场价值的大幅度增值，就是水资本价值最大化目标的最好证明。另一方面，从水资本的实际运作过程看，水企业追求的利润最大化目标，可以通过损害或侵蚀资本所有者权益来实现。现实经济现象中的工资侵蚀利润、亏损时仍发奖金的现象存在，正是实践中追求利润目标所导致的偏差。可见，从严格意义上讲，利润指标并不能完全代表企业质量和资本质量，并不能决定企业的长期发展。水资本营运动力机制的构造，要求所有者以水资本效益为基础，以水资本价值最大化为目标，从而以有效的激励形成水企业资本营运的内在动力。

四、水资本市场开发

长期以来，水利建设资金来源，局限于国家资金和农民劳动积累工等非市场渠道，严重制约了水利产业的发展。《水利产业政策》中明确规定：乙类项目的建设资金主要通过非财政性资金来筹集。同时，我国快速发展的资本市场，为水利产业开辟了新的筹资空间。随着水利改革的深化及水价机制的逐步建立，水利产业的发展必将引起水资本市场的发育和发展。

（一）发挥水资本市场融资功能

1.构建多元融资机制

充分利用我国资本市场扩容的有利时机，大力发挥水利企业直接融资的功能，是我国水资本市场充分利用各种直接融资手段、开拓资本市场筹资的新渠道。

利用资本市场进行融资，加大水利产业的投入。通过资本市场进行多元化融资是解决水利投入不足问题的较好途径，特别是对于耗资大、工期长、收益高的水利建设项目，可以通过成立股份制，以公开募集等方式获得大量资金用于水利建设和企业生产经营的发展，从而减轻企业间投资融资所必须的还本付息的压力，使水利企业的生存和发展获得资金上的保障。另外，通过资本市场进行多元化融资，也可以把市场机制引入企业，促进企业优化结构，合理配置资源，进行科学管理，推进现代企业制度的建立。

扩大股票上市的筹资能力。目前在深、沪两家证券交易所上市的水利企业并不多。以1997年7月和1998年3月分别上市的重庆三峡水利电力股份有限公司和四川岷江水利电力股份有限公司为例，重庆"三峡水利"上市前后，总资产增长105%，资产负债率由51.4%降为34.5%；"岷江水电"上市前后，总资产增长50.7%，资产负债率从51.7%降为34.6%。由此可见，上市不仅可以实现企业资产规模扩张，还可以改善资产负债结构，降低企业债务包袱。因此，水利部门应该认真总结已上市公司的筹资经验，选择若干条件成熟的水电、供水、水利建筑企业，做好预案研究准备工作，尽快在国内或海外发行上市，以增强水利企业的筹资能力。为此，必须做好以下几方面工作：

（1）争取政府为水利建设注入资金。争取部分水利工程建设项目进入省、国家规划大盘子，有利于获取省和国家的资金支持。

（2）不断完善水利发展基金筹集使用管理办法，千方百计筹措水利发展基金。

（3）在加快大中型水利工程管理体制改革、建立水利资金滚动发展机制的同时，推行"谁投资、谁受益"，实现企业化运营管理，建立水利投入补偿机制。公开向社会出售部分产权，实现产权多元化。

（4）积极吸引外部投资。面向社会，采取招投标方式实施大中型水利工程建设，通过制定优惠政策，吸引外商投资水利工程建设。

（5）拓宽融资渠道。立足大中型水利项目，努力争取世界银行贷款、外国政府贷款和国内银行贷款的支持。

（6）是农田水利基本建设要与农村产业结构的调整同步进行，让农民在短期内就能见到效益，并可长期得到实惠，以此推动农村集体所有制水权的发展。

2.发行金融证券

全球经济一体化和金融证券化，已经成为国际经济发展的大趋势，认识金融与资本对水利产业的重要性，通过水利产业的金融化和资本化推进水利产业的经济体制改革，是利用资本市场获取资本的最直接、最便捷的来源。同时，由于水利建设投入大、回收期长、回报率高，利用股票市场是最为有利的筹资模式。加快推荐规范化的股份制水利企业上市的步伐，形成水利股票板块，通过债券市场或股票市场进行筹资，是构建水利产业融资体系的重要方向。

发行企业债券是水企业融资的又一重要方式。现在许多机构和居民都在寻找收益优于存款的投资品种，这为发行企业债券提供了良好的市场环境。举世瞩目的三峡水利工程，截至目前，已公开发行债券近60亿元，解决了工程急需资金。水利作为国民经济的基础产业，对未来经济增长和社会发展具有重大影响，具有持续增长的潜质，这是水利债券成为投资者首选债券品种的根本原因。所以，将一些经济效益明显的供水、水电企业、水利建筑企业，组成若干集团式公司，以集团公司为发行主体，发行地区性水利企业债券，是构建水利产业融资体系的又一重要方向。

此外，充分利用国家实施的"债转股"政策的支持，将过去水利部门利用银行贷款建设的项目而不能到期偿还的债务，适时转为银行对水利项目或水利企业的股权，以减轻水利企业的债务负担，提高资产运营质量，是水利产业融资的另一增长方向。

3.建立产业基金

利用资本市场，建立规范化的水利产业基金。主要是通过基金收益凭证募集资金，交由专家组成的投资管理机构来运作；它主要用于特定产业发展的多元化投资组合和中长期专业化投资工具，适用于回收期长、收益高、投入大的大型水利、水电项目。水利产业作为基础产业，国家投入严重不足，优先发展水利产业投资基金是通过社会和市场行为筹措资金，以弥补国家投入的不足。研究设立水利产业投资基金的可行性，制订基金建设方案和管理办法，建立水利基金管理专业公司，是水利基金在市场机制作用下运行的必要条件。

（二）提高水资本市场经营水平

目前，我国水利资产运营能力十分低下，其运营能力仅为其他产业平均水平的50%以下。而且，水利产业总资产的周转率也仅为0.29次/年，是全国平均水平的46.8%；经营性资产周转率为0.43次/年，仅达全国平均水平的47%。通过资本市场，不但可以改善我国水利产业的融资能力，而且还可以提高资产的运营能力。

1.明晰产权关系

利用资本市场逐步建立产权明晰、以资本为纽带的水利产业体系。产权是进入市场和参与交易的主体，明晰水利企业的产权关系，建立合理的产权结构，是进行多元化融资和利用资本市场进行资本经营的前提。现在许多水利工程管理单位，既不是企业，也不完全是行政事业单位，在人事、财务方面仍主要依赖于主管部门，与主管部门之间主要靠行政关系维系。因此，应明确企业法人地位，逐步形成以资本为纽带的产权关系，在企业与主管部门之间形成一种出资人与企业法人的关系，用经济调控方式代替行政调节方式。

2.强化资本经营

利用资本市场强化水利产业的资本经营。水利产业的发展除了直接发行股票或债券外，还可以通过资本经营的方式获得大量的资本资源。资本经营是一种不同于产品经营的企业经营战略，它主要是以促进资产最大增值为目的，以价值经营形态为特征，通过生产要素的优化配置和资产结构的动态调整等手段，对企业进行综合经营的一种模式。资本经营是以资产导向为中心的一种运作机制和以价值形态为主的管理方式，资本经营重视的是对资产的支配和使用而不是占有，即以较少的资产调动支配更多的社会资产，并通过合资、兼并、控股等形式获得对更多资产的支配权。水利产业资本经营首先要在行业内部以资本为纽带，通过行政手段引导，进行行业内部的资产重组。水利企业基本以水资源开发为基础，并根据流域有形成大型企业集团的天然条件，应通过股份制和松散联合等形式，大力发展以水商品及水服务为龙头的相关产业，逐步形成规模化、集团化的水利企业。

3.转换经营机制

利用资本市场可以加快建立水利产业的现代企业制度，转换企业经营机制。随着社会主义市场经济体制的建立与完善，外部环境以及水利产业现状都要求加快建立水利产业的现代企业制度，实行股份制，明晰产权关系，转换水利企业的经营机制。经过改组后的企业，有规范而明晰的法人治理结构，能够保障企业产权机制的落实和委托代理问题的解决，防止国有资产的流失。通过资本市场实现投资主体的多元化、分散化，既便于实施大公司、大集团战略，也可以增强企业的竞争机制和激励机制。通过水利企业的股份制改造，还有助于改变水利企业以行政隶属关系为纽带的行政关联机制，形成全新的以资本为纽带的强有力的利益关系机制，使水利产业化经营的各个环节之间互相持股、参股、控股，将与水利经营相关的各产业联系在一起，形成水利产业一体化的利益共同体。

（三）重组水资本资产存量

1.盘活存量资产

全国水利工程国有资产已近4000亿元，要盘活如此巨额的水利国有资产，一是要加强对水利国有资产的监管，充分发挥资产运营的经济效益；二是在深化水利产权制度改革的同时，引入多元化资本，转换经营机制；三是充分认识水利存量资产的潜在价值，通过重组、兼并、上市等方式，建立多元化的投融资体制，加快水利产业的进程。

盘活水利存量资产的根本出路，在于加快水利企业的资产重组，调整水利企业现有资产存量和结构优化。资产重组作为企业经营手段，通过企业间及企业内部资产合理流动和重新组合，通过联合、合并、兼并、收购、拍卖、股份制改造、承包、租赁等形式，实现存量资产的优化组合，提高资产的技术水平和规模效益。

要加快供水、水电企业集团的组建，提高企业规模效益和竞争力。供水和水电企业具有明显的经济效益，可以参与市场竞争，按照市场规则组织资本运营，提高资本运营效率；可以选择若干大型供水、水电企业为核心，组织一批中小型的供水、水电及相关产业，建立地区性的水利企业集团，按照集团模式规范企业内部管理体制和经营机制，提高集团内部的管理效率和资本运营能力，实现资本的规模扩张，带动一批中小供水、水电及相关水利企业的发展，提高水利行业总体发展水平。

此外，还可以通过兼并等方式，将效益好并具有发展潜力的供水、水电、水利建筑等企业，采取剥离不良资产的方式，组建有限责任公司，进行股份制改造。这不仅可以提高水利企业上市筹资能力，解决水利发展资金不足的矛盾，更重要的是可以通过股份制改造，优化企业资产负债结构，提高资产质量，改进企业经营管理，提高企业经济效益。

2.完善投资体系

水利产业结构的形成，从历史的角度看，是由传统的产业投资结构塑造出来的，水利产业结构无论是存量转换还是增量调整，都依赖于合理的投资结构。因此，为了水利产业的发展能够满足国民经济发展的要求，就必须保持合理的投资规模和使用投向。通过资本市场的运用建立多元化的融资体制，不但有助于为水利产业的发展筹集到大量资金，推进水利产业结构的调整，而且还可以通过现代企业制度的建立、通过市场机制的调节作用，合理配置水资源，促进水利产业结构和产品结构的升级。

3.调整产业结构

除了在客观上保证水利产业投资外，从水利产业发展的微观角度看，还要调整好水利内部各部门的投资比重。其合理的内部投资比重，应是按照各部门主体产出最大化来分配。从水利产业投资的内部结构看，水利产业的产出主要有防洪、供水（灌溉）、发电以及航运、旅游、养殖等。这些部门的投资顺序应首先保证防洪投资，其次是供水投资，再次是水电投资。这些投资的筹集，只有通过资本市场不断加快现代企业制度的建立，逐步转换水利企业的经营机制，使水利企业真正成为自主经营、自负盈亏的经营主体，才能通过国家政策的调整，实现水利产业微观结构的优化。

此外，还要支持水利企业发展多种经营，提高水利企业的发展能力。发展多种经营是水利企业规避市场风险，提高发展能力的一个重要选择。特别是发展水土资源优势的产业，国家应从政策、资金、人才、税收等方面给予扶持，使多种经营成为水利微观产业的重要补充。

第三节 水资本经营与"公共财政"

逐步建立适应社会主义市场经济体制要求的公共财政框架，是我国财政体制的一次根本性变革。这种变革既为水利事业发展提供了良好的机遇，同时也对水利工作提出了更高的要求。水利是一个"市场失灵"现象相对集中的部门和行业，与"公共财政"密切相关，研究和建立水利公共财政基本框架，对水利事业和水利经济的发展都具有重要的意义。

一、水"公共财政"理念

因为水市场并不是一个完全意义上的市场，而只是一个"准市场"，所以，它不可能离开政府的宏观调控。研究政府的宏观调控问题，必然会涉及到"公共财政"问题。建立适应社会主义市场经济要求的公共财政，是水资本运营所必不可少的条件。

（一）"公共财政"的概念

"公共财政"是以市场经济为基础，以政府为分配主体，由政府凭借政治权力，以非市场的方式，按非市场的程序，在非市场的领域，以非市场的目的，满足通过市场机制难以解决的公共需要。财政是国家对收入与支出的管理活动，是国家以货币为手段，调动人力、物力来行使国家职能的行为；而"公共财政"是与市场经济相适应的一种财政模式，它为公众提供公共产品或服务，弥补"市场失灵"。水利市场经营是水商品的交换过程，是一种市场行为，政府对水利"准市场"的宏观调控，主要侧重水利公共资源产品的分配过程，体现在对"水权"实施的分配。"水权"是非排他的，用"公共财政"方式和方法，才能使之公平地、可持续地消费，所发生的竞争，是机会成本的竞争。

（二）水公共财政的基本职能

维护国家、配置资源、分配收入、稳定经济，是公共财政的基本职能。

1.维护国家

主要为满足社会公共需求而提供防止洪涝灾害、保护国土、保护水资源及生态系统等公共服务。在多数情况下是政府凭借强制手段来实现的。

2.配置资源

主要是提供水资源公共产品，同时使水资源产品及其生产所产生的外部效应内部化，化解自然垄断的不利影响，促进技术进步，鼓励社会力量投资，提高水资源的开发利用水平和效率，使稀缺的水资源能得到可持续的开发利用。

3.分配收入

水利产品的生产者在市场机制下获得的初次分配状况是极不公平的，由政府行使强制课税权，建立公平的再分配机制，如建立规范的收费与税收体系，重点解决"混合品"价格缺相，建立

水利公共产品相关税收与补偿回报政策，以及在相关行业垄断与
行政垄断下水资源产品普遍面临的价格歧视问题等。

4.稳定和引导经济

首先是稳定社会经济，将增加或减少水资源产品作为扩大或
抑制社会总需求，引导经济健康稳定发展的重要手段之一；其次
是稳定水利经济，使水资源产品的可持续性生产和供应得到保
障，建立同步协调的财政预算、税收、投资、国债、补贴、贴息
等水利公共收支体系。

（三）建立水"公共财政"的必要性

公共财政是与市场经济紧密相联的。在市场经济制度下，政
府的作用在于对市场"失灵"部分进行干预，主要着眼于满足社
会公共需要，公共财政被当成政府实施宏观调控的重要手段之
一。

1."公共财政"是市场经济运行模式

事业按其功能特点可分为公益事业、非公益事业、半公益事
业三类。公益事业是指生产公共物品的事业，如公安、国防、环
保、防洪治涝、人工降雨等，由于这类公共物品受益的广泛性，
投资者直接收益的不明确性，所以难以由市场竞争来完成，一般
应由政府来组织投资和管理。非公益事业是指产权能够得到充分
补偿的事业，其应通过完全的市场竞争行为完成。半公益事业是
指其有垄断或半垄断特征，为保证市场有序进行，政府须对其严
格管理，这类事业有一定收益但不能完全补偿其耗费，如政府限
价的供水业。

水利是为国民经济和社会发展提供安全保障的战略性基础产
业。水利的基础作用使其具备了公共物品的主要特征。水利中的
供水、水电等项目具备一定的产业特点，但是，由于它们是关系
国计民生的基础设施，加之具有特殊的垄断性，政府一直对这些
产品或服务的价格进行较强的干预，使这些本属商事行为的事业

具有了某些公益特性，成了半公益性事业。由于我国特定的水环境、水资源及水电资源条件，为了优化工程设计，降低工程造价和运行成本，把经营性的供水、水电、通航等功能的工程项目与防洪除涝等公益服务结合起来建设，这就使得我国绝大部分的水利设施具有双重性特征。

建立公共财政体系，实质上就是构筑一种与社会主义市场经济相适应，可以满足社会公共需要的政府收支活动模式。为此，国家财政运行的基本思路，是在不断完善财政收入体系的同时，重点推进支出管理改革，加快建立公共财政体系。主要任务是，保证必要的公共支出，合理确定公共支出的范围，并实施有效的管理；依法调整收入分配关系，增强社会保障能力，促进市场竞争公平有序；依法理财，依法监督，通过国家预算、税收、国债等政策工具，调节宏观经济；加强和改善中央财政作用，建立和完善中央财政对地方财政的税收返还和转移支付；在市场对资源配置起基础性作用的条件下，对市场缺陷实施调整，支持水利产业的发展。在计划经济体制下，政府通过计划手段对全社会资源实行配置，在市场经济体制下，市场在资源配置中起基础性作用，政府不再充当资源配置的主体。政府的主要职能是为社会提供公共产品，通过对社会公共需要的分析，制定和实施相应的财政政策，对在市场配置失灵的领域或对结构优化有突出意义的领域，如基础科研、公益教育、农田水利建设、交通能源等方面进行投资。建立公共财政体系，政府主动退出可以通过市场机制发挥作用的竞争性领域，集中精力提供公共产品，使政府的财政支出按照公共财政的原则行事，更有利于水市场发展。

2. "公共财政"是水资本市场运行的客观需要

首先，水作为公共资源，其优化配置需要"公共财政"的支持。在市场经济条件下，水资源及水资源产品都在不同程度上具有公共资源的竞争性特性。随着经济与社会的发展，对水资源的需求日益增加，势必产生水资源消费拥挤现象，出现用水权的竞争性消费。为使水资源永续利用，需要国家用收费方式加以控制，尽可能地满足社会公共需求。用水权理论来阐述，即水权是有价的，可以按要水量确定相应比例的股权，要得多，股权大，资本金投入也就大。其他水利产品中，如水位、水面、"四荒"、小流域治理开发等都可以认为是一种公共资源，消费者要用竞争性缴费方式来获得使用权。

水资源产品便是常见的混合品，其特点是同时从市场和政府获得资源的配置。国家为了保证低收入者对这种产品的消费，常有意识地将这种产品的价格定在低于市场价格的水平上，由国家对生产者由此而造成的损失给予相应补偿。市场的调节作用至多只能对其由市场配置资源部分产生效应，而由政府配置资源的部分，则具有了一定程度的公共产品特性，很多"价格与价值背离"的水利产品，是因为其具有水利混合品特性，其价格构成存在缺陷，如消费者消费公共产品所应支付的费用，政府为限制消费、保护资源、维护社会公平而进行的收费，政府为纠正外部效应而应进行的收费等，都需要"公共财政"的支撑。

其次，水作为公共产品，其供给需要"公共财政"的支撑。公共产品的生产者不能决定由谁消费它的产品，消费者可以不经任何人同意，免费享受该产品，即"免费搭车"。所以，像防洪堤坝等这些水利公共产品一般是不会被生产厂商有效供给出来的，须由"公共财政"来解决。国家制定的水利各项法律、法规、政策等水制度产品，是人们时刻在享用、但往往又不被人们所意识到的公共产品。这是因为，水利各项法律、法规、政策，在本质上是一种制度，而制度在现代经济学中一般被认为是公共产品。

再次，水作为"准公共产品"，其供求需要"公共财政"的适当介入。水价的形式内容表现为资源水价、工程水价、环境水价，说明水价具有非完全市场性，事实上这其中还隐含着另一种水价，即公共品水价，它是政府为了保证社会公众对公共产品的消费而被有意压低的那部分水价。资源水价是将水资源作为公共资源，为减少消费拥挤，实现公平地、可持续地利用水资源而采取的收费调节方式，属政府规费；工程水价是市场机制下各种工程及管理费用所决定的，应由市场调节；环境水价的本质是矫正消费水资源产品所产生的负的外部效应，属政府税收；公共品水价是消费者消费水资源产品中的公共产品部分，或获得公平消费水资源产品的权利时，应支付的费用，也属政府税收。所以，资源水价、环境水价、公共品水价是由政府来确定的，工程水价则是由市场所决定的。水市场只能是政府宏观调控与市场机制有机结合的"准市场"，需要通过"公共财政"手段，纠正"市场失灵"。政府既可以通过"公共财政"直接提供准公共产品，也可以在税收边际负效用允许程度内，以"公共财政"的适当介入，来促进私人及社会投资，加速技术进步，提高水利准公共产品的供应和保障能力。

此外，水作为私人产品，其开发需要"公共财政"的扶持。水产品中诸如鱼虾蟹等是纯粹的私人产品，其需求和价格，取决于该水产品效用的高低与消费者的偏好程度，应当由市场来调节。一般来说，私人产品的生产不是公共财政的范围，私人产品的研究、开发、推广、生产等应走市场化道路。但为促进技术进步，比如水产新品种的繁育推广，高新节水灌溉设备的引进等，公共财政的适当介入还是必要的。

二、水"公共财政"制度的作用

水利是提供公共产品的重要部门之一，水利发展必须依靠政府行为的支持和调控。建立社会主义市场经济公共财政体系，对于推动水利现代化进程具有重要意义。

（一）建立水"公共财政"有利于国家宏观调控

长期以来，政府一直是多重身份的矛盾主体，作为国有资产所有者和管理者，政府应追求资产利益最大化；作为宏观经济管理者，应追求社会经济的统一和发展；作为公共权力代表，要致力于社会公益事业，提高公共福利水平；作为改革的推动者，要最大限度实现改革目标。这些矛盾的产生，是我国向市场经济体制过渡所难以避免的。作为政府组成的水利部门，同样也面临着太多的压力，存在着关系不顺、政策不到位及管理体制错位等问题。水利要适应市场经济制度，首先必须定好位，明确职能，正本清源。按照公共财政要求，要加快政、事、企分开改革步伐，理清水利公共物品和公共服务的范围，将非公共物品的生产和管理推向市场。对公共物品的生产和管理也要按经济规律办事，改变过去那种大包大揽、依附于政府部门的关系；水行政主管部门理清、摆脱各种依附关系后，再着力调整部门所有意识和部门利益，客观、公正地代表政府行政。对现有水利单位要创造条件，使其成为独立于社会、独立于市场的专事水利某一方面事务的经纪人，水行政主管部门通过一定的公开程序和方式，面向这些从事水利相关事务的单位进行政府采购，具体的水利单位则通过竞争承担任务，实现收入，进而实现水"公共财政"的宏观调控。

（二）建立水"公共财政"有利于水资本运行

"公共财政"是现代国库制度的组成部分。对财政资金实行集中收缴和支付，是建立公共财政框架的重要内容。"公共财政"对于解决财政收入流失，财政支出监督弱化，财政资金使用过程截留、挤占、挪用等问题具有重要意义。与财政资金一样，水利建设资金也存在多重账户分散拨付、中间环节多、资金大量沉淀现象。随着现代国库制度的建立，水利建设资金将更快、更直接地作用于水利建设项目，对加快水利现代化建设将发挥越来越大的作用。

当前，国家财政对水利投资偏重于基本建设，主要解决水利设施存在的问题，但水利公共物品除基础设施外，还有大量的水利公共服务。政府投入水利公共物品造成的不匹配问题主要表现在，一是水利工程建成后的管理、运行、维护费严重匮乏，历史欠账较多；二是水利非工程措施，如防汛指挥系统、防汛通信、水文测报等设施的运行维护费和开展业务活动的经费缺口较大；三是水资源保护和管理等业务经费难以保障。这些问题的形成非一朝一夕所致，解决这些问题也绝非一朝一夕所能为，但适度利用财政改革之机，依靠公共财政机制，创造水资本运行的初期环境却是十分可能和必要的。

（三）建立水"公共财政"，有利于国家"依法治水"

随着我国社会主义市场经济体制的确立和深入发展，公共财政框架改革和建立也正日益深化。水利作为国民经济及社会发展的基础，进行经济上的定位和经济行为的规范，显得越来越重要，只有解决好这些基本问题，才有可能以此为出发点，建立、完善相应的政策，制定促进和规范水利发展的措施。

建立公共财政、实行部门预算，有利于贯彻"依法治水"的方针。部门预算编制程序规范、严格、公开、透明，对预算的管理责权、目的、范围等都有具体规定，有利于水利部门规范、合理、合法、高效地使用财政资金，提高水资源配置效率。比如，实行政府采购，并实行国库直接支付制度，有利于遏制目前普遍存在的分散采购、重复采购、盲目采购等低效率行为和"暗箱操作"等违规违纪行为，是从源头遏制腐败、节约水利财政资金、提高水资源利用效率的有效措施。

三、改革"公共财政"框架下的水市场管理制度

（一）水财政国库管理制度改革的根据

目前，中国的财政性资金缴库和拨付方式，是通过征收机关

和预算单位设立多重账户分散进行的，这种在传统体制下形成的运作方式，越来越不适应社会主义市场经济体制下现代财政管理的要求。主要弊端表现在，多重和分散设置账户，不利于对其实施有效管理和全面监督；财政收支信息反馈迟缓，不能为预算编制、执行分析和宏观经济调控提供准确依据；财政资金入库时间延滞，收入不规范，大量资金滞留在预算单位账户上，财政资金使用效率低；财政资金使用缺乏事前监督、事中控制，截留、挤占、挪用财政资金的事情时有发生，甚至出现腐败现象。因此，为深化财政改革，有必要对现行财政国库管理制度进行改革，逐步建立和完善以国库单一账户体系为基础、资金缴拨以国库集中收付为主要形式的财政国库管理制度。这种新的财政国库管理制度的建立，有利于规范财政收支行为，有利于加强财政收支管理监督，有利于提高资金的使用效益，符合社会主义市场经济的发展要求，也是从制度上防范腐败现象发生的有效措施之一。

水利是以体现政府职能为主的行业部门，水利预算管理工作是水利行业发展的一项重要保障措施。随着政府财政体制改革的不断深入和水利发展思路的转变，水利预算管理工作正经历着一个历史性的变革。

（二）水财政管理制度改革的内容

1.构建"公共财政"新体制

水利部门预算的改革，取得了从传统预算向公共预算体制转变的阶段性成果。经财政部批准，水利部2002年实行国库集中支付的范围是，水利部本级和所属七大流域机构本级机关、农电局、国家防汛抗旱总指挥部办公室的在职人员工资支出，国家防汛抗旱总指挥部办公室的后勤服务性采购支出实行直接支付；七大流域机构各选一个重点基建项目实行直接支付与授权支付相结合的方式。可以预见，随着"公共财政"体制框架的不断完善，水财政管理制度改革的内容将越来越丰富，实际成效将会从制度创新的高度推动水资本市场运营。

2.调整财政经费供应结构

根据政府职能的调整和建立公共财政的总体思路，对财政经费供应结构和方式也进行了初步调整，要求将部门和单位的各项经济资源进行统一管理，统筹安排，一方面对增量经费的安排要保证中心工作的开展；另一方面对原有经费基数的安排，要按照"削减一般，保证重点"的原则，增强水利政府职能履行的经费保障能力。

在安排资金投向和规模时，从过去单纯从各单位人均总量的增长方面考虑安排资金，改为在保证基本人员机构经费开支前提下，重点保证年度中心工作的开展，保证年度改革任务的完成。如结合工作重心由工程水利向资源水利的转变，各级财政加大了对水政管理、水资源管理、水质监测工作的经费投入，较好地保证了水利政策法规建设、执法监督和水资源规划、宣传、监测、保护以及实施取水许可制度等工作量大幅度增加对经费的需求。

（三）水财政管理制度改革的思路

1.打好思想认识基础

财政管理体制的改革是我国经济体制改革的必然要求，是大势所趋，水利部门必须充分领会改革的内容和实质，大力宣传改革的必要性和重要性，使水利干部职工尤其是各级经济管理人员，都能了解改革的方向，为改革做好思想、组织和制度准备工作，尽快适应改革带来的变化。

公共财政体现了政府职能和政府履行职能方式的转变，从各部门、各单位来讲，对各部门、各单位的工作思路、工作方法都是一个重大的冲击。要适应部门预算要求，进一步增强部门、单位工作的计划性，规范工作程序，减少临时动议。

2.改革水财政体制

首先，是充分评估各项改革措施对水利工作思路、管理体制、制度体系、工作程序等方面可能产生的影响，并形成一套符合水利工作实际的改革实施方案和建议，为决策提供依据。其次，重点实施以下几项改革：第一，建立项目预算制度。要根据水利发展的规划和年度计划，对各单位、各部门年度经常性开支之外的专项业务经费进行项目管理，加强项目预算库建设。对库内的项目都要进行充分的可行性论证，明确项目实施单位、工期、工作量、单价、预算、预期效益等。第二，落实财务统一管理的体制。以财政部门为龙头，集中统一、严格审核把关。参照财政部机构改革模式对财务部门的机构进行相应的调整，集中设立以预算管理为主的内部机构，加强预算的统一管理协调。第三，理顺财务管理关系。

中
国
水
市
场
管
理
学

416

主要参考文献

[1] 张帆. 环境与自然资源经济学. 上海：上海人民出版社，1998

[2] 陈杰，崔延松. 水利经济管理. 南京：河海大学出版社，2000

[3] 李金华. 中国可持续发展核算体系. 北京：社会科学文献出版社，2000

[4] 吴季松. 水资源及其管理的研究与应用. 北京：中国水利水电出版社，2000

[5] 冯尚友. 水资源持续利用与管理导论. 北京：科学出版社，2000

[6] 陈梦玉，徐明. 水价格学. 北京：中国水利水电出版社，2000

[7] 蒲鲁东〔法〕. 什么是所有权. 北京：商务印书馆，1997

[8] 韩安贵. 政府主导型的市场经济. 广州：广东高等教育出版社，1999

[9] 李宝山. 管理经济学. 北京：企业管理出版社，1997

[10] 董辅礽，厉以宁. 中国经济与21世纪对话. 广州：广东经济出版社，1998

[11] 干春晖. 资源配置与企业兼并. 上海：上海财经大学出版社，1997

[12] 叶裕民. 中国区域开发论. 北京：中国轻工业出版社，2000

[13] 钱正英. 中国水利历史、现状、展望. 南京：河海大学出版社，1992

[14] 许晓峰. 资源资产化管理与可持续发展. 北京：社会科学文献出版社，1999

[15] 周祖城. 管理与伦理. 北京：清华大学出版社，2000

[16] 樊纲. 市场机制与经济效率. 上海：上海人民出版社，1999

[17] 周青. 市场经济下的政府经济职能. 厦门：厦门大学出版社，2001

[18] 郝寿义，安虎森. 区域经济学. 北京：经济科学出版社，1999

[19]　姜文来. 水资源价值论. 北京：科学出版社，1998

[20]　洪银兴，等. 经济增长方式转变研究. 南京：南京大学出版社，2000

[21]　沈大军，等. 水价理论与实践. 北京：科学出版社，2001

[22]　罗锐韧. 哈佛管理全集. 北京：企业管理出版社，1999

[23]　魏杰. 市场经济前沿问题. 北京：中国发展出版社，2001

[24]　P·麦卡利［美］. 大坝经济学. 北京：中国发展出版社，2001

[25]　徐国华，赵平. 管理学. 北京：清华大学出版社，1989

[26]　陈东升. 资本运营理论·方法. 北京：企业管理出版社，1998

[27]　陆满平. 价格刚性论. 北京：中国物价出版社，1991

[28]　Postel，s. 最后的绿洲. 北京：科学技术文献出版社，1998

[29]　马洪，孙尚清. 中国经济结构问题研究. 北京：人民出版社，1981

[30]　李金昌. 资源核算论. 北京：海洋出版社，1991

[31]　马军. 中国水危机. 北京：中国环境科学出版社，1999

[32]　郑垂勇. 水资源与国民经济协调发展研究. 南京：河海大学出版社，1996

[33]　张国良. 21世纪中国水供求. 北京：中国水利水电出版社，1999

[34]　刘昌明等. 中国21世纪水问题方略. 北京：科学出版社，1998

[35]　董文虎. 水权、水价、水市场理论与实践研究. 郑州：黄河水利出版社，2002

[36]　水利部. 中国水利年鉴. 北京：中国水利水电出版社，1998~2001

[37]　胡鞍钢，王亚市. 转型期水资源配置的公共政策：准市场和政治民主协商. 中国水利，2000（11）

[38]　董文虎. 水价形成机制探析. 中国水利，2001（8）

[39]　魏炳才. 我国水利工程供水价格政策和改革思路. 中国水利，2001（1）

[40]　吴季松. 合理水价形成机制初探. 中国水利，2001（3）

[41]　刘昌明. 我国21世纪上半叶水资源供给分析. 中国水利，2000（2）

[42]　汪恕诚. 水环境承载能力分析与调控. 中国水利，2001（11）

[43]　黄河. 水市场的特点和发展措施. 中国水利，2000（12）

[44]　姜文来. 水权及其作用探讨. 中国水利，2000（12）

[45] 张岳. 21世纪我国水利面临的十大挑战. 中国水利, 2000 (1)

[46] 汪恕诚. 水权管理与节水社会. 中国水利, 2001 (5)

[47] 何大安. 资源配置与产业结构调整. 当代经济科学, 1994 (5)

[48] 赵学增. 资本论中的资源配置理论. 当代经济科学, 1994 (3)

[49] 陈家琦. 浅谈水资源和水资源学. 水问题论坛, 1994 (2)

[50] 张志乐. 以劣等资源条件决定商品水价格. 水利经济, 1986 (3)

[51] 陈安宁. 论我国自然资源产权制度的改革. 自然资源学报, 1994 (9)

[52] 张光斗. 关于解决我国水资源危机的几点意见. 水利经济, 1987 (3)

[53] 傅春, 等. 国内外水权研究的若干进展. 中国水利, 2000 (60)

[54] 胡振鹏, 等. 水资源使用权有偿转让浅议. 中国水利, 2001 (5)

[55] Keith Cowling, Paul Stoneman, John Cubbium, John Cable, Grahann Hall.Simon Domberger and Patrieia Dulton.Mergers and Economic Performance.Cambridage University Press, 1980

[56] Schoolmaster, F.A.1991.Water Marketing and water Rights Transfers in the lower Rio Grande Valley.Prot.Geographer, 43 (3)

[57] Smith VK.Resources Evaluation at a Crossroads Eslimating Economic Values for Nature Methods for Non-market Valuation, 1996

[58] John, L.1991.Environmental Accounting: Putting a Value on Natural Resources.Our Planet, (1)

[59] Liu Changming, Zuo Dakuang and Xu Yuexian, 1994.Water Transfer in China; The East Route Project.Water Resources Development, ed.by H.Biswas et al.Tycooly intl., Dublin Treland 1 (46)

中

国

水

市

场

管

理

学

418

后 记

  记得一位资深的电影艺术家曾这样说过："电影是一门遗憾的艺术"。即当作品完成之后，无法修改，只能空留遗憾。对此，我深有同感。不仅电影创作如此，其他学问的研究也是如此。作为国内探求中国水利经济管理学的较早接受者，十多年来，我一直在从事这门年轻学科的实践和研究工作，在不停地读书、调研、写作，利用有限的兼职教授授课机会与学员切磋、讨论，发表了一些文章，但都有意犹未尽或词不达意或脱离实践的感觉，所以一直空怀遗憾。这次，在黄河水利出版社的大力支持下，将三易其稿的《中国水市场管理学》书稿寄交给出版社，编辑为该书能早日出版，放弃节假日休息，加班加点。在该书即将付梓之际，我仍然没有如释重负的感觉，该书仍然存在电影艺术的遗憾，希望它能得到更多的批判，能激发出更多更好的水利经济管理学佳作。之所以将该书定名《中国水市场管理学》，是为自己以后利用业余时间更好地深入探析这一学科，以及与同仁学者共同推动这一学科的发展，提供动力、压力。